Adrienne Basso est tombée dans la littérature quand elle était petite. Sauvée d'une carrière d'analyste financière par un charmant jeune homme, elle se consacre depuis à son amour des livres et de l'écriture.

CE LIVRE EST ÉGALEMENT DISPONIBLE
AU FORMAT NUMÉRIQUE

www.milady.fr

Adrienne Basso

La Saison du péché

Traduit de l'anglais (États-Unis) par Jean-Baptiste Bernet

Milady Romance

Milady est un label des éditions Bragelonne

Titre original : *Tis The Season To Be Sinful*
Copyright © 2011 by Adrienne Basso

© Bragelonne 2012, pour la présente traduction

ISBN : 978-2-8112-0878-3

Bragelonne – Milady
60-62, rue d'Hauteville – 75010 Paris

E-mail : info@milady.fr
Site Internet : www.milady.fr

Ce livre est dédié à Rudy et Alex.
Être votre mère fut mon plus grand honneur, mon défi
le plus ardu, et ma plus immense joie.
Je suis si fière de vous !

Chapitre premier

Angleterre, printemps 1858.

*R*ichard Harper était en retard. Il avait rendez-vous avec l'agent immobilier à 13 heures, autrement dit un bon moment auparavant, mais le train dans lequel il était actuellement assis se retrouvait arrêté en pleine voie, à huit miles de la gare selon John Barclay, son secrétaire.

— Le conducteur m'a assuré que le train repartirait dans l'heure, annonça ce dernier en se tamponnant le front avec son mouchoir.

Richard se pencha en avant et lui lança un regard perçant.

— Laquelle exactement, Mr Barclay, celle-ci, ou la suivante ? Après tout, ne venons-nous pas de passer deux heures bloqués ici ?

Le secrétaire passa un doigt sous le col de sa chemise.

— Je suis certain qu'il parlait de celle-ci, monsieur.

— Il n'est jamais très sage de faire des suppositions, surtout quand il s'agit de mauvaises nouvelles.

Le calme feint de Richard ne faisait rien pour apaiser la tension.

—Avez-vous enfin découvert la raison de ce retard?

Mr Barclay rentra la tête dans les épaules et s'enfonça encore davantage dans son siège.

—Des moutons, murmura-t-il.

—Parlez plus fort, je vous prie, Mr Barclay.

—Un troupeau de moutons erre sur la voie, monsieur, dit Barclay d'une voix tremblante. Par chance, le conducteur a réussi à arrêter le train avant de les percuter, sans quoi nous aurions probablement déraillé.

Richard réprima un sourire. Ainsi, le glorieux service ferroviaire britannique ne pouvait rien faire contre un groupe d'ovidés en maraude : il n'était peut-être pas aussi infaillible que ses propriétaires le prétendaient. Une information qui se révélerait sans doute utile un jour.

—Ces animaux expliquent peut-être notre arrêt, mais pas pourquoi nous ne sommes pas encore repartis, rétorqua Richard, tâchant de dissiper son agacement. Il ne faut certainement pas tout ce temps pour chasser des moutons !

Le secrétaire secoua la tête et une goutte de sueur vola de son front.

—Vous avez raison, monsieur, mais il semblerait que redémarrer la locomotive soit plus compliqué que prévu.

Intéressant. Richard se demanda combien d'autres trains de cette compagnie souffraient du même défaut. Un moteur mieux conçu permettrait certainement de résoudre ce problème. Il était peut-être même possible de modifier ceux qui étaient déjà installés, une mesure plus économique, plus facile à réaliser – et donc à vendre aux propriétaires.

Il tira un morceau de papier plié en quatre de la poche de sa veste et y griffonna quelques mots. Cette attente était certes pénible, mais elle pourrait bien se révéler profitable en fin de compte.

Richard, un homme d'affaires américain avide de nouveaux défis et attiré par la perspective de créer un empire international, était venu s'installer à Londres trois ans plus tôt. Certes, il ne s'était pas attendu à être accueilli à bras ouverts, mais le dédain avec lequel on le traitait n'avait de cesse de l'étonner. Beaucoup le considéraient comme un barbare fruste et arriviste, et ses idées progressistes ne lui avaient valu que circonspection et réticence.

Un homme moins déterminé serait aussitôt reparti dans sa chère Amérique, où il était aussi respecté qu'admiré, mais Richard n'était pas du genre à renoncer. Bien décidé à rester sur les terres de ses ancêtres tant qu'il ne serait pas parvenu à ses fins, il avait tout simplement redoublé d'efforts.

Il avait signé un accord fructueux avec un groupe d'investisseurs pour la construction d'une aciérie, puis s'était assuré l'exclusivité des droits de minage du cuivre dans une partie non exploitée de la Cornouailles. Ces entreprises lucratives lui avaient permis de gagner l'estime de quelques banquiers et industriels, et d'attirer l'attention d'aristocrates qui, s'ils n'aimaient guère faire affaire avec des interlocuteurs d'un statut inférieur, n'avaient rien contre des investissements capables de leur rapporter des profits importants.

C'était d'ailleurs ce qui avait amené Richard à entreprendre ce petit voyage. Selon des sources sûres, tout homme d'affaires désireux d'être considéré comme un gentleman se devait de posséder un domaine à la campagne.

D'ordinaire, on entrait en possession de ces demeures par le biais d'un mariage, d'un héritage, ou en les faisant construire. Richard n'avait ni le temps ni les aptitudes sociales pour trouver une épouse, aucune famille dans le pays pour lui transmettre une telle propriété, et sûrement pas la patience d'attendre l'édification d'un manoir. Il avait donc décidé que le moyen le plus simple d'atteindre son but était d'acheter un tel endroit.

Hélas, la tâche se révéla plus ardue que prévu, car un grand nombre des plus belles demeures relevaient d'une propriété inaliénable, et étaient donc impossibles à acheter. Il n'y avait bien que les Anglais pour inventer une loi qui interdisait de diviser un domaine pour le vendre ou – quelle ignominie ! – le transmettre à une héritière.

Le train tressaillit avec un sifflement strident ; les wagons avancèrent en haletant pendant quelques secondes, puis s'arrêtèrent de nouveau. Richard fit de son mieux pour réprimer un soupir, mais son agacement n'échappa pas à Mr Barclay, qui se leva d'un bond.

— Je vais voir ce qui nous retarde à présent, s'écria-t-il avant de détaler.

Il était certes plaisant d'être craint, mais Richard commençait à se lasser de la perpétuelle nervosité de son secrétaire. L'homme n'était à son service que depuis quelques mois, et si son comportement ne s'améliorait pas de façon significative, il ne le resterait pas bien longtemps.

Allons, un peu d'honnêteté : c'était Barclay qui avait repéré le domaine qu'ils devaient visiter ce jour-là, démontrant ainsi compétence, intelligence et dévotion. Si l'endroit se révélait digne d'intérêt et que la vente était signée, Richard se promit d'être à l'avenir plus tolérant avec le timide jeune homme.

Le train s'ébranla de nouveau et, contre toute attente, se mit à prendre de la vitesse avec chaque ballottement. Richard retint son souffle, craignant que crier victoire trop tôt incite le véhicule à s'immobiliser définitivement, mais rien de tel ne se produisit. Vingt minutes après, ils arrivaient enfin à la gare – avec plus de deux heures de retard sur l'horaire prévu.

Barclay revint trouver Richard au moment où celui-ci posait le pied sur le quai, puis lui fit traverser la gare et le conduisit jusqu'à une route pavée où l'attendait Mr Fowler, l'agent immobilier, un homme robuste, d'âge mûr, aux manières directes et au front dégarni.

Richard lui serra la main et grimpa dans la voiture qui les attendait.

— Je veux connaître l'histoire de cette propriété et de ceux qui y habitent, Mr Fowler, annonça Richard, bien décidé à ne pas perdre de temps en civilités.

Son interlocuteur sourit et prit place en face de lui dans le cabriolet, à côté de Barclay.

— Mr Harper, je peux vous assurer que c'est un domaine de tout premier ordre. Le comte de Hastings fit construire la bâtisse principale au siècle dernier pour l'offrir à son deuxième fils, et la propriété est depuis restée dans la famille.

» Par tradition, elle est censée revenir au fils aîné de l'actuel propriétaire, et si ce dernier n'a pas d'héritier mâle, au deuxième fils de l'actuel comte. C'est l'un des plus vastes domaines de la région, et le seul à posséder une salle de bal entièrement parée de dorures et de miroirs.

Richard réprima un sourire. Il tenta — sans succès — de s'imaginer donnant une réception dans une pièce aussi prétentieuse.

— Y a-t-il des fermes sur le domaine ? demanda-t-il.

— Non, les produits cultivés et les bêtes élevées dans la propriété sont réservés à la demeure. (Mr Fowler toussota.) Ce n'est pas un problème, j'espère ?

Cette fois, Richard ne put s'empêcher de sourire. Il n'avait aucune envie de jouer au seigneur, et puis de toute façon, l'agriculture ne rapportait plus grand-chose.

— Non, *a priori*, tant que le domaine répond à la plupart de mes exigences.

Richard savait bien qu'avoir l'air trop avide ferait certainement monter le prix de la propriété.

— Le manoir est-il habité ?

— Non, pas en ce moment, répondit Mr Fowler. Mrs Wentworth, la propriétaire, est veuve. Elle occupe avec ses enfants la maison douairière, située à plusieurs miles de la demeure principale.

Richard fronça les sourcils ; ce n'était sans doute pas une bonne idée d'avoir des voisins si proches. L'intimité était une chose précieuse, surtout au sein d'une petite communauté. Oh, et puis tant pis : si l'endroit lui plaisait, il n'aurait qu'à acheter aussi ce cottage, et le problème serait réglé. Il se cala confortablement sur la banquette en cuir et, pour la première fois depuis que le train s'était arrêté en pleine voie, commença à se détendre.

La voiture longea une route bien dessinée au milieu d'hectares de champs prêts pour les semences. Au bout de plusieurs miles, un mur apparut sur la droite et serpenta à leurs côtés. Il les mena à un imposant portail de pierre aux jambages surmontés de deux statues de lion menaçantes. Richard décida aussitôt qu'il les aimait beaucoup.

Les portes en fer forgé étaient ouvertes en prévision de l'arrivée des visiteurs. Richard tendit le cou, impatient de découvrir à quoi conduisait la large allée bordée de vieux chênes.

Il ne fut pas déçu. Le manoir, construit en pierres grises, dans un style classique, se dressait du haut de ses quatre étages et ses vitres scintillaient sous les rayons du soleil. Une pelouse drue et luxuriante menait jusqu'à la demeure, parsemée çà et là d'arbres magnifiques. De vastes jardins vivement colorés se déployaient derrière cette dernière, dépassant de chaque côté.

Une vision imposante, magnifique, et d'une telle élégance! Richard sentit son cœur battre un peu plus vite. C'était exactement ainsi qu'il imaginait la maison de campagne d'un gentleman.

— Quel est le nom de cette propriété, Mr Fowler? demanda-t-il.

— Highgrove Manor, monsieur.

Richard hocha la tête; le nom sonnait bien. Il lui suffisait de contempler le manoir pour que son humeur s'améliore: les frustrations du voyage n'avaient pas été vaines. À moins que l'intérieur ne soit complètement en ruine, il allait acheter cet endroit.

La voiture s'arrêta lentement et les trois hommes en descendirent. De près, la façade était encore plus impressionnante. L'entrée principale, vers laquelle montait un double escalier incurvé, était tout simplement magnifique. Mr Fowler ouvrit lui-même la grande porte en chêne, car il n'y avait de toute évidence pas de domestique dans les parages.

Le hall était immense, et son sol était couvert de marbre blanc. Un grand lustre d'où pendaient des guirlandes de cristal était suspendu au centre de la pièce, juste au-dessus d'une table ronde en acajou sur laquelle était posé un vase vide. Richard supposa que ce dernier accueillait en temps normal des fleurs du jardin.

Tandis qu'ils se dirigeaient vers l'escalier central, Richard décida qu'il achèterait également les tableaux aux cadres dorés qui ornaient les murs de stuc, puisqu'ils allaient si bien avec le reste du décor.

— J'aimerais voir les chambres en premier, déclara-t-il.

C'était selon lui grâce à elles qu'il saurait dans quel état était vraiment cette demeure. Les pièces de réception étaient d'ordinaire – et tout naturellement – mieux entretenues.

— Nous pouvons commencer par l'aile qui accueille les chambres principales, répondit tranquillement Fowler. Par ici, messieurs.

Ils gravirent un escalier en acajou sculpté avec art. Une fois qu'ils furent arrivés au sommet, Richard se surprit à devoir allonger le pas afin de ne pas être distancé par Fowler. Pour un homme aussi courtaud et massif, il se déplaçait étonnamment vite.

Pourquoi une telle précipitation ? Essayait-il de lui cacher quelque dommage dans cette partie du couloir ?

Richard ralentit délibérément l'allure.

— Faites une liste de tout ce qui devra être réparé, remplacé ou amélioré, ordonna-t-il à son secrétaire. Ajoutez-y vos propres suggestions. Je la lirai plus tard, dans la soirée.

Barclay opina du chef et s'empressa de sortir une feuille blanche du dossier en cuir qu'il avait à la main, puis un petit crayon de sa poche.

Mr Fowler les attendait au bout du couloir, fier comme une mère sur le point de présenter son nouveau-né. Avec un petit sourire, il ouvrit la porte à deux battants et annonça :

— Et voici la chambre du maître des lieux.

Barclay contempla la pièce, bouche bée.

— Elle est digne d'un roi, murmura-t-il.

Richard n'aurait pas dit mieux. L'endroit impressionnait dès le premier regard : il était somptueux et pourtant raffiné, ce qui n'était pas un mince exploit au vu de sa taille et de sa majesté. Entièrement décorés dans des teintes masculines de bordeaux, de brun foncé et d'or vieilli, ces appartements donnaient une impression de douceur et de paix.

Les meubles étaient anciens et luxueux, le sol était couvert d'épais tapis importés. Un immense lit à baldaquin entouré de draperies rouges aux épaisses franges faisait face à une série de fenêtres donnant sur l'est, les jardins et la campagne alentour.

À l'immense chambre s'ajoutaient une garde-robe, un salon privé, et une salle de bains alimentée en eau courante qui accueillait la plus grande baignoire que Richard ait jamais vue.

D'ordinaire, il n'aimait pas les endroits trop fastueux, mais cette chambre l'attirait. Il s'imaginait très bien vivre là, se retrouver allongé dans ce lit – et pourquoi pas avec une belle femme dévêtue à ses côtés ?

—Comme vous pouvez le constater, ces pièces ont été récemment rénovées, annonça Mr Fowler, coupant court aux rêveries érotiques de Richard. Je suis d'accord avec Mr Barclay quand celui-ci évoque un luxe royal.

— Mr Fowler, comme vous l'avez sûrement deviné à mon accent, je suis américain, et nous autres colons nous moquons complètement de vos histoires de monarchie.

Loin de s'offenser, l'agent immobilier éclata de rire.

— Et pourtant, chaque homme ne désire-t-il pas régner sur son domaine, même s'il vient des Amériques ?

Richard réprima un sourire. Il dirigeait en effet son empire comme un roi, même s'il n'avait pas encore éprouvé le besoin d'en adopter le train de vie. Bien qu'il ait été élevé dans une famille très modeste, il n'avait jamais confondu réussite et pièges de la richesse. Certes, un homme d'affaires prospère gagnait beaucoup d'argent, mais il ne l'affichait pas toujours de façon aussi ostentatoire. Néanmoins, n'avait-il pas justement l'intention d'acheter cette demeure pour faire connaître sa fortune ?

Mr Fowler les conduisit dans un large couloir éclairé à son extrémité par une grande fenêtre en vitrail. Richard supposa que les appliques accrochées le long du mur servaient à éclairer le passage à la nuit tombée ou par temps pluvieux. Il remarqua que le verre de l'une était craquelé, qu'un coin manquait à une autre, et se tourna vers Barclay – mais le secrétaire, à qui les dommages n'avaient pas échappé, griffonnait déjà sur sa feuille.

La porte suivante s'ouvrit sur une nouvelle chambre, et la remarque de Fowler au sujet de la rénovation de la précédente prit tout son sens. Celle-ci avait manifestement été laissée dans son état originel : tout y était défraîchi, démodé, et nettement moins impressionnant. Les murs étaient couverts d'un papier peint décoré de roses grosses comme le poing, et de longs rideaux écarlates étaient accrochés aux deux fenêtres.

Les suivantes étaient très semblables, même si les roses y étaient respectivement remplacées par des pâquerettes jaunes, des violettes et du lierre, et enfin des tulipes roses pour la dernière. Comment pouvait-on dormir dans une telle débauche de couleurs ?

Celui qui avait décoré les appartements du maître n'avait vraisemblablement pas eu le loisir de s'occuper de ces pièces. Richard n'en appréciait aucune, et se demanda comment réagiraient ses futurs clients s'il les obligeait à dormir dans de tels jardins. Leurs épouses n'y verraient peut-être pas d'objection, mais Richard ne s'attendait pas à beaucoup les voir dans les parages.

Par obligation, le manoir serait un refuge d'hommes, consacré à la pêche, à la chasse, un endroit où les affaires seraient négociées autour de la table de jeu et conclues autour du billard, un verre de brandy à la main. Richard n'avait pas de femme pour organiser le genre de distractions qu'affectionnaient ces dames.

Il esquissa un petit sourire à la pensée de la réaction de Fowler s'il lui demandait d'inclure une épouse avec le manoir. Une femme sensée et raffinée achèverait de rendre l'endroit parfait.

Après s'être rendus dans les dernières chambres qui, bien que dépourvues de papier peint floral, parurent bien ternes et spartiates à Richard, les trois hommes regagnèrent le rez-de-chaussée. Il leur fallut près d'une heure pour visiter les salles à manger, celle du petit déjeuner, les divers salons dont le cabinet de musique, le jardin d'hiver et, bien entendu, cette fameuse salle de bal.

Mr Fowler termina la visite de la maison dans un bureau paisible aux murs couverts de livres et lambrissés d'un bois sombre qui agissait comme un baume pour les sens. Richard s'assit confortablement dans l'un des deux fauteuils à oreilles installés devant la cheminée tandis que l'agent immobilier leur servait à boire.

— Alors, Mr Harper, que pensez-vous de cet endroit ? demanda ce dernier en tendant à Richard un verre en cristal rempli de whisky.

— Cette demeure a un certain potentiel, même si plusieurs pièces demandent une complète rénovation. Je pense bien sûr au salon égyptien et à ces chambres tapissées de fleurs. Je suis cependant prêt à augmenter mon offre pour garder certains meubles et bibelots.

— Ce ne sera pas nécessaire, Mr Harper. Il est précisé dans le contrat de bail que le manoir doit être loué dans l'état, meubles et objets compris, et ce jusqu'à la moindre casserole.

Un contrat de bail ? Quelle sorte de fourberie cet homme essayait-il donc d'accomplir ?

— La location ne m'intéresse pas le moins du monde, dit Richard quand il parvint à desserrer la mâchoire. Je veux acheter ce lieu.

Mr Fowler baissa la tête, confus.

— Je crains qu'il n'y ait eu un malentendu, monsieur. Cette propriété est à louer, pas à vendre.

Barclay laissa échapper un petit cri horrifié.

— Non, non, Mr Fowler ! Je me rappelle très bien avoir précisé à mon correspondant que Mr Harper désirait acheter une demeure !

Les joues de l'agent immobilier prirent une éloquente teinte rouge.

— C'est le seul domaine de la région qui réponde à vos exigences, et de très loin, répondit-il. Mieux vaut le louer que ne rien avoir du tout.

Tout en bredouillant d'indignation, Barclay fouilla dans son dossier en cuir, sans doute à la recherche d'une copie de la lettre qui lui donnerait raison. Richard, imperturbable, but une nouvelle gorgée de cet excellent whisky. La richesse offrait bien des avantages, notamment la possibilité de faire les choses à votre façon, quelles que soient les circonstances.

— Je sais qu'il y a deux hypothèques sur cette demeure, et le fait qu'elle ne soit pas occupée me laisse à penser que son propriétaire n'a pas les moyens de l'entretenir. Je suis sûr qu'avec la bonne approche, je saurai le convaincre de vendre, déclara Richard avec assurance. Comme vous l'avez si bien dit, Mr Fowler, cet endroit répond à mes exigences, et maintenant que j'ai pu le visiter, j'ai bien l'intention d'en faire l'acquisition.

— Mrs Perkins, je vais marcher jusqu'au manoir, annonça Juliet Wentworth en entrant dans l'agréable cuisine. Cela vous dérangerait-il de surveiller Lizzy pendant mon absence ? Ça ne devrait me prendre que quelques heures.

— Pas le moins du monde, prenez votre temps, répondit la gouvernante, qui cuisinait également la plus grande partie des repas de Juliet et de sa famille.

— Vous allez vous promener, maman ?

Juliet sourit à Elizabeth, sa fille de quatre ans que tous surnommaient affectueusement Lizzy. L'enfant avait les cheveux fins et dorés, et le sourire espiègle de son père, et le cœur de Juliet fondait chaque fois qu'elle regardait son petit visage.

Venue au monde cinq mois après la mort de Henry, Lizzy était la petite fille qu'ils avaient tous deux appelée de leurs prières, la pièce manquante à leur heureuse famille. Le jour de sa naissance avait été teinté d'une joie douce-amère, soulignant la cruauté du décès de Henry, qui ne verrait jamais cet enfant tant désiré, ni même ne connaîtrait son existence.

— Oui, maman va faire une promenade, et je veux que pendant ce temps-là vous soyez une grande fille et restiez bien sagement avec Mrs Perkins, dit Juliet en caressant doucement les boucles de Lizzy.

La fillette se renfrogna.

— Je veux venir.

— Pas cette fois, ma puce, répondit fermement Juliet.

Pourtant, sa détermination chancelait déjà. Il était si difficile de refuser quoi que ce soit à Lizzy, surtout quand sa lèvre inférieure tremblait ainsi.

Cette affaire devait cependant être réglée aussi vite que possible, et Lizzy retarderait sa mère. Elle souhaitait s'assurer que le manoir avait été convenablement nettoyé plus tôt dans la semaine, et peut-être y disposer quelques bouquets si elle trouvait assez de fleurs dans les jardins.

Après près d'un an, Mr Fowler avait enfin trouvé un locataire potentiel pour Highgrove Manor. Selon l'agent, c'était un homme d'affaires américain – mais à dire vrai, Juliet aurait tout aussi bien accueilli à bras ouverts un sultan et ses trois épouses, si celui-ci avait payé son loyer à temps.

Les scrupules qu'avait ressentis Juliet quand elle avait pris rendez-vous avec Mr Fowler pour mettre le manoir en location s'étaient dissipés au fur et à mesure que son compte en banque maigrissait. Un bon loyer aurait résolu une grande partie de ses soucis financiers, elle voulait donc que la demeure paraisse sous son meilleur jour.

— Laissez maman à ses affaires, ma chérie, dit doucement Mrs Perkins en desserrant doucement les doigts que la petite avait cramponnés aux jupes de Juliet. Je vais commencer à préparer les tourtes à la viande pour le dîner et j'ai besoin d'une cuisinière, mais elle doit être grande et forte.

— Je suis très forte ! s'écria gaiement Lizzy. Je vais vous aider !

— Merveilleux ! Allez chercher votre tablier, qu'on l'attache.

Lizzy s'exécuta en toute hâte et Juliet en profita pour quitter la cuisine en remerciant silencieusement Mrs Perkins. Cette femme était un vrai trésor. Lizzy n'aurait pour rien au monde manqué l'occasion de mettre les mains dans quelque chose, que ce soit de la boue ou de la pâte ; elle serait bien trop occupée pour remarquer le départ de sa mère.

Sûre que sa fille était sous bonne garde, Juliet se coiffa d'un vieux chapeau de paille pour abriter sa peau pâle des rayons du soleil et partit d'un pas vif. Elle suivit le chemin qui courait le long du potager, ravie de voir des pousses saillir de la terre noire. Les enfants et elle n'avaient planté ces rangs bien ordonnés que la semaine précédente.

Ces légumes frais les changeraient des navets et des pommes de terre qu'ils conservaient dans leur cellier ; mieux encore, ils allégeraient un peu les dépenses de la maison. Les garçons semblaient affamés en permanence ces derniers temps. Leur appétit grandissait aussi vite que leurs pieds !

Juliet longea la salle à manger dans laquelle on dispensait à ses deux fils, Edward et James, leurs leçons de l'après-midi. La résidence douairière avait été imaginée pour une vieille veuve, on n'y trouvait donc ni chambres d'enfant, ni salle de classe – et encore moins une bibliothèque ou un bureau.

Ainsi, les leçons se déroulaient sur la table où la famille prenait ses repas. Juliet jeta un regard par la fenêtre, entre les grands rideaux, et vit les deux garçons penchés sur leur travail. Mr Bates, leur précepteur, faisait les cent pas derrière eux. Il avait à la main une longue règle qu'il faisait de temps à autre claquer contre sa cuisse musclée.

Juliet frissonna. Ses fils semblaient si jeunes, si vulnérables ! Elle n'aimait pas ce Bates et la discipline terriblement stricte qu'il imposait à ses enfants. Il était bien trop prompt à les frapper sèchement sur les mains ou sur l'arrière de la tête. Elle lui avait parlé plus d'une fois de ses traitements brutaux, mais il s'était contenté de lui adresser une moue méprisante et avait refusé de modifier ses méthodes.

Juliet l'aurait volontiers mis à la porte si elle avait eu le choix, mais le précepteur était payé par son beau-frère, le comte de Hastings, et lui seul en avait le pouvoir. Elle avait eu beau supplier ce dernier, pleurer, le cajoler, rien n'y avait fait.

Elle savait bien qu'elle aurait dû éprouver de la gratitude envers le comte. Sans son aide, ses fils n'auraient aucune chance de devenir un jour des gentlemen... pourtant, elle n'y parvenait pas.

Henry avait été un mari délicieux, jovial et facile à vivre. Son frère était tout le contraire : froid, réservé, tyrannique. Juliet était convaincue que si l'homme lui versait des sommes aussi dérisoires pour assurer la subsistance de sa famille, c'était tout autant pour surveiller le moindre de ses gestes qu'en raison de sa nature avare.

Mais avec un peu de chance, tout cela allait bientôt changer. La location du manoir permettrait à Juliet de disposer de sa propre source de revenus, et de gérer ces derniers comme bon lui semblait. De quoi rembourser son hypothèque, et avoir un peu d'argent pour ses dépenses personnelles. Assez pour dire à son beau-frère de garder ses opinions pour lui et de ne pas se mêler de ses affaires.

Juliet lança un regard vers le ciel sans nuages et pressa le pas. Autant rejoindre le manoir le plus vite possible pour avoir le temps de soigner chaque pièce. Elle n'avait jusque-là rencontré personne sur le chemin, et savourait ce moment d'intimité, seule avec ses pensées. La famille avait quitté le manoir pour la maison douairière peu après la mort de Henry afin de faire des économies, et elle avait depuis évité de retourner dans la vaste demeure par peur d'être submergée par ses émotions.

Arrivée devant une grande haie, Juliet s'arrêta. Elle inspira profondément, leva la tête et esquissa un sourire mélancolique. La grande demeure grise n'avait pas changé. Juliet y avait été une épouse et une mère heureuses, et c'étaient ces souvenirs-là qui à présent l'envahissaient et faisaient voler en éclats l'étau qui lui serrait le cœur. Elle se retint de pousser un profond soupir de soulagement.

Juliet s'avança dans le jardin à la française d'un pas léger, ravie de le trouver si bien entretenu. Elle n'avait pas été en mesure de payer le jardinier depuis plusieurs années, et pourtant ce dernier avait continué à consciencieusement s'occuper de l'endroit. Les parterres n'étaient certes pas aussi impeccables que par le passé, mais aucune mauvaise herbe ne s'y était glissée et les fleurs avaient toute la place de s'épanouir.

La jeune femme décida qu'elle remplirait autant de vases que possible afin de les répartir dans plusieurs pièces. Cela donnerait au manoir un aspect plus accueillant et, avec un peu de chance, séduirait un éventuel locataire. Elle prit dans sa robe son lourd trousseau de clés et ouvrit la porte de la cuisine.

Il régnait dans cette pièce qui avait jadis accueilli tant de serviteurs, de rires et d'animation un silence parfaitement incongru. Les grains de poussière en suspension dans les rais de lumière qui la traversaient ajoutaient à l'aspect figé, irréel. Juliet sentit un léger pincement au cœur, mais ne se laissa pas abattre. Regrets et mélancolie étaient des luxes qu'elle ne pouvait plus se permettre si elle voulait assurer sa survie, et celle de ses enfants.

Juliet prit une paire de ciseaux et passa dans le grand garde-manger à la recherche d'un panier pour transporter les fleurs. Occupée à choisir le plus adapté, elle se figea brusquement, alertée par un bruit.

Des voix, étouffées mais indéniablement masculines. Juliet tenta de déterminer leur provenance exacte. Y avait-il encore des domestiques dans la maison ? Pourtant, ils étaient censés avoir fini de nettoyer la veille. Peut-être avaient-ils rencontré quelque problème, qu'ils étaient revenus arranger ce jour-là.

Juliet laissa le panier qu'elle s'apprêtait à saisir sur son étagère et grimpa l'escalier de service en glissant les ciseaux dans sa poche. Elle avança dans le couloir sur la pointe des pieds, l'oreille tendue.

Un rire d'homme sonore la fit sursauter. Cela venait du bureau ! Sans réfléchir, Juliet s'élança à grands pas. Elle ouvrit brusquement la porte déjà entrebâillée dans un crissement de gonds, et celle-ci aurait violemment claqué contre le mur si elle n'en avait pas tant serré la poignée en laiton.

Les deux individus assis devant la cheminée se retournèrent et la contemplèrent, bouche bée. Juliet était tout aussi éberluée, mais elle recouvra sa voix la première.

— Mais qui êtes-vous ? Et grands dieux, comment êtes-vous entrés ici ?

Elle haletait de colère – et de peur, mais ne parvint pas à tenir sa langue.

— Et comment avez-vous pu trouver le toupet de vous installer aussi confortablement dans ma demeure ?

Chapitre 2

Les deux intrus se dévisagèrent dans un silence de mort. Juliet entendit un petit bruit dans un coin et comprit, consternée, qu'il y avait un troisième occupant dans le bureau. Elle tendit le cou et découvrit le regard stupéfait de son agent immobilier.

Juliet se mordit la joue pour ne pas hurler.

— Mrs Wentworth ! s'écria Fowler en se précipitant vers elle.

Elle ne se sentait pas très bien, comme si la pièce avait été entièrement vidée de son oxygène.

— Que faites-vous là ? souffla-t-elle. Je croyais que vous ne faisiez visiter le manoir que demain.

Visiblement embarrassé, l'homme baissa la tête – et la voix :

— Je sais à quel point vous désirez louer cet endroit, c'est pour cela que je ne vous ai pas tenue informée de ce changement. J'espérais venir vous apporter une bonne nouvelle une fois que Mr Harper aurait fini sa visite. (Il parla encore plus bas.) Je suis ravi de vous annoncer qu'il semble très intéressé par votre propriété.

Juliet réprima un grognement. C'était la seule visite depuis près d'un an, et elle venait sans doute de tout gâcher par son entrée fracassante. L'intérêt de Mr Harper avait sans doute pâti de son petit numéro, et franchement, comment l'en blâmer ? Qui voudrait d'une propriétaire et voisine hystérique ?

—S'il vous plaît, Mr Fowler, faites les présentations, murmura Juliet, dépitée mais pas encore prête à renoncer.

—Oui, oui, je crois que ça s'impose, bredouilla l'agent immobilier. Mrs Wentworth, voici Mr Richard Harper et son secrétaire, Mr Barclay.

Juliet devina sans mal quand les deux hommes se levèrent lequel était son potentiel locataire : la coupe de son costume en laine et son air sûr de lui le distinguaient très nettement de son employé. Plus mûr que son comparse, il n'avait pas pour autant atteint un âge canonique. Il était aussi terriblement beau.

Juliet sourit – mais pas Mr Harper. *Mon Dieu.*

Tout en jouant machinalement avec les fins cheveux qui poussaient sur sa nuque, elle étudia Mr Harper. Il avait la mâchoire carrée, le nez droit, de hautes pommettes, une chevelure noire et bouclée aux tempes teintées d'argent, et des yeux d'un bleu si intense, si profond, qu'elle ne pouvait cesser de les contempler. Ils étaient bordés de cils scandaleusement longs qui auraient dû adoucir son visage, mais ne faisaient qu'accentuer sa beauté classique.

Il était large d'épaules, musclé, et d'une taille impressionnante. Juliet était grande pour une femme, mais il la dépassait d'une demi-tête. Devant lui, elle se sentait petite et fragile, deux choses qu'elle n'était certainement pas.

— Messieurs, je suis ravie de faire votre connaissance, déclara-t-elle enfin d'une voix ferme.

Elle avait entendu dire que les Américains aimaient les manières franches et directes, aussi envisagea-t-elle un instant de leur tendre la main mais, consciente qu'elle ne pouvait se permettre un nouveau faux pas, elle se contenta de laisser ses cheveux en paix et de garder les bras le long du corps.

— Je vous prie de bien vouloir me pardonner mon accès d'humeur. J'ai cru, vous l'aurez compris, que vous étiez des intrus venus accomplir quelque larcin.

— Voilà qui est très intéressant, répondit Harper. Les voleurs de la région sont si habiles qu'ils trouvent le temps de se détendre pour savourer un verre chez leurs victimes avant de décamper avec leur butin. Voilà une chose à ne pas oublier si je décide de m'installer par ici.

Sa voix était basse, chaude, et teintée par un accent à la fois mélodieux et agréable. Si seulement il en avait été de même de ses paroles. Juliet sentit sa main remonter vers sa nuque et la rabattit précipitamment contre son flanc. Elle ne laisserait pas ses nerfs prendre une nouvelle fois le dessus.

— Je vous assure, Mr Harper, il n'y a pas lieu de s'en faire, dit-elle avec un petit rire. Nous sommes dans une région paisible.

— Vraiment ? Difficile à croire après avoir vu votre réaction quand vous êtes entrée dans cette pièce.

Juliet sentit la honte lui embraser les joues.

—J'ai été la proie d'une imagination un peu trop débridée, dit-elle faiblement. Je vis sans doute seule depuis trop longtemps.

Elle serra les dents, prête à subir la prochaine remarque de son interlocuteur.

—C'est parfaitement compréhensible, répondit Harper avec un sourire contrit. Quoi qu'il en soit, je suis ravi de rencontrer la propriétaire d'un si bel endroit.

Touchée par cette surprenante gentillesse, Juliet se détendit et son cœur recouvra un rythme plus raisonnable. Les paroles de l'homme semblaient sincères, et elle songea soudain que tout n'était pas perdu.

—Je ne suis que temporairement responsable de ce domaine. Highgrove appartient à mon fils aîné. En tant que tutrice légale, je m'occupe de cet endroit jusqu'à ce que mon aîné soit en âge de le faire lui-même.

—Une grande responsabilité, déclara Harper en s'approchant d'un pas.

—Oui, et que je prends très au sérieux.

Juliet sentit son estomac frémir d'une bien étrange manière. En louant la demeure, cet homme deviendrait son voisin. Ils pourraient se rencontrer n'importe où, à n'importe quel moment, et peut-être même finir par devenir amis. C'était une idée curieusement agréable.

—Puisque vous êtes la tutrice de votre fils, je suppose que la dernière chose que vous souhaiteriez serait de lui remettre une propriété saturée de dettes, dit Harper d'un ton compatissant.

Juliet sentit les larmes lui monter aux yeux. Le manque d'argent avait été sa principale source d'inquiétude depuis qu'elle était devenue veuve. Elle n'aurait jamais voulu qu'Edward connaisse les incertitudes de l'endettement, les tourments qui vous empêchaient de dormir la nuit et vous rendaient à moitié absent pendant la journée.

— Je veux seulement ce qu'il y a de mieux pour lui, son frère et sa sœur.

— Et je peux vous aider à le leur procurer. Ce manoir nécessite des travaux considérables, une dépense que, je suppose, vous ne pouvez vous permettre. Je vous propose donc, au lieu de louer cet endroit, de vous l'acheter. Je pourrai ainsi le rénover et le décorer comme je l'entendrai, et vous soulager, votre fils et vous, de frais considérables. En fin de compte, c'est une bonne affaire pour vous comme pour moi.

Juliet mit quelques secondes à comprendre ses paroles, et dut alors admettre leur implacable logique. Highgrove était une propriété superbe, et le serait encore davantage une fois qu'elle serait rénovée. Quelle personne dotée d'un tant soit peu de goût, de raffinement – et des moyens nécessaires – n'aurait pas voulu la posséder ?

— Ce domaine n'est pas à vendre, dit-elle.

— Vous n'avez même pas encore entendu mon offre, Mrs Wentworth, repartit l'homme d'une voix douce, charmeuse, qui fit naître en elle une étrange sensation de chaleur. Je vous propose de payer 3 000 livres de plus que ce que vaut cet endroit, et ce dès aujourd'hui.

Juliet en eut le souffle coupé. C'était une vraie fortune. Même si l'on prenait en compte le remboursement de ses hypothèques, elle se retrouverait tout de même avec une coquette somme – mais cela signifiait sacrifier l'héritage d'Edward. *Quel étrange et cruel rebondissement!*

Fowler l'attira à l'écart, et Juliet se laissa faire, abasourdie.

—Je sais que vous n'aviez pas l'intention de vendre, mais c'est une proposition plus que raisonnable.

—Vraiment? chuchota-t-elle. Pourquoi ne pas attendre? Il fera peut-être une offre plus élevée, ou d'autres acheteurs se manifesteront.

—Nous savons tous les deux que c'est très peu probable. Des hommes aussi riches que Mr Harper et à la recherche d'une propriété ne sont pas monnaie courante dans la région.

—Mais il y en a peut-être, insista Juliet.

— Certes, mais ils pourraient bien ne pas se manifester avant très, très longtemps, rétorqua Fowler, sceptique. Pouvez-vous vous permettre d'attendre aussi longtemps?

Juliet rougit à peine; elle vivait dans une petite communauté où tout le monde connaissait ses difficultés financières. Même Mr Harper semblait ne rien ignorer de ses hypothèques.

Cependant, elle n'avait pas l'intention de laisser filer son bien aussi facilement. Elle ne pourrait vivre avec une telle décision qu'en tirant le meilleur prix possible de cette demeure, surtout si elle devait affronter pour cela cet Américain sans gêne.

Elle leva le menton et marcha droit vers lui.

— Ce manoir est l'héritage de mon fils aîné, et il appartient à la famille de mon mari depuis plusieurs générations. Je regrette, mais il n'est pas à vendre.

— Ne dites pas n'importe quoi, Mrs Wentworth. Si j'ai appris une chose au cours des années, c'est que tout a un prix. Allons, donnez-moi le vôtre.

Les manières directes de cet individu auraient été horripilantes si elles n'avaient pas été accompagnées d'un charmant sourire. Bien que ce dernier rappelle à Juliet qu'elle vivait depuis bien trop longtemps sans un homme dans son lit, elle était bien trop avisée pour laisser de telles considérations l'influencer.

Une part d'elle aurait voulu déclarer calmement que certaines choses ne s'achetaient pas, mais les circonstances l'en dissuadèrent.

— Mr Harper, j'ai bien peur que le prix en question vous fasse bondir, dit-elle pour gagner du temps.

— Je vous écoute.

Les nombres défilèrent dans son esprit, des sommes si outrageusement élevées qu'elles lui donnaient le tournis. La perspective de se retrouver libérée de ses dettes était certes enivrante, mais le prix à payer pour cela était colossal. Laisser filer l'héritage d'Edward n'était pas le genre de décision qu'elle pouvait prendre à la légère.

Pourquoi ne m'épouseriez-vous pas ? Vous pourriez faire inclure cette demeure dans notre contrat de mariage.

N'est-ce pas une façon encore plus astucieuse de résoudre nos problèmes à tous les deux?

Cette pensée absurde lui arracha un petit sourire. Certes, elle avait déjà songé à se remarier, mais sans prétendants dignes de ce nom à l'horizon, elle ne s'était jamais attardée sur la question.

La pièce lui parut alors bien silencieuse. Elle sentit sur elle l'attention des trois hommes et remarqua l'expression amusée de Mr Harper, le regard horrifié de son secrétaire et la gêne de Fowler.

Juliet devint livide. Grands dieux, elle avait pensé cela tout haut!

La jeune femme, écarlate, aurait voulu que la terre s'ouvre et l'engloutisse. Elle avait commencé par hurler contre cet homme, pour ensuite lui parler de mariage. Peut-être que la vie de célibataire avait finalement eu raison de son bon sens.

—Je... euh...

Juliet s'éclaircit la voix, essaya de nouveau, mais les mots semblaient l'avoir abandonnée. Humiliée, elle baissa la tête, puis comprit qu'elle n'en paraissait que plus ridicule. Il n'y avait nulle part où se cacher.

—Ce domaine est absolument exceptionnel, Mrs Wentworth, bredouilla nerveusement Barclay. Il vaut son prix, quel qu'il soit.

Juliet lui sourit faiblement, reconnaissante qu'il tente de mettre un terme à ce moment gênant. Elle prit son courage à deux mains et risqua un regard en direction de Mr Harper. Il avait l'air calme, posé, comme si recevoir des demandes en mariage de parfaites inconnues lui arrivait tous les jours.

— Je me dois d'applaudir une tactique aussi ingénieuse, Mrs Wentworth, dit-il en la regardant droit dans les yeux. Quelle meilleure diversion qu'une déclaration absurde et hautement comique ? Je tâcherai de m'en souvenir la prochaine fois que je me retrouverai acculé.

Il lui adressa un charmant sourire, et Juliet ne put s'empêcher d'en faire autant.

— Monsieur, je vous conseille d'être prudent avant de m'imiter si vous ne voulez pas vous retrouver devant l'autel.

— En compagnie de l'un des messieurs avec qui je fais affaire ?

— On ne sait jamais jusqu'où ils sont prêts à aller.

Comme elle l'espérait, sa remarque provoqua l'hilarité des trois hommes, et l'atmosphère se détendit quelque peu. Cependant, sans même lui laisser le temps de reprendre son souffle, Harper revint à la charge.

— En me vendant ce domaine et en investissant la somme ainsi perçue, vous laisserez à votre fils un bien meilleur héritage qu'un manoir hypothéqué et décrépit.

Juliet sentit le sang battre à ses tempes. Cet homme était comme un chien avec son os, qui pour rien au monde n'aurait lâché prise.

— Monsieur, même si j'apprécie vos conseils, ne croyez pas qu'ils feront baisser le prix de cette demeure du moindre shilling.

— Vous avez sans doute raison, mais en tout cas maintenant vous parlez de vendre, et non plus de louer, dit Harper en haussant un sourcil sardonique. J'y vois un grand progrès.

— Oui, euh… peut-être.

Juliet retint un grognement désespéré. Elle passait pour une parfaite idiote. Cette offre était tellement soudaine ! Elle n'avait pas eu deux minutes pour y réfléchir ! Mais Juliet devait bien l'admettre : cela permettait de résoudre pour de bon un problème qui la rongeait. *Que faire ?*

— J'ai cru comprendre que la propriété comprend également une maison douairière ? reprit Mr Harper.

Juliet leva le menton d'un air de défi et avança droit sur l'homme, le regard froid, déterminé.

— C'est là que je réside avec mes enfants, et elle n'est certainement pas à vendre, est-ce clair ?

Harper la toisa un instant, puis hocha sèchement la tête.

— Dans ce cas, je pourrais acheter le domaine, et vous laisser cette maison ainsi que cinq arpents de terrain autour d'elle. Qu'en dites-vous ?

— C'est une offre très intéressante ! intervint Fowler avec enthousiasme. Je peux préparer l'acte de vente pour ce soir.

Harper avait peut-être senti la détermination de Juliet faiblir, car son visage s'adoucit.

— Je veux bien ajouter 2 000 livres de plus, Mrs Wentworth, mais c'est ma dernière offre. Alors, marché conclu ? demanda-t-il, la main tendue.

C'était une proposition plus que généreuse, et tous deux le savaient. Les derniers remparts de Juliet cédèrent. Mr Harper avait raison : mieux valait laisser à son fils, quand celui-ci atteindrait sa majorité, une jolie somme plutôt qu'une propriété criblée de dettes. De plus, cet argent ne ferait pas qu'assurer l'avenir d'Edward : il permettrait à Juliet de nourrir ses enfants maintenant, quand ils en avaient le plus besoin.

— La maison douairière et dix arpents, annonça-t-elle avec audace.

— C'est entendu !

La voix de l'homme résonna en elle comme un coup de canon. Abasourdie, elle ne put que regarder le tapis en clignant des yeux. Venait-elle de vendre son domaine ? À un homme d'affaires américain, en prime ?

Elle contempla les poils qui couvraient le dos de la main que l'homme lui tendait, hésita un instant, puis serra fermement cette dernière.

— Marché conclu, Mr Harper.

Richard regarda en souriant la femme qui lui empoignait la main avec une force surprenante, sans trop savoir lequel d'entre eux était le plus étonné. En apprenant que le domaine faisait partie d'un héritage, il avait immédiatement pensé que l'affaire se révélerait horriblement compliquée, surtout face à une femme. Il savait d'expérience qu'elles ne comprenaient pas grand-chose aux réalités de ce monde, et encore moins aux histoires d'argent.

Cependant, ce joli visage et cette silhouette sculpturale aux courbes délicieuses dissimulaient un esprit parfaitement sensé – malgré les saillies tapageuses de la dame.

Sa première réaction pouvait se comprendre : elle n'avait rien su de leur venue, et avait soupçonné le pire. Était-elle armée ? Pas d'un revolver, en tout cas. Heureusement, d'ailleurs, car sinon les choses auraient pu très mal se passer pour Barclay et lui : cette femme était très certainement du genre à tirer d'abord et à poser les questions ensuite.

— Je crois qu'un toast s'impose, s'écria gaiement Fowler. Mr Harper ?

Richard lâcha à contrecœur la main de cette Mrs Wentworth. Étrangement, il trouvait très agréable de la tenir !

— Madame, vous joindrez-vous à nous ?

— Pourquoi pas ? répondit-elle en souriant. D'ordinaire, je ne bois pas dans la journée, mais les circonstances semblent l'imposer.

Fowler se chargea de resservir Richard et son secrétaire, puis tendit un whisky à Mrs Wentworth. Les trois messieurs se tournèrent vers Juliet, qui rougit, désemparée. Richard ouvrit la bouche, prêt à venir à sa rescousse, mais elle reprit le dessus et leva haut son verre.

— À Mr Harper. Félicitations, et bienvenue dans notre région. Je vous souhaite d'être heureux dans votre nouvelle demeure.

— À Mr Harper, approuva l'agent immobilier avant de vider son whisky d'une traite.

Barclay, mal lui en prit, essaya d'en faire autant. Il avala le contenu de son verre d'un geste théâtral puis écarquilla les yeux, terrassé par une quinte de toux.

Juliet se précipita aussitôt à ses côtés et lui donna de grandes claques entre les omoplates.

— Mon Dieu, vous allez bien ?

Barclay, écarlate, hocha vigoureusement la tête sans pour autant cesser de tousser.

Diable, il devenait vraiment urgent de reconsidérer l'utilité du jeune homme. Il ne semblait même pas capable d'assurer sa propre survie.

— Barclay !

Le secrétaire se figea comme un daim surpris par un chasseur. Richard abattit avec force son verre encore plein sur la table et s'avança vers l'homme, mais s'arrêta net quand Juliet se tourna vers lui.

— Il va bien, pas besoin de votre aide.

Richard sentit une vague de remords l'assaillir. L'expression de la jeune femme indiquait clairement qu'elle pensait son intervention néfaste au rétablissement de Barclay. Pire encore, elle avait probablement raison.

Richard reprit son verre et but une gorgée de whisky. Mrs Wentworth se précipiterait-elle à son secours s'il s'étranglait lui aussi ?

Richard, que t'arrive-t-il ? Était-ce l'air de la campagne qui lui donnait de telles pensées ?

Il laissa son secrétaire aux bons soins de Mrs Wentworth et alla retrouver Mr Fowler, à qui il énonça en une rapide succession ses conditions pour la future vente. L'agent immobilier les accepta de bon cœur, et Richard comprit qu'il avait sans doute payé trop cher pour cette propriété.

Peu importait, il en avait largement les moyens, et puis en fin de compte, c'était Mrs Wentworth qui en tirerait profit.

—Monsieur, je vous prie de bien vouloir m'excuser, dit Barclay, pâle et les yeux rouges, en venant se placer aux côtés de Richard. (Il sortit une feuille vierge de son dossier.) Quelles clauses désirez-vous inclure à l'acte de vente?

Le secrétaire n'était peut-être qu'un jeune blanc-bec sans aucun raffinement, mais il connaissait les méthodes de son employeur.

—J'ai déjà évoqué une partie d'entre elles avec Mr Fowler, mais il en reste quelques-unes.

Richard dicta ces dernières à toute allure. Il remarqua que Mrs Wentworth en faisait de même avec Mr Fowler, même si ni l'un ni l'autre ne notaient quoi que ce soit.

Il en profita pour contempler de nouveau sa voisine et décida qu'en la décrétant au premier abord séduisante, il avait été très loin de la réalité. Toutes les parties de sa physionomie rivalisaient de perfection sans qu'aucune ne l'emporte – à part peut-être son teint d'albâtre. Ajoutez à cela une grande bouche aux lèvres pulpeuses, de hautes pommettes, un nez mutin et des yeux sombres, exotiques, et vous obteniez un résultat parfaitement fascinant.

Elle leva la tête vers lui et la lueur qui brillait dans son regard profond fit battre plus vite le cœur de Richard.

Mais que lui arrivait-il, bon sang? Était-ce le frisson d'avoir acheté ce domaine? Ce genre de succès ne manquait jamais de provoquer chez lui un accès d'euphorie… mais si c'était autre chose ?

Richard se découvrit étrangement réticent à l'idée de quitter Mrs Wentworth des yeux, et mit cela sur le compte du désir. Une réaction parfaitement normale pour un célibataire en pleine santé, seul depuis bien trop longtemps. Depuis qu'il était arrivé en Angleterre, il avait passé le plus clair de son temps à travailler dans un environnement exclusivement masculin, et n'avait eu presque aucun contact avec la gent féminine.

Même s'il n'hésitait d'ordinaire pas à acheter ce qu'il désirait, l'idée de payer une femme pour ses faveurs lui répugnait. Il aurait donc dû séduire quelque dame, ce qui était pratiquement impossible en raison de son absence quasi totale de relations féminines.

Poussé par le désir, Richard se demanda en grimaçant s'il était trop tard pour envisager une aventure avec Mrs Wentworth.

Il dansa d'un pied sur l'autre, mal à l'aise. Bien sûr, toutes les femmes s'adonnaient aux plaisirs de la chair, quel que soit leur milieu, mais Richard n'arrivait pas à songer ainsi à Mrs Wentworth. Il savait d'instinct qu'elle n'était pas le genre de personne avec laquelle on badinait. Non, si un homme la voulait dans son lit, il devait l'épouser avant.

Par tous les diables ! L'épouser ? Qu'est-ce qui lui donnait des idées pareilles ? Le désir qui le tourmentait, sans aucun doute, associé à la plaisanterie qu'elle avait faite plus tôt. Plaisanterie que le corps de Richard avait de toute évidence prise beaucoup plus au sérieux que son esprit.

Peut-être parce que ce n'est pas une si mauvaise idée ?

— Mr Harper, je dois me rendre à mon étude pour rédiger les documents nécessaires à la vente, annonça Fowler. (Il consulta sa montre de gousset, les sourcils froncés.) Le dernier train pour Londres part dans une heure, et je crains fort qu'ils ne soient pas prêts à temps pour que vous les emportiez avec vous.

— Aucun problème, je dormirai ici cette nuit, répondit Richard. Je suppose qu'il y a dans le village voisin une auberge où Barclay et moi pourrons séjourner.

Il entendit son secrétaire sursauter. Rien d'étonnant à cela : quand, plus tôt dans la semaine, le jeune homme avait timidement suggéré qu'ils étendent leur voyage sur deux jours, Richard avait catégoriquement refusé, affirmant que c'était une perte de temps.

— Il y en a même deux, propres et bien tenues même si, je dois vous prévenir, elles sont beaucoup plus rustiques que les hôtels de Londres, dit Fowler.

— L'une et l'autre me semblent convenir à nos besoins, répondit Richard, qui se demanda comment aurait réagi l'agent immobilier s'il avait su dans quelles conditions épouvantables Richard avait vécu avant de faire fortune.

— À mon avis, c'est *Le Gai Pinson* qui correspondra le mieux aux goûts de Mr Harper, déclara Mrs Wentworth.

— En effet, en effet, approuva Fowler. La cuisine y est bonne, et cet établissement possède en outre une excellente cave à vins !

— Va pour *Le Gai Pinson*, dans ce cas, fit Richard d'un ton décidé. Chargez-vous de réserver nos chambres, voulez-vous, Barclay ? Prenez les meilleures.

— Mais, monsieur, vous aviez pourtant dit que vous ne vouliez pas passer la nuit à la campagne, tout particulièrement dans une auberge, objecta le secrétaire d'une voix tremblante.

— Vous essayez de gâcher ma bonne humeur ? gronda Richard.

Barclay pâlit, mais se reprit très vite, et Richard lui adressa un signe de tête approbateur. Il y avait peut-être un espoir, après tout. Il se retourna vers Mrs Wentworth, qui le toisait, les lèvres pincées. Il ressentit le besoin ridicule de lui sourire.

Lui qui, d'ordinaire, faisait toujours tout pour partir au plus vite une fois une affaire conclue avait soudain envie d'inviter cette femme à dîner, un élan aussi absurde que déconcertant.

Cette euphorie l'intriguait. Pourquoi cette femme le charmait-il autant ? Était-ce la passion qu'il sentait derrière son raffinement, son élégance, ou quelque chose d'autre ?

Richard n'avait pas l'habitude de faire la conversation – encore moins avec les dames de la bonne société – et cette lacune l'irrita soudain au plus haut point. Les mains dans le dos, il se racla la gorge, incapable d'empêcher un silence gêné de s'installer.

— Mr Harper, vous êtes prêt ? lança Fowler depuis la voiture. Mais vous préférez peut-être rester ? Je peux demander au cocher de revenir vous chercher plus tard pour vous emmener au village.

Excellente idée : Richard pourrait ainsi se retrouver seul avec Mrs Wentworth. Il lui suffirait d'envoyer Barclay accomplir quelque laborieuse tâche dans la maison, et de prier la charmante veuve de lui faire visiter les jardins.

Un plan parfait, qui aurait pu très bien fonctionner si, avant même qu'il ouvre la bouche, Mrs Wentworth n'avait annoncé :

— Je dois rentrer. Mes enfants ont besoin de leur mère, et ils vont sûrement s'inquiéter que je me sois absentée si longtemps.

— Pouvons-nous vous raccompagner ? s'enquit Richard.

— Merci, mais j'aime beaucoup marcher. Messieurs, je vous souhaite une bonne fin d'après-midi.

Richard adressa un petit signe de tête cordial à la veuve. Pas question de lui montrer sa déception. Il la regarda s'éloigner, maussade, mais sa mauvaise humeur ne dura pas : il décida de se concentrer sur les aspects favorables de l'après-midi.

Il avait acheté le domaine qu'il convoitait, et y avait au passage gagné une voisine particulièrement séduisante. Une femme charmante qui pourrait bien résoudre un autre de ses problèmes : la nécessité de présenter une épouse à la bonne société.

Chapitre 3

En arrivant en vue de la maison douairière, Juliet constata qu'elle tremblait légèrement. La fraîcheur de l'air n'y était pour rien : elle était encore secouée par la décision qu'elle venait de prendre. Elle avait accepté de vendre l'héritage de son fils, et à un homme d'affaires aussi beau que rusé, rien que ça.

La délicieuse odeur des tourtes sorties du four lui chatouilla les narines dès qu'elle se glissa dans la cuisine. La pièce était cependant vide, ce qui lui allait très bien. Juliet avait encore besoin d'un peu de temps pour remettre de l'ordre dans ses pensées avant d'informer les domestiques de ce qu'elle avait fait. Les changements n'étaient jamais faciles à accepter et celui-ci, plutôt radical, ne manquerait pas d'effrayer certains d'entre eux.

Bien entendu, elle avait l'intention de garder tout son modeste personnel avec elle, dans la maison, et même d'ajouter un ou deux nouveaux serviteurs à leurs rangs, maintenant qu'elle en avait les moyens.

J'en ai les moyens ! Un frisson de soulagement la parcourut. Juliet allait enfin jouir de la sécurité financière qu'elle désirait depuis si longtemps pour ses enfants et elle. Les garçons pourraient enfin se rendre dans une véritable école, et elle engagerait une gouvernante douce et expérimentée pour éduquer Lizzy.

Quel bonheur de ne plus avoir à compter chaque penny, à jongler pour payer le boucher une semaine et l'épicier la suivante. De coudre des habits pour les enfants qui ne seraient pas une taille trop grande afin qu'ils puissent les porter une année supplémentaire, ou encore d'acheter des chaussures neuves et adaptées à leur pointure.

Quand Juliet entra dans la salle à manger, ses fils levèrent la tête des feuilles sur lesquelles ils peinaient et l'accueillirent avec des sourires implorants.

— Mrs Wentworth ! s'écria le précepteur en la foudroyant du regard. Je n'ai pas encore fini. Il nous reste encore une heure – voire deux, si James se révèle incapable de répondre à ses questions d'histoire.

Quel odieux personnage ! Juliet regarda tour à tour son cadet accablé et la moue suffisante du précepteur. C'était un être mesquin, qui prenait clairement un immense plaisir à rabaisser ses élèves. Eh bien, voilà qui allait changer.

— Mr Bates, les leçons sont terminées pour aujourd'hui. Je dois parler à mes fils… en privé.

Le précepteur haussa un sourcil, mais eut le bon sens de ne pas protester. Il adressa à Juliet une révérence outrancière et quitta la pièce.

Elle se retourna vers ses garçons, un sourire mal assuré aux lèvres. Maintenant que le moment était venu, elle s'inquiétait de leur réaction. Edward était une âme sensible, et il prenait son rôle d'homme de la maison très au sérieux. Il était aussi extrêmement fier d'être l'aîné, et l'héritier de son père.

James, quant à lui, ne demandait qu'à faire plaisir et s'enthousiasmait pour tout. Il accepterait sûrement la nouvelle sans sourciller et verrait tout cela comme une grande aventure.

— J'ai quelque chose d'important à vous annoncer.

Juliet s'assit sur la première chaise venue et ses deux fils se rapprochèrent.

— Comme vous le savez, poursuivit-elle, j'espère depuis un certain temps déjà louer le manoir. Nous avons besoin de l'argent que cela nous rapporterait pour subvenir aux besoins de cette maison et assurer notre avenir.

» Jusque-là, Mr Fowler n'avait pas réussi à trouver de locataire, mais il m'a présenté aujourd'hui un gentleman désireux non pas de louer la demeure, mais de l'acheter. (Elle inspira profondément.) Nous avons beaucoup discuté, négocié, mais en fin de compte j'ai compris que c'était le mieux pour nous, c'est pourquoi j'ai accepté.

Durant toute cette explication, Juliet s'était efforcée de dissimuler son anxiété.

— Vous avez vendu le domaine ? s'écria Edward d'une voix aiguë.

Elle hocha la tête.

— Vous avez eu beaucoup d'argent à la place ? demanda James, plein d'espoir.

— Oui, répondit Juliet, incapable de réprimer un sourire. Mais, James, il ne faut pas poser de telles questions aux gens. C'est très mal élevé.

— Highgrove Manor est à moi ! protesta Edward, furieux. C'était la propriété de papa, et la mienne maintenant ! Je suis son fils aîné !

Le visage de Juliet se décomposa.

— Je sais, mon chéri, mais vraiment, il n'y avait rien d'autre à faire. Nous garderons cette maison et, quand vous serez en âge, elle vous reviendra.

— C'est un endroit pour une vieille dame !

— Maman n'est pas vieille ! rétorqua James, furieux.

Juliet bloqua le poing d'Edward avant qu'il s'abatte sur l'épaule de son frère. D'ordinaire, les deux garçons s'entendaient bien, mais elle avait remarqué que ces derniers temps ils avaient souvent recours à la violence pour régler leurs désaccords. Mrs Perkins, qui avait élevé quatre fils, lui assurait que c'était parfaitement normal, mais Juliet ne pouvait s'empêcher de trouver cela préoccupant.

— Edward, je comprends que vous soyez déçu. Je le suis aussi. Mais sans votre père, nous n'avons pas les moyens de nous occuper du manoir.

La peine et l'incompréhension creusèrent les traits d'Edward, et Juliet sentit son cœur se serrer. Elle aurait préféré se couper un bras plutôt que voir ses enfants souffrir.

— Un vrai gentleman doit avoir une maison digne de ce nom, observa Edward, pensif. Où est-ce que je vais vivre quand je serai grand ?

— Vous devrez épouser une héritière, répondit James, philosophe. C'est ce qu'oncle Gerald a dit qu'il fallait que je fasse plus tard... mais je crois plutôt que je viendrai vivre avec vous, parce que je ne me marierai jamais. Les filles, c'est que des ennuis.

— C'est complètement idiot, marmonna Edward en lançant un regard noir à son frère.

— Edward ! Ne dites pas de telles choses à votre frère ! s'écria Juliet. Et James…

Tout juste sept ans, et il parlait déjà de mariage d'intérêt ! Elle savait bien que, depuis la mort de leur père, les deux garçons avaient grandi plus vite qu'ils n'auraient dû, mais là, c'en était trop.

— Pardon, maman, s'excusa précipitamment James, la mine grave.

Comme Juliet s'y attendait, Edward ne se montra pas aussi docile que son cadet ; la vente du manoir le touchait bien davantage. Elle espérait seulement qu'il finirait par accepter sa décision sans trop de larmes.

Les yeux humides, Edward leva la tête vers le plafond et déclara :

— Quand je serai grand, je trouverai un moyen de racheter Highgrove Manor.

— Si c'est vraiment ce que vous voulez, j'espère que vous y arriverez, répondit-elle.

— Ça l'est. Je suis quand même content qu'on puisse rester ici. J'aime bien cette maison, tant pis si elle est faite pour les vieilles dames.

— Pouah, les vieilles dames ! grogna James.

Emportée par leur bonne humeur contagieuse, Juliet sourit. Finalement, Edward avait plutôt bien pris la nouvelle, et son projet de racheter un jour le manoir n'était pas complètement inconcevable. Peut-être pouvait-elle en faire une des conditions de la vente ? Si d'aventure Mr Harper décidait un jour de se défaire de son bien, Edward serait alors prioritaire pour s'en porter acquéreur.

Cette pensée soulagea un peu sa culpabilité. Elle ouvrit grands les bras et enlaça ses deux fils. James lui rendit son étreinte avec son enthousiasme coutumier ; Edward se montra un peu plus réservé, mais Juliet fut soulagée qu'il accepte son baiser. Il grandissait si vite ! Combien de temps encore avant qu'il repousse ses embrassades et refuse qu'elle lui caresse les cheveux ? Des dizaines d'années, espérait-elle.

Au bout d'un moment, les deux garçons se dégagèrent.

— Je sais que je ne dois pas parler de ça, mais maintenant que nous avons beaucoup d'argent, qu'est-ce qu'on va en faire ? demanda James avec un petit sourire.

— Toutes sortes de choses merveilleuses, répondit Juliet, énigmatique.

Edward leva la tête. Il faisait tout son possible pour paraître indifférent, mais la curiosité l'emporta.

— Quoi, par exemple ?

— Eh bien, nous allons payer nos factures, ce qui, je vous assure, n'a rien d'exaltant, mais qui est absolument nécessaire. Nous pourrons aussi engager d'autres domestiques pour nous aider à tenir cette maison, et acheter de nouveaux habits. Oh, et vous faire un cadeau spécial, à chacun d'entre vous.

— Comme un poney ? s'écria James. Vous dites toujours que ça coûte trop cher de s'en occuper, mais c'est différent maintenant, non ?

—Je pense que nous pouvons nous permettre d'acheter un poney, oui, répondit Juliet. (Elle se tourna vers Edward.) Et un télescope.

Elle savait à quel point son petit astronome en herbe brûlait de posséder un instrument correct pour observer les étoiles.

—Vraiment?

Quel bonheur de voir les deux garçons comprendre que leur situation avait changé!

—Oh! oui. Cependant, je dois tout d'abord faire sans attendre une chose qui, je le pense, vous ravira autant que moi.

—Quoi donc? interrogèrent en chœur ses fils.

—Renvoyer Mr Bates, bien entendu.

Juliet se réveilla le lendemain matin d'humeur particulièrement optimiste, ses derniers doutes au sujet de la vente du manoir envolés. Mr Fowler lui avait apporté les papiers la veille au soir, juste après le dîner. Elle les avait lus avec attention, avait posé quelques questions et demandé quelques modifications mineures, la principale étant d'accorder la priorité à Edward en cas de vente du domaine. Une fois satisfaite, elle avait signé l'acte de sa plus belle plume.

Alors qu'elle pliait les papiers, un grand frisson l'avait parcourue: sa vie venait de changer du tout au tout. Mais cette fois, c'était une décision qu'elle avait prise de son propre chef, et non un cruel coup du sort.

Ces dernières années, l'inquiétude avait été sa compagne la plus fidèle. En dépit du prix colossal qu'elle avait dû payer pour s'en débarrasser, Juliet ressentait une profonde satisfaction.

Et tout cela grâce à Mr Harper, son chevalier errant. Comment aurait-il réagi si elle l'avait interpellé ainsi ? Pas très bien, sans doute.

Il semblait très différent de tous les hommes qu'elle avait connus, et pas seulement parce qu'il était américain. Parce qu'il était dans le commerce ? Non, c'était une façon bien trop fade de décrire ses activités. Selon Mr Fowler, il était à la tête d'un grand nombre d'entreprises, toutes plus prospères les unes que les autres, aussi bien en Angleterre qu'à l'étranger.

L'image de Mr Harper lui vint tout naturellement à l'esprit – une bien belle vision, Juliet devait l'admettre. Elle se laissa guider par sa mémoire, et retrouva dans les moindres détails la mâchoire carrée de l'homme, ses yeux d'un bleu intense, le timbre de sa voix. La jeune femme sentit une douce chaleur se propager dans sa poitrine.

Une dame bien comme il faut aurait chassé sans hésiter de tels souvenirs de son esprit, mais Juliet était assez honnête pour convenir que ces quatre longues années passées loin de tout réconfort masculin n'avaient pas fait d'elle un parangon de vertu.

À la vérité, elle ne se faisait pas au veuvage. Henry était mort si subitement. Il s'était retrouvé trempé par la pluie un soir, avait eu une fièvre terrible le lendemain, et avait péri à l'aube suivante. Pendant des mois, Juliet avait été dans le brouillard, mais quand le choc s'était dissipé, la douleur était arrivée pour de bon.

Pendant la journée, les enfants accaparaient son attention, mais la nuit venue, la solitude s'abattait sur son pauvre cœur. Parfois, elle se retournait dans son sommeil pour chercher la chaleur et la force de Henry dans le lit, à côté d'elle, mais elle ne trouvait à sa place qu'un vide glacé. Elle s'éveillait alors, et constatait que la douleur n'avait pas disparu.

Selon Mrs Perkins, ce n'était qu'en se mariant avec un autre homme qu'elle pourrait se défaire de cette dernière. Juliet y avait songé de plus en plus ces deux dernières années, avant de finalement admettre qu'elle n'était pas opposée à cette idée. Bien entendu, un nouvel époux ne remplacerait jamais Henry. Il avait été son premier amour et, même si Juliet avait la chance d'en trouver un second, Henry ne la quitterait jamais complètement

Mrs Perkins lui avait affirmé qu'elle pourrait encore connaître l'amour, à condition de bien vouloir y être réceptive – et d'avoir le bonheur de rencontrer un gentleman qui s'intéresserait à elle… et à ses enfants. Il faudrait à ce dernier beaucoup de patience, et un grand sens de l'humour.

— Le comte de Hastings vient d'arriver, annonça Mrs Perkins en entrant dans le petit salon où Juliet rêvassait. Êtes-vous disposée à recevoir des visiteurs ?

— Gerald ? s'écria Juliet.

À la simple évocation de son beau-frère, un frisson lui parcourut l'échine.

— Cette femme est-elle donc incapable de suivre les ordres les plus simples ? Je vous ai pourtant dit de ne pas m'annoncer ! gronda Gerald Wentworth, comte de Hastings, en poussant les portes du salon avec une force telle que les battants claquèrent contre le châssis.

Mrs Perkins toisa le nouveau venu sans se laisser démonter ; Juliet, alarmée, se leva d'un bond pour défendre sa domestique.

— Mrs Perkins a suivi mes instructions, Gerald. J'ai demandé que tous ceux qui me rendent une visite de courtoisie soient annoncés. Vous n'allez pas la réprimander parce qu'elle fait son travail.

Le comte et la domestique échangèrent un regard noir, puis cette dernière fit demi-tour et quitta la pièce.

— J'ai pourtant très clairement précisé qu'il n'était pas question de courtoisie, dit le comte. Juliet, je suis venu vous tirer du dernier pétrin dans lequel vous vous êtes fourrée.

— Je ne vois pas de quoi vous parlez.

Mon Dieu, comment peut-il déjà savoir que j'ai accepté de vendre le domaine ?

Juliet tâcha de garder son calme et leva le menton d'un air de défi.

— Je ne me suis fourrée dans aucun pétrin.

— Mr Fowler m'a rapporté que vous aviez promis de vendre le manoir à un industriel, un Américain, qui plus est ! Bien entendu, je n'allais pas laisser une absurdité pareille se produire. J'ai demandé à Mr Fowler d'annuler cette vente et de renvoyer ce Harper d'où il vient.

Le sang de Juliet ne fit qu'un tour.

— Vous ne pouvez pas faire ça !

— Bien au contraire, ma chère Juliet. Je peux faire tout ce qui me plaît, bon sang!

Un tel langage l'irritait au plus haut point, mais elle tâcha de garder son calme. On ne s'adressait pas à une dame ainsi, tout particulièrement quand on avait promis de la protéger.

Même si Gerald prétendait qu'il agissait toujours dans l'intérêt de Juliet, elle avait depuis longtemps compris qu'il n'était qu'un tyran ravi de la tourmenter. Il ne pensait qu'à lui et faisait passer ses désirs avant tout le reste. Juliet s'était depuis longtemps faite à l'idée que son beau-frère ne changerait pas, mais elle avait tout de même espéré qu'il se montrerait plus compatissant pour tout ce qui concernait le bien-être des enfants.

Gerald serait sans doute furieux de ne pas la voir flancher, et Juliet n'avait de toute façon aucunement l'intention de lui faire ce plaisir. Elle se dirigea lentement vers lui, au centre de la pièce, et tâcha autant que possible de dissimuler le tremblement de ses jambes.

— Gerald, j'ai déjà signé tous les papiers, et même reçu un premier acompte non négligeable. Mr Harper est un homme d'affaires avisé, il ne se laissera pas abuser.

— Il pourrait aussi bien être le prince consort, je m'en moque! Je refuse qu'un arriviste, un intrus, s'installe dans la demeure de mon frère!

Gerald soufflait bruyamment, ses gros poings pressés contre ses flancs.

— Henry est mort, et sa demeure appartient maintenant à Edward. En tant que tutrice, j'ai le droit de faire ce que j'estime le mieux pour l'avenir de mon fils. Les dettes que génère le domaine ne cessent de s'accumuler. En vendant maintenant, je permets à Edward d'avoir une jolie somme pour se lancer dans la vie quand il atteindra sa majorité. De plus, vous serez dégagé de toute obligation financière envers nous ; je pensais que cette nouvelle vous réjouirait.

— Me réjouirait ? s'étouffa le comte, les yeux exorbités. Vous semblez avoir oublié – comme c'est commode ! – que je suis moi aussi le tuteur d'Edward, et que j'ai moi aussi mon mot à dire. Je vous préviens, Juliet, je n'ai pas l'intention de vous regarder bien tranquillement dilapider l'héritage de mon neveu.

Comment ose-t-il ? Gerald se moquait éperdument de ses neveux ! Comment aurait-il pu se montrer si avare avec eux, sinon ?

— Je n'avais pas le choix, dit Juliet. Outre ces dettes, la pension que vous me versez ne suffit pas à subvenir à tous nos besoins.

— Vous êtes trop dépensière, voilà tout, rétorqua Gerald avec un rictus mauvais. Vous devez apprendre à vivre plus frugalement.

Ce coup bas fit bondir Juliet. « Dépensière » ? Elle parvenait tout juste à payer leurs factures !

— Vous plaisantez ! Des chaussures neuves pour mes enfants, c'est un luxe, pour vous ? Des habits à la bonne taille ? De la nourriture ? Car voilà ce à quoi j'emploie mes bien maigres moyens !

— Je ne vous laisserai pas me parler sur ce ton ! cracha le comte.

Juliet sursauta quand son beau-frère tapa du poing sur la table la plus proche et fit tressauter un fragile vase en porcelaine.

— Gerald, ce n'est pas moi qui hurle et frappe les meubles, répondit calmement Juliet, pourtant plus effrayée à chaque seconde.

— Juliet, ne me poussez pas à bout, sinon, je le jure sur l'âme de feu mon frère, je ne serai plus responsable de mes actes !

— Un homme l'est toujours, à plus forte raison si les actes en question sont malheureux, dit une voix venue de la porte.

Juliet sursauta. Il lui semblait la reconnaître… Stupéfaite, elle se retourna et – *bonté divine !* Un homme grand et large d'épaules se tenait sur le pas de la porte, le visage vide de toute expression mais le regard menaçant.

Perchée sur la pointe des pieds derrière le nouveau venu, Mrs Perkins annonça avec un sourire satisfait :

— Madame, Mr Harper souhaite vous parler.

En principe, Richard mettait un point d'honneur à ne jamais se mêler des affaires privées des autres. Il fuyait comme la peste les querelles entre époux, frères et sœurs, parents et enfants.

Mais ce jour-là, sur le seuil du salon de Mrs Wentworth, il savait qu'il allait outrepasser l'une de ses grandes règles et s'immiscer dans une histoire qui ne le concernait pas du tout.

— Mrs Wentworth, j'ai à mon grand regret l'impression d'être à l'origine de quelque discorde. Que puis-je faire pour y remédier ?

— Vous pouvez retourner là d'où vous venez et y rester, dit l'homme qui se trouvait à côté de la jeune veuve en se dressant de toute sa taille somme toute moyenne.

Avec son léger embonpoint en passe d'empirer, ses cheveux clairsemés et ses mains dodues qui trahissaient une certaine répugnance pour les tâches manuelles, il ne semblait pas bien menaçant, mais Richard ne relâcha pas sa garde pour autant. Il n'y avait qu'un moyen d'éviter un traquenard : rester vigilant et s'attendre en permanence au pire.

— Gerald ! s'écria Mrs Wentworth, horrifiée.

— Qu'y a-t-il ? Il s'en va, nous n'entendons plus jamais parler de lui, et toute cette affaire est résolue.

Richard dévisagea longuement Gerald sans que ses traits impassibles trahissent sa colère.

— Veuillez pardonner à mon beau-frère sa grossièreté, Mr Harper. Il a été quelque peu secoué.

— Comment osez-vous présenter des excuses à cet arriviste ? glapit Gerald. C'est lui, la cause de tout cela !

Richard l'ignora délibérément pour regarder Mrs Wentworth droit dans les yeux.

— Il s'agit de la vente du manoir, n'est-ce pas ?

La jeune femme joua nerveusement avec la dentelle de sa manche, le rouge aux joues.

— Oui, je le crains.

— Cette affaire ne regarde que nous. L'opinion de votre beau-frère n'a aucune espèce d'importance.

—Pas d'importance ? gronda Gerald. Dites-moi, mon ami, vous savez qui je suis ?

—À vrai dire, non. Nous n'avons pas été présentés.

Mrs Wentworth laissa échapper un petit cri affolé, mais se reprit promptement.

—Richard Harper, voici Gerald Wentworth, comte de Hastings. (Elle baissa la voix.) Mr Harper, le comte est le frère aîné de feu mon époux. C'est aussi le tuteur de mon fils, Edward.

Décidément, les Anglais étaient des gens bien étranges, capables de s'interrompre au beau milieu d'une terrible dispute pour faire les présentations. C'était absurde, il n'y avait tout bonnement pas d'autre mot. Cependant, ce répit donna à Richard un peu de temps pour réfléchir. Le comte était le tuteur du garçon ? Voilà qui changeait considérablement les choses, et compromettait très probablement la vente du domaine.

Va-t'en.

C'était la décision la plus sensée, la plus logique. Celle que d'ordinaire Richard aurait prise… mais par tous les diables, ses pieds refusaient de bouger. Si Mrs Wentworth semblait très bien se débrouiller quand il était entré dans le salon, il savait qu'une telle situation pouvait très vite dégénérer, et il voulait être là si d'aventure elle avait besoin de son aide.

Cela faisait plusieurs années que Richard ne s'était pas battu, mais il n'avait certainement pas oublié comment frapper un homme à la mâchoire. Mrs Wentworth, qui semblait lire dans ses pensées, s'interposa entre les deux gentlemen.

—Nous discutions en effet avec Gerald de la vente du manoir. Il a un ou deux sujets d'inquiétude.

—À l'entendre, j'aurais cru un peu plus, n'est-ce pas, Mr Wentworth ?

—« Lord Hastings », répliqua le comte, les dents serrées. Je suis un pair du royaume, et vous devez vous adresser à moi en tant que tel.

—Les titres ne nous impressionnent pas, nous autres Américains, répondit Richard en haussant les épaules.

—Eh bien, ils devraient ! Ils symbolisent la tradition, l'honneur, l'intégrité.

—Avec tout le respect que je dois à vos traditions, dans mon monde, on juge un homme à ses actes, à ce qu'il a accompli, et non à son extraction. De plus, je ne vois pas ce qu'il y a d'honorable à harceler une femme sans défense.

Mrs Wentworth et son beau-frère le contemplèrent, bouche bée. Richard attendit, les bras croisés, et comme il s'y attendait le comte ne tarda pas à exploser.

—Ça ne vous regarde pas le moins du monde, et vous feriez bien de garder vos remarques pour vous, surtout quand vous ne connaissez pas tous les détails d'une situation ! Je peux vous assurer que Mrs Wentworth est parfaitement capable d'inciter un homme à la violence. Je dois d'ailleurs, pour me retenir, faire des efforts herculéens.

—Vous m'excuserez si je ne vous applaudis pas, rétorqua Richard.

Le comte ouvrit et referma la bouche comme un poisson hors de l'eau. Les aristocrates aimaient

61

clamer à quel point ils étaient meilleurs que les autres, mais ce n'était visiblement pas le cas en cet instant. Cet individu se comportait véritablement comme le dernier des imbéciles.

— En tant que chef de cette famille, j'ai le devoir de donner un exemple de respectabilité, haleta le comte. La vente du manoir va à l'encontre des valeurs que je défends, et je ne laisserai jamais une telle chose se produire. Me suis-je bien fait comprendre ?

— J'ai en ma possession un document officiel signé par Mrs Wentworth et moi-même qui affirme pourtant le contraire. Pour un homme qui se prétend tellement attaché au nom de sa famille, vous me semblez bien pressé de jeter celui-ci en pâture aux tribunaux… et aux journaux à scandale.

— Est-ce une menace ? demanda le comte.

— Je ne fais qu'expliquer la situation… dans ses moindres détails, puisque vous paraissez leur accorder tant d'importance.

Richard regarda par la fenêtre et vit à quel point la lumière avait baissé. Une tempête se préparait – peut-être de taille à rivaliser avec celle qui faisait rage dans ce salon.

Le comte lui lança un regard empreint d'un profond dégoût.

— Je suppose donc que vous n'allez pas retirer votre offre, comme le ferait un véritable gentleman ?

— Exactement.

— Harper, je n'en ai pas fini avec vous, gronda le comte en bombant le torse.

Richard le dévisagea longuement et comprit que ce n'était pas une menace en l'air.

—Dans ce cas, je suppose que nous nous reverrons au tribunal. Bonne journée, Gerald.

L'emploi de son prénom ulcéra le comte, ce qui était l'effet escompté. Lord Hastings quitta la pièce à grands pas en claquant la porte derrière lui.

Le long silence qui suivit ne fut troublé que par le grondement du tonnerre, au loin. Richard espérait qu'il serait accompagné d'une pluie torrentielle, apte à tremper le comte jusqu'aux os et à refroidir son tempérament bouillant.

—Voilà qui fut fort désagréable, soupira Juliet.

—Il avait l'air plutôt contrarié, répondit Richard, ravi de constater que de grosses gouttes de pluie commençaient à tomber. J'ai l'impression que notre ami Gerald est du genre à s'emporter facilement.

—C'est le moins qu'on puisse dire.

—J'ai eu affaire à beaucoup d'hommes comme lui dans ma vie. Le tout, c'est de paraître sûr de soi et de parler avec autorité, même quand ils vous regardent avec mépris, comme si vous étiez quelque immondice collée à leur semelle.

—Je tâcherai de m'en souvenir.

Mrs Wentworth remua les braises du feu puis s'assit dans un fauteuil à oreilles près de la cheminée en marbre.

—Je dois admettre que voir Gerald dans un tel état m'a beaucoup amusée. À un moment, son visage a véritablement viré au violet. Un spectacle qui valait presque l'annulation de notre vente.

Les petites rides qui entouraient sa bouche et son front s'estompèrent, remplacées par un sourire plein de malice. Elle inspira profondément, et Richard regarda sa poitrine se soulever. Elle avait la taille si fine, si ferme, pour une femme qui avait donné naissance à trois enfants.

Il s'attarda sur le léger décolleté de sa robe, le souffle court. *Elle semble si fragile.* Il lutta pour ignorer son parfum enivrant, la lueur qui brillait dans ses yeux marron – et échoua lamentablement.

— Je suis sûr que Gerald n'a pas trouvé la situation aussi comique que nous, dit-il enfin pour empêcher son esprit de divaguer.

— Non, en effet, et je suis navrée de l'admettre, mais il a raison sur un point : je serai incapable de vous vendre le manoir s'il s'y oppose.

— Nous avons signé un contrat, et je suis persuadé que mes avocats trouveront de quoi contrer une attaque en justice. Ce sont les meilleurs sur le marché.

— Je n'en doute pas, mais ce sera malheureusement en vain. Gerald a de l'influence. Il vous retiendra pendant des années devant les tribunaux, sûrement jusqu'à ce qu'Edward atteigne la majorité. Gerald a gagné.

— Qu'allez-vous faire ?

Mrs Wentworth sembla alors profondément désemparée et Richard regretta aussitôt d'avoir posé une telle question. Pourtant, il fallait bien y songer.

— Je vais demander à Mr Fowler de se mettre de nouveau en quête d'un locataire, dit-elle, les mains crispées sur les genoux. À moins que vous n'ayez changé d'avis sur la question…

— Non, malheureusement, ça ne fera pas l'affaire.

Le manoir était absolument parfait, mais en y repensant la nuit précédente, Richard avait compris qu'il lui manquait un élément essentiel.

— Mrs Wentworth, vous avez déjà trouvé une façon de résoudre notre problème.

— Je ne vous suis pas, répondit Juliet avec un sourire intrigué.

— Vous en avez pourtant parlé hier.

Richard n'était pas un homme impulsif, mais il avait depuis longtemps appris à se fier à son instinct ; restait à espérer que ce dernier n'avait pas décidé de se retourner contre lui.

— Vous pourriez m'épouser, dit-il.

Chapitre 4

$\mathcal{J}$uliet resta assise dans son fauteuil ; une sage décision, car elle serait sans doute tombée à la renverse, sinon.

— Vous épouser ? répondit-elle d'un ton dont le calme l'étonna. C'est une plaisanterie ?

— Pas le moins du monde, c'est au contraire la solution idéale, comme vous nous l'avez expliqué hier après-midi.

Pourquoi avait-il décidé de lui assener de telles insanités ? Juliet se passa la main sur les yeux et se massa furieusement le front. Quelle ironie ! Après l'épouvantable conversation qu'elle avait eue avec Gerald, c'était Mr Harper qui la laissait sans voix.

— Puis-je déduire de votre silence que vous allez réfléchir soigneusement à ma proposition ? demanda l'Américain.

Juliet le contempla, stupéfaite. Il semblait parfaitement sérieux. Elle se pencha en avant, presque hypnotisée par le bleu profond de son regard.

— Votre haleine ne sent pas l'alcool, j'en déduis donc que vous n'avez pas bu. Vous seriez-vous par hasard cogné la tête contre une branche en venant ici ? Un mur, peut-être ?

—Ni l'un ni l'autre. Je ne suis pas non plus tombé d'un des très inconfortables lits de notre auberge.

—Mon Dieu, il y a pourtant forcément un moyen d'expliquer votre ridicule proposition.

—Je suis un homme habitué à trouver des solutions, or celle-ci pourrait nous satisfaire tous les deux. Les gens ne se marient-ils pas pour l'argent, d'ordinaire ?

—Et pour acquérir des terres, ou des relations. J'ai les premières, mais fort peu des secondes.

—Quant à moi, j'ai de l'argent, et nous n'aurons qu'à nous bâtir des relations ensemble, rétorqua Richard, apparemment très fier de lui. Voyez, nous sommes faits l'un pour l'autre.

—Si ce n'est que nous sommes de parfaits inconnus.

—Comme c'est le cas pour beaucoup de couples au jour de leur mariage – et pour certains, tout au long de leur existence.

—Ce n'est pas le genre d'union que je désire !

Tout cela avait l'air si morne, si froid ! Bien entendu, une grande déclaration aurait été complètement ridicule dans ces circonstances, mais pourquoi rendre les choses aussi guindées ?

Juliet comprit alors que sa vie avait changé du tout au tout. Elle devait se montrer pragmatique et faire ce qui était le mieux pour tous, y compris…

Mon Dieu !

—Et mes enfants ? Ce mariage aurait de grandes conséquences sur leurs vies !

—Ça ne regarde que vous. Je ne remettrai pas en question vos décisions, et je n'interviendrai en aucun cas dans leur éducation. En outre, je subviendrai généreusement à leurs besoins en leur procurant – ainsi qu'à vous – tout le confort matériel nécessaire.

— Et ceux que nous pourrions avoir ensemble ?

Juliet sentit aussitôt le rouge lui monter aux joues. Était-ce vraiment elle qui parlait ?

Pendant un instant, l'homme sembla… effrayé ?

— Je prendrai les mesures requises pour que ça n'arrive pas.

Juliet fronça les sourcils.

— C'est mon affaire, ajouta-t-il à voix basse.

— J'avoue avoir déjà songé à me remarier, dit Juliet en remuant sur son fauteuil. Assez souvent, d'ailleurs, même si je n'ai jamais rencontré d'homme digne de ce nom qui s'intéresse à moi.

» Je ne suis pas tout à fait d'accord avec Mrs Perkins quand elle affirme qu'une femme se doit d'être une épouse mais j'admets que le mariage est la meilleure façon d'assurer l'avenir de mes enfants, et d'échapper au joug de mon beau-frère. Je n'ai cependant jamais envisagé d'épouser un parfait inconnu.

— Cependant, vous n'êtes pas opposée à une union de raison ?

— Non, en effet.

— Si vous voulez mon avis, il serait très raisonnable que nous nous mariions.

Le calme et la logique implacable de cet homme achevèrent d'embrouiller l'esprit de Juliet. On n'évoquait d'ordinaire pas un mariage avec un tel détachement. Pourtant, n'était-il pas sensé de procéder ainsi ? Après tout, ils n'étaient plus des jouvenceaux et, de cette manière, ils s'épargnaient les promesses romantiques et l'espoir qu'à ce stade de leurs vies, une union soit autre chose que pratique.

À bien des niveaux, Mr Harper avait raison. C'était une excellente solution. Pourtant, impossible d'ignorer cette boule dans son ventre et les battements chaotiques de son cœur.

— Le comte n'approuvera jamais cela, dit-elle, pensive.

— Ce qui, j'imagine, est un autre argument en ma faveur… et un argument de taille.

Juliet ne put réprimer un sourire.

— En effet, Mr Harper.

— Appelez-moi Richard.

— Et moi, Juliet.

— Juliet… ça vous va bien.

Un curieux picotement la parcourut quand Richard prononça son nom. Elle fit mine d'inspecter le revers de ses manches pour remettre de l'ordre dans ses pensées.

— J'ai un peu la tête qui tourne avec toutes ces nouvelles choses à considérer, mais avant d'aller plus loin, j'ai besoin de savoir si vous comptez faire un véritable mariage, car c'est ce que je désire.

Richard écarquilla les yeux, et Juliet jubila intérieurement : ainsi, elle était capable de le surprendre.

— Par « véritable mariage », je suppose que vous voulez désigner… des relations intimes ? demanda-t-il.

La gorge serrée, Juliet sentit une étrange chaleur remonter de sa poitrine pour se déposer sur ses joues.

— Oui.

— Je suis flatté.

Juliet ne parvint pas à retenir un léger grognement.

—Et moi, monsieur, je suis morte de honte.

Quand cette question lui était venue à l'esprit, Juliet l'avait trouvée simple et directe, mais une fois qu'elle l'avait prononcée, elle lui était soudain apparue terriblement embarrassante.

—Juliet, vous êtes franche et honnête, des qualités que j'admire chez le beau sexe. J'apprécie également que vous soyez une femme, et pas une petite grue qui ne sait que minauder. (Il s'approcha d'elle et posa la main sur son épaule.) Il n'y a rien de mal à vouloir un peu de plaisir dans l'existence.

La chaleur de sa main se répandit telle une vague dans le corps de Juliet. Comment un simple contact pouvait-il lui faire un tel effet ? Et il n'avait fait que toucher son épaule ! Elle ferma les yeux pour que Richard ne voie pas l'étincelle de désir qui y brillait sans nul doute.

—Même si ma question peut vous en faire douter, sachez que je suis une veuve respectable et moralement irréprochable. Je n'ai jamais… enfin, depuis la mort de mon mari, je n'ai pas…

—Juliet, vous ne me devez aucune explication. J'ai besoin d'une épouse pour qu'elle s'occupe de ma maison de campagne, reçoive mes invités et, je l'espère, soit mon amie. En échange, je peux vous promettre la sécurité financière et une liberté dont peu de femmes jouissent. Que nous trouvions chacun satisfaction dans le lit conjugal est pour moi un petit avantage supplémentaire.

Parfait, elle avait l'impression d'être une véritable catin ! Richard aurait sans doute accepté de l'épouser même si elle lui avait demandé de renoncer à tous ses droits sur elle… mais comment leur mariage aurait-il pu être heureux sans relations intimes ?

Cela dit, peut-être ne la trouvait-il pas séduisante. Elle n'était plus une toute jeune fille, sa silhouette avait été altérée par trois grossesses, et ses mains étaient devenues calleuses à force de raccommoder, de semer et d'exécuter d'autres tâches qui revenaient d'ordinaire aux domestiques, et non à une dame.

Son estomac se mit à palpiter. Un homme qui voulait l'épouser mais ne la désirait pas ? Voilà qui était aussi déprimant qu'embarrassant.

— Techniquement, le domaine appartient à mon fils aîné. En tant qu'époux, vous ne pourrez en profiter que jusqu'à ses vingt-cinq ans.

— Quel âge a-t-il ?

— Dix ans.

— Ce qui m'en laisse quinze.

— Vous voulez tellement cet endroit que vous êtes prêt à m'épouser pour l'obtenir ?

— J'ai connu pire corvée, répondit Richard avec un sourire d'une surprenante sensualité.

Il fit remonter sa main le long de l'épaule de Juliet et lui caressa le cou du dos des doigts.

Elle soupira et, sans s'en rendre compte, se pencha vers lui.

— Je ne sais que dire pour venir à bout de vos réserves, admit Richard en lui lançant un regard plein d'espoir.

Embrassez-moi. Non, non ! C'était bien trop hardi ! Elle devrait le préparer avant de faire une telle requête, ou peut-être même le pousser à prendre les devants… mais que faire, en attendant ?

Lui poser des questions. Juliet devait en savoir davantage sur lui, même les choses les plus banales.

— Avez-vous une famille ? Des frères, des sœurs ? demanda-t-elle.

La main de Richard se figea sur son cou.

— Non, je suis fils unique, et mes parents sont tous les deux morts avant mes vingt ans. J'ai bien une très lointaine cousine du côté de ma mère qui vit quelque part en Pennsylvanie, mais je ne l'ai jamais rencontrée. Je peux vous affirmer que ma famille ne viendra jamais vous importuner.

— Je ne peux hélas pas vous en promettre autant, répondit Juliet avec une grimace.

— Ne vous inquiétez pas, j'en ferai mon affaire.

Encore cette confiance en lui et cette autorité, que sa voix douce et neutre rendait d'autant plus impressionnantes. Il semblait capable de tout accomplir… mais peut-être était-ce vrai ?

Juliet sentit que Richard la massait doucement juste derrière l'oreille, et elle se trémoussa nerveusement ; ses émotions menaçaient de l'emporter à chaque respiration.

— Quel âge avez-vous ? demanda-t-elle.

— Trente-neuf ans, et vous ?

— Vingt-neuf ans, depuis février.

— Vous préférez les chiens, ou les chats ?

Juliet fronça les sourcils, désarçonnée par cette question absurde. Elle appréciait cependant que Richard essaie de jouer le jeu.

—Les chiens.

—Que buvez-vous le matin : thé, café ou chocolat ?

—Du café.

—Préférez-vous Byron ou Tennyson ?

—Vous lisez de la poésie ?

Juliet tourna vivement la tête pour voir le visage de Richard, et il retira sa main.

—À l'occasion.

—Quelle bonne surprise !

Elle poussa un soupir ravi et se rassit afin de presser sa joue contre la main de Richard. Ce simple contact envoya de délicieuses ondes dans tout son corps.

—Byron, ajouta-t-elle.

—Je préfère pour ma part Tennyson, mais tant mieux si nos goûts diffèrent : nous aurons de quoi discuter au cours de nos soirées.

Richard vint soudain se placer devant son fauteuil et s'accroupit afin de la regarder droit dans les yeux.

Ils restèrent ainsi un long moment sans parler, avec pour tout accompagnement le craquement du feu. Richard semblait réfléchir profondément, la tête légèrement penchée, le regard soucieux.

Quelles pensées pouvaient bien traverser son esprit ? Étaient-elles aussi sensuelles que les siennes, des rêveries dans lesquelles ils échangeaient de lentes caresses ?

—Avons-nous un autre point à voir avant que vous me donniez votre réponse ? murmura-t-il.

Juliet déglutit. *Allons, du courage.* Après tout, elle avait déjà dit tant de choses parfaitement insensées à cet homme ! N'avait-elle pas commencé par l'accuser d'être un voleur entré par effraction dans le manoir ? Une de plus ou de moins…

— J'aimerais que vous m'embrassiez, dit-elle. Passionnément.

Richard cilla ; la jeune femme retint son souffle, redoutant d'être allée trop loin. Pourtant, elle n'avait pas le choix. Avant d'accepter de devenir l'épouse de cet homme, elle devait savoir s'il la désirait.

Richard se releva, le visage impassible, presque distant. Il lui prit fermement les mains, la mit debout et la relâcha.

Il attendit ensuite que Juliet recouvre l'équilibre et l'enlaça. Aussitôt, le cœur de la jeune femme s'emballa.

Richard glissa une main sur la nuque de Juliet jusqu'à toucher ses cheveux et posa l'autre sur sa taille – un geste doux, intrigant, ensorcelant. La jeune femme se rendit compte qu'elle avançait malgré elle pour se rapprocher de lui.

Son odeur virile, fraîche et piquante, lui emplit les narines. D'aussi près, elle parvenait à distinguer ses cils longs, épais, et recourbés à leur extrémité, chaque détail de sa mâchoire rasée de près. Son corps était ferme, musclé, et Juliet sentait la chaleur qui en émanait malgré ses habits.

Inutile de le nier : elle le trouvait physiquement très attirant. Pouvait-elle espérer que ce soit réciproque ?

Lentement, doucement, il pressa ses lèvres contre les siennes en un baiser très simple, presque innocent.

Au bout de quelques secondes, il passa lentement la langue sur la commissure de ses lèvres… puis recula et leva la tête.

C'est tout ? Juliet mit les mains sur les épaules de Richard, sans trop savoir que faire. Dire que ce baiser était une déception eût été un bel euphémisme.

Mon Dieu, quoi encore ?

Richard l'attira à lui et lui chuchota à l'oreille :

— N'ayez pas l'air si désemparée, je ne faisais que m'échauffer.

Juliet recula, prise au dépourvu. Elle surprit une lueur espiègle dans le regard de l'homme et comprit qu'elle l'avait gravement sous-estimé. Il descendit la main posée sur sa hanche vers ses fesses, la serra contre lui, et Juliet sentit aussitôt son membre en érection contre ses cuisses.

Elle l'excitait ! mesura-t-elle fiévreusement. Richard déposa des baisers le long de son cou, et une vague de passion la submergea. Elle se rappela soudain ce que l'on ressentait lorsque l'on se trouvait dans les bras d'un homme, désirée, chérie, à l'abri.

Ça faisait si longtemps… beaucoup trop longtemps.

Richard frotta de nouveau doucement ses lèvres contre celles de Juliet et lui arracha un petit gémissement. Elle entrouvrit la bouche et il y glissa sa langue. Juliet, audacieuse, la mordilla doucement.

Il laissa échapper un léger râle et la serra plus fort contre lui. Juliet aimait ces mains puissantes qui exploraient le bas de son dos et ses fesses, ces bras musclés et ce torse qui semblait fait pour se presser contre sa poitrine.

Juliet en oubliait de respirer. Elle ne voulait que se délecter de ses baisers, se laisser envelopper par son goût, son parfum. Ses étreintes lui donnaient l'impression qu'elle attendait depuis des années de ressentir une telle exaltation.

Puis, soudain, tout s'arrêta.

Richard recula d'un pas et Juliet poussa un soupir désolé. Elle eut l'impression de tomber en avant, comme si ses lèvres cherchaient aveuglément ce qui leur avait été si cruellement enlevé. Richard lui prit les mains et elle ouvrit brusquement les yeux.

— Vous tremblez, observa-t-il.

— Vous aussi, répondit Juliet d'une voix mal assurée.

Il la regarda longuement, les mains agitées de soubresauts.

— J'ai ma réponse, je crois, mais la prudence exige que je l'entende de votre bouche, dit-il.

— La réponse à quelle question ?

— Voulez-vous m'épouser ? demanda-t-il en souriant.

— Oui.

Au grand étonnement de Juliet, la réponse lui était venue très facilement. La passion pouvait parfois vous pousser à de telles extrémités, mais il y avait autre chose. La proposition de Richard lui avait donné de l'espoir, et ce malgré son âge et les tragédies qu'elle avait vécues. Ses baisers avaient réveillé en elle du désir et l'espérance d'être heureuse avec un homme qu'elle pourrait peut-être aimer un jour.

— Je dois repartir pour Londres dès aujourd'hui, mais je reviendrai dans trois semaines pour le mariage, dit Richard. Cela vous convient-il ?

—Oui.

—Barclay, mon secrétaire, viendra vous retrouver dans quelques jours pour vous aider avec les préparatifs. Faites comme bon vous semble, mais sachez que je préférerais quelque chose de simple et d'approprié à un second mariage.

—La cérémonie pourrait avoir lieu dans le salon du manoir.

—Excellent. (Richard fronça les sourcils) Un instant, celui qui est décoré à l'égyptienne ?

—Oh, non ! Le salon de devant, tout en teintes bleues et dorées.

—Un bien meilleur choix, répondit Richard, visiblement soulagé. Autre chose avant que je prenne congé ?

Juliet craignit de devoir quémander de nouveau un baiser, mais heureusement Richard n'avait pas besoin d'encouragements. Il se pencha vers elle avec un sourire ravageur, et pressa ses lèvres contre les siennes. Juliet ressentit une surprenante décharge de joie et d'espoir.

Richard souriait toujours quand, dix minutes plus tard, il quitta la maison douairière.

Juliet aussi.

Richard jeta le compte-rendu sur la table avec un soupir excédé. Il lisait ce paragraphe pour la troisième fois, et n'y comprenait toujours rien. Quelle mouche le piquait ?

Il avait pour coutume de travailler jusqu'à une heure avancée de la nuit, son moment préféré pour réfléchir aux décisions les plus importantes. Sans personne autour de lui pour le distraire, sans les interruptions ordinaires de la journée, il pouvait laisser son imagination s'épanouir à loisir. Ses idées les plus inspirées – et les réussites qui en avaient découlé – étaient nées au cours de nuits semblables.

Pourtant, ce soir-là, impossible de se concentrer. Ses pensées ne cessaient de lui échapper… pour revenir à sa future épouse, chose aussi extraordinaire qu'inattendue.

C'était sans doute à cause de la lettre qu'il avait reçue le jour même. Pleine de bavardages et d'absurdités, chaleureuse… et qui lui avait pourtant donné l'impression de faire partie d'un tout bien plus vaste que lui. Comme s'il avait trouvé sa place.

C'était parfaitement ridicule.

Ce mariage n'était qu'une opération financière, rien de plus. Il lui fallait une maison à la campagne, Highgrove Manor lui avait plu, et cette union était le moyen le plus rapide de l'obtenir. Certes, une part de lui souhaitait également clouer le bec à l'arrogant comte de Hastings. Rien ne mettait plus en rage Richard que perdre une chose qu'il avait résolu d'acquérir… tout particulièrement à cause d'un être aussi prétentieux et égocentrique que ce triste personnage.

Bien entendu, épouser la belle Juliet n'était pas un complet sacrifice. C'était une femme charmante : élégante, spirituelle, passionnée. Il était persuadé que cet arrangement leur profiterait à tous les deux, à condition qu'ils en comprennent chacun les termes.

Richard était bien décidé à ce que ce mariage ne change rien à sa vie, ou presque. Il passerait le plus clair de son temps seul à Londres, et ne se rendrait à la campagne que quand il aurait besoin de divertir ses relations d'affaires. Juliet serait une excellente hôtesse, sa présence à Highgrove contribuerait à élever le statut de Richard auprès de ses associés, actuels ou potentiels. Une épouse aussi élégante serait un grand avantage dont il avait bien l'intention de tirer parti à la moindre occasion.

L'âge et la maturité de Juliet constituaient également d'importants atouts. Même si elle affirmait ne pas avoir de relations, elle avait été élevée dans une bonne famille et avait épousé un aristocrate. De plus, elle était déjà mère, et Richard n'aurait donc pas à expliquer pourquoi il ne voulait pas d'enfants.

Cette pensée réveilla une vieille douleur et fit resurgir des souvenirs depuis longtemps enfouis. La perte d'un enfant était une blessure qui mettait des années à guérir et laissait une cicatrice que l'éternité n'aurait pu effacer. Une souffrance que Richard portait en lui, stoïquement.

— Lord George vient d'arriver, Mr Harper, annonça le majordome en entrant dans le bureau.

Richard jeta un regard à sa pendule : il était plus d'une heure du matin. Il pensait ses domestiques couchés depuis longtemps, mais bien sûr Pearson attendait que le maître de maison se retire. Difficile de savoir qui, dans ce pays, étaient les plus guindés et protocolaires : les serviteurs ou leurs maîtres ?

—A-t-il besoin d'aide pour rejoindre sa chambre ? s'enquit Richard, d'humeur magnanime.

La première fois que son ami avait débarqué à l'improviste à une heure aussi avancée, Richard avait fait l'erreur de demander à son majordome si le visiteur était rond comme une barrique. Outré par un tel langage, Pearson avait boudé pendant près d'une semaine.

—Non, monsieur, lord George semble parfaitement capable de se déplacer tout seul. Il souhaiterait s'entretenir avec vous, si vous avez un instant à lui accorder.

—Faites-le entrer.

—Ne vous donnez pas la peine de m'annoncer, Pearson, je suis déjà là.

Lord George Moffat, deuxième fils du duc de Hetheridge, pénétra dans la pièce en ne titubant que très légèrement. Ce jeune quadragénaire célibataire était un homme athlétique à la peau mate et doté d'un nez proéminent qui lui donnait l'air d'un aigle, mais n'enlevait rien à son charme, comme le prouvaient les nombreuses conquêtes dont il pouvait s'enorgueillir.

On disait que les rumeurs sur ses exploits au sein de la bonne société étaient exagérées, mais Richard, qui le connaissait depuis trois ans, les savait très proches de la vérité. Vu de l'extérieur, George était l'exemple même du charmant propre-à-rien, un panier percé irresponsable qui ne pensait qu'à lui sans se soucier des conséquences.

Pourtant, cette façade cachait un esprit fin et mordant capable de dérider les plus sinistres fâcheux. Avec des éducations, des personnalités et des statuts aussi différents que les leurs, les deux hommes auraient dû s'entendre comme chien et chat, ils étaient pourtant devenus des amis proches.

— Votre chambre habituelle est prête, lord George, déclara solennellement le majordome en se redressant de toute sa taille.

— Ce brave Pearson ! dit George en donnant une tape amicale dans le dos de l'homme.

Le serviteur poussa un soupir épuisé puis quitta la pièce en s'inclinant profondément.

— Je vois que notre vieil ami est toujours aussi raide, ricana George en se laissant tomber dans le fauteuil placé en face du bureau de Richard. Je n'arrive pas à comprendre pourquoi vous ne vous en êtes toujours pas débarrassé.

— Avoir un bêcheur pareil comme majordome n'est-il pas un signe de richesse, de noblesse et de supériorité culturelle ?

— Non, seulement de manque d'assurance.

— George, fermez-la.

Richard se leva. Il ressentait le besoin de se dégourdir les jambes.

— Si vous détestez autant mes domestiques, pourquoi n'allez-vous pas dans votre maison de famille de Grosvenor Square ?

— Pas question ! Mon frère Lawrence et sa femme sont en ville depuis ce matin. Il semblerait que leur récent voyage en Italie ait ravivé leur flamme ! Ils ne cessent de roucouler, de sourire, de se tenir la main et d'échanger de ridicules noms d'animaux.

— Quelle horreur, répondit Richard en remplissant deux verres de whisky pour en tendre un à son ami.

— Attendez, je n'ai pas fini! Je les ai bien malgré moi surpris en pleine action dans le jardin d'hiver, pas plus tard que cet après-midi! Mon Dieu, c'était horrible. (George but une grande gorgée en frissonnant.) Ils s'ébattaient comme deux jeunes amants, sans presque rien sur le dos... et au milieu des orchidées en fleurs, rien de moins! Non, Richard, je ne peux pas remettre les pieds là-bas tant qu'ils ne seront pas partis... et je ne pourrai sans doute plus jamais entrer dans le jardin d'hiver ni regarder une orchidée sans avoir la nausée.

Richard éclata de rire.

— Vous pouvez rester aussi longtemps que vous le désirez, dit-il en faisant lentement tourner le liquide ambré dans son verre.

— Merci. Malgré la présence de Pearson, on est très bien chez vous.

— Savoir qu'au moins l'un de nous va bien dormir cette nuit me réchauffe le cœur, repartit Richard.

— Vous allez passer la nuit à tenter de venir à bout de je ne sais quelle affaire horriblement compliquée?

— Étonnamment, non. Je crois que mes futures noces perturbent quelque peu ma petite routine.

George leva la tête.

— Ce délicieux breuvage et le traumatisme que j'ai subi aujourd'hui ont sans doute affecté mon audition, car je crois bien vous avoir entendu évoquer votre mariage.

—C'est bien le cas. Il a d'ailleurs lieu ce week-end. (Richard sembla soudain frappé par une pensée subite.) Je suppose qu'il me faut un témoin. Voudriez-vous venir à la cérémonie?

George se redressa d'un bond, faisant tomber son verre.

—Où? Avec qui?

Cet homme était d'ordinaire la nonchalance personnifiée, et le voir s'agiter ainsi amusait beaucoup Richard.

—À la campagne, et ma future épouse se nomme Juliet Wentworth. (Richard fronça les sourcils.) Vous la connaissez?

—Je n'ai pas ce plaisir. Vous allez vraiment vous marier?

George ramassa son verre et le remplit de nouveau.

—Cessez d'avoir l'air si surpris! Je suis donc trop laid pour qu'on veuille de moi?

—Bien au contraire, et vous le savez fort bien. Disons que je ne vous ai jamais vu avec une dame de qualité, ajouta George en haussant un sourcil suggestif.

—Juliet est une vraie lady, rétorqua froidement Richard.

—Bien entendu, je ne voulais pas vous offenser. D'abord Lawrence dans le jardin d'hiver et maintenant ce mariage… je crois que j'ai eu trop de chocs pour une seule journée. Alors, que pouvez-vous me dire au sujet de l'heureuse élue?

Richard réfléchit à la question avec un petit sourire. Que dire de Juliet, une femme qu'il n'avait rencontrée que quelques heures avant de la demander en mariage ?

— C'est une veuve. Elle a pour beau-frère le comte de Hastings, que j'ai très brièvement rencontré. Un véritable imbécile.

— Tête d'Épingle ?

— Pardon ?

— C'est comme ça que nous l'appelions à l'école, parce que son nez ridiculement pointu nous faisait penser à une aiguille. Je me rappelle qu'il avait un jeune frère… Harold ? Non, Henry. Un type agréable, excellent cavalier, et bien plus sympathique que ce vieux Tête d'Épingle. Il est mort il y a quelques années, je crois.

— Quatre, répondit Richard.

— Où avez-vous rencontré sa veuve ?

— À la campagne. J'étais parti acheter une propriété, pour finalement découvrir que c'était impossible sans l'accord du comte.

— Que bien sûr il ne vous a pas donné. Et vous, au lieu d'acquérir ce domaine, vous avez décidé de vous marier pour l'obtenir ?

— En un sens, oui, admit à contrecœur Richard, qui n'aimait guère cette façon de présenter les choses. C'est plus compliqué que ça.

— Ces histoires-là le sont souvent. Cela dit, je me demande si vous sortez gagnant de cette affaire. Une épouse peut avoir des effets dévastateurs sur le portefeuille d'un homme.

—Juliet n'est pas une danseuse d'opéra qu'il faut couvrir d'argent et de bijoux. De plus, j'ai largement les moyens de faire vivre une femme dans le luxe.

—Ah, nous touchons au cœur du problème. Richard, mes félicitations.

—Mais de quoi parlez-vous?

—Cette belle Juliet… vous avez clairement beaucoup d'affection pour elle, si vous êtes prêt à dépenser sans compter pour son bien-être. Dites-moi, ce fut le coup de foudre?

—Pardon?

—Allons, ne soyez pas gêné, mon ami! s'exclama George, qui de toute évidence s'amusait beaucoup. Il était grand temps que vous connaissiez le bonheur. Quelques galipettes avec une femme dont vous êtes amoureux, c'est exactement ce qu'il vous fallait… Je vous déconseille cependant de faire ça dans votre jardin d'hiver, à moins d'en verrouiller la porte auparavant.

—George, vous êtes un imbécile.

—Je mettrai cette agressivité sur le compte de l'amour.

—Bon sang, George, quelle mouche vous a piqué ce soir? Comment aurais-je pu tomber amoureux d'une femme que j'ai à peine vue?

—Ça arrive tout le temps! Enfin, parfois, je crois.

—Eh bien, rassurez-vous, il n'en est rien.

George se tut pendant un long moment, puis dit:

—Bien sûr, le problème deviendrait particulièrement épineux si Juliet avait accepté votre demande en mariage par amour. Croyez-moi, je ne vous souhaite pas de vous retrouver lié à une femme éperdument amoureuse. Ça peut être horriblement douloureux.

Il y avait dans cette dernière phrase une histoire fascinante et inédite mais Richard, malgré toute sa curiosité, voulait en priorité comprendre ce que George lui prédisait au sujet de son futur mariage.

—J'aimerais savoir si vos radotages ont un but précis, ou si vous aimez seulement parler pour entendre le son de votre voix.

—J'essaie de vous dire que les hommes sont par nature logiques – pour la plupart – et les femmes illogiques. Leurs têtes sont bien trop souvent remplies de notions aussi ridicules que l'amour ou le romantisme. Si Juliet a accepté si facilement votre proposition, c'est peut-être parce qu'elle s'est imaginé que vous alliez vivre comme de vrais tourtereaux, heureux jusqu'à la fin de vos jours.

—Ce n'est pas une petite chose innocente à la tête pleine de rêves, et c'est bien pour ça que je l'ai choisie.

—En êtes-vous si sûr?

—Oui, répondit Richard en tâchant d'ignorer la légère inquiétude qui s'immisçait dans son esprit. Alors, viendrez-vous?

George se laissa aller dans son fauteuil et croisa les bras sur la poitrine.

—Richard, mon ami, je ne manquerais pas ça pour tout le champagne de France!

Chapitre 5

Juliet lissa une dernière fois sa robe de soie, joignit les mains devant elle et examina d'un air absent la porte du salon. À l'autre bout de la pièce, le révérend Abernathy sirotait sa seconde tasse de thé et discutait avec Mrs Hazard tandis que Mr Dudley faisait de même avec Mr Barclay. Harriet Moss, l'amie d'enfance de Juliet, avait gracieusement accepté de faire office d'hôtesse, et passait d'un convive à l'autre pour tenter de préserver une atmosphère festive.

Les enfants, vêtus de leurs plus beaux habits, étaient assis sur le canapé de brocart doré. Mrs Perkins se tenait derrière eux, à distance respectueuse, épiant le moindre de leurs gestes.

Le salon regorgeait de fleurs que Juliet avait coupées le matin même et disposées avec art. On avait réquisitionné les chaises de la salle à manger, qui se retrouvaient désormais placées en deux rangs bien réguliers, face aux larges portes-fenêtres. Le soleil radieux baignait toute la pièce d'une vive lumière.

Il ne manquait plus qu'une chose à ce charmant tableau : le marié.

Sur la cheminée, la pendule émettait un « tic-tac » de mauvais augure. Mr Harper – Richard – était en retard.

La cérémonie avait été fixée à 13 heures précises or, une heure plus tard, il n'y avait toujours aucun signe de l'homme, ni aucune explication à son absence.

Juliet sourit pour faire bonne figure, craignant que ce ne soit en vain. Tout le monde avait constaté l'absence de Richard, et même les enfants commençaient à se douter que quelque chose clochait.

En dépit de ses efforts, Juliet remonta machinalement une main le long de sa nuque pour tortiller les quelques cheveux qui avaient échappé à leurs épingles. Dieu qu'elle était nerveuse. Était-ce un signe ? Un message pour la prévenir qu'elle s'apprêtait à faire la chose la plus stupide de sa vie ? Le Seigneur lui laissait-il le temps de tout arrêter avant qu'elle commette l'irréparable ?

Gerald était venu la trouver quelques heures après la lecture des premiers bans, au service du dimanche, pour lui prédire un avenir baigné de larmes. Malgré elle, Juliet entendait encore ses paroles fielleuses résonner dans son esprit.

— Maman, on peut manger le gâteau, maintenant ? demanda Lizzy.

Les deux pièces montées qu'avaient si gentiment préparées Mrs Perkins et la cuisinière de la famille étaient une source de fascination infinie pour la fillette. Elle n'avait cessé d'en parler depuis qu'elle les avait découvertes, le matin même.

— Non, pas avant que la cérémonie soit finie, la gronda Edward.

— Edward a raison, ma puce, dit Juliet avec douceur en remettant en place les boucles blondes de sa fille. Ne vous inquiétez pas, nous pourrons bientôt goûter ces jolis gâteaux.

En était-elle si sûre ? Et si Richard ne venait pas ? Elle ne se sentait pas très bien. Elle avait écrit à Richard au sujet de son entrevue avec Gerald, et avait reçu dans la semaine une lettre expliquant que son beau-frère renoncerait à son rôle de tuteur une fois le mariage prononcé.

Juliet n'avait aucune preuve, mais elle savait que c'était l'œuvre de Richard. Cette lettre avait été un réconfort, l'assurance qu'épouser cet homme était une sage décision. C'était d'abord la peur qui l'avait poussée à accepter la proposition de l'Américain, désespérée qu'elle était d'obtenir sécurité financière et indépendance. Juliet se répétait qu'elle faisait cela pour offrir une vie meilleure à ses enfants et les protéger du comte.

Mais tout n'était pas qu'obligations. En préparant la cérémonie avec Mr Barclay, Juliet avait ressenti des moments d'optimisme et d'espoir. C'était un nouveau départ, la chance d'avoir une existence plus heureuse.

Mr Barclay s'approcha d'elle, l'air aussi posé que possible. Juliet s'était prise d'affection pour ce jeune homme aussi serviable qu'efficace au cours des semaines passées. Il lui manquerait quand il partirait, après le mariage.

Encore fallait-il qu'il y ait un mariage.

— Je suis sûr que Mr Harper sera bientôt là, dit Mr Barclay en consultant sa montre de gousset, ce qu'il faisait désormais à peu près une fois par minute.

— Il ne se serait tout de même pas trompé de date ? demanda Juliet.

Elle détestait entendre sa voix trembler, autant qu'elle haïssait cette sensation de panique qui la gagnait.

Barclay écarquilla les yeux, horrifié.

— Mr Harper consulte son calendrier tous les jours ! Plusieurs fois par jour, même.

Même si la réponse du jeune homme ne faisait rien pour l'apaiser, Juliet tâcha de passer outre à la boule qui lui serrait la gorge et décida d'attendre encore quinze minutes avant de tout annuler et de renvoyer les convives chez eux.

Les secondes lui parurent des minutes, et les minutes des heures. Les quelques invités présents ne se donnaient plus la peine d'avoir l'air occupés et attendaient en silence tandis que Juliet essayait de remettre de l'ordre dans ses pensées.

La pendule sonna la demi-heure. Il fallait mettre un terme à cette mascarade.

— Mes chers amis, je voudrais vous remerci…, commença Juliet.

— Le voilà ! l'interrompit Barclay.

Ce qui, finalement, arrangeait plutôt Juliet, car elle n'avait aucune idée de ce qu'elle allait dire ensuite.

Elle ne put réprimer un profond soupir de soulagement quand Richard s'engouffra dans le salon.

— Désolé ! Vraiment désolé ! Ce maudit train était encore en retard ! Je sais bien que nous aurions dû venir en voiture, mais il pleuvait des cordes ce matin et George m'a affirmé que les routes seraient de vrais bourbiers.

Richard se retourna, excédé, vers le gentleman qui était entré à sa suite. Ce dernier soutint son regard, puis sembla remarquer l'assistance.

— Richard, calmez-vous, chuchota-t-il à l'Américain. Vous faites peur à votre jolie épouse.

Juliet remercia silencieusement l'inconnu ; son intervention lui avait donné quelques secondes fort bienvenues pour se faire à l'idée qu'un mariage allait vraiment se dérouler dans cette pièce.

— Vous avez été retenu par le train ? demanda-t-elle à voix haute, afin que tous les convives l'entendent.

— Maudite machine ! Je ne sais pas comment cette compagnie n'a pas encore fait faillite !

— Vous n'aurez qu'à la racheter pour arranger tout cela, mais en attendant, des affaires plus urgentes vous appellent, répondit son compagnon d'une voix traînante. Faites les présentations.

Richard posa une main dans le dos de Juliet, à la naissance de ses reins ; sa chaleur, que la jeune femme sentait à travers sa robe, avait quelque chose de réconfortant.

— Juliet, je vous présente lord George Moffat. Il a accepté d'être mon témoin.

Juliet fit une révérence gracieuse. Elle avait tout de suite compris que lord George était un aristocrate dans toute sa splendeur, de ses cheveux bruns parfaitement coupés jusqu'au bout de ses superbes chaussures. Elle se demanda comment Richard et cet homme avaient pu se rencontrer, et s'étonna de les voir si bons amis.

Qui était cet inconnu qu'elle s'apprêtait à épouser ?

— Je m'excuse une fois encore de vous avoir fait attendre, dit Richard d'une voix calme.

Juliet présenta Richard au révérend Abernathy, puis tous trois prirent place devant la fenêtre, flanqués de Harriet et de lord George. Le reste des convives s'assit.

Juliet lança un regard en coin à Richard, mais celui-ci restait impassible, les yeux fermés. Elle s'efforça de faire bonne figure et d'apprécier à quel point Richard était séduisant dans son costume sombre, les joues légèrement rouges et les cheveux un peu en bataille.

— Pouvons-nous commencer ? s'enquit le révérend.

— Je vous déclare mari et femme. Qu'aucun homme ne puisse séparer ceux que Dieu a unis.

C'était fait.

Quand le révérend le lui demanda, Richard se tourna vers son épouse et la regarda dans les yeux pour la première fois depuis qu'il était entré dans le salon. Elle semblait parfaitement calme, maîtresse d'elle-même. La jeune femme s'était sûrement fait du souci, pourtant l'arrivée extrêmement tardive de Richard n'avait pas eu l'air de la bouleverser outre mesure. Il était heureux qu'elle n'ait pas fondu en larmes. Richard, soulagé, sentit son cœur recouvrer un rythme normal.

Ce mariage était certes une simple transaction, une affaire qui bénéficiait aux deux parties, mais pourquoi ne pouvait-il pas marquer le point de départ d'une agréable amitié ? Richard savait que son retard avait grandement gêné Juliet, mais Dieu merci elle ne semblait pas lui en garder rancune.

Il eut alors très envie de l'embrasser – ce qui tombait très bien, compte tenu des circonstances – mais avant qu'il puisse entreprendre quoi que ce soit, le révérend leur présenta le registre paroissial qu'il leur fallut signer. Vint ensuite le moment de recevoir les félicitations de leurs invités, et tout le monde oublia le baiser – sauf lui.

— Venez, Richard, il est temps que vous rencontriez mes enfants.

Contrarié d'avoir été ainsi privé de son dû, Richard serra les poings et suivit Juliet vers un recoin calme du salon où les gamins attendaient en gigotant depuis déjà un long moment.

Richard, mal à l'aise, tâcha d'avoir l'air aimable tandis que Juliet lui présentait Edward, James et Elizabeth – que le monde entier semblait appeler Lizzy. Il n'avait pas l'habitude de côtoyer des enfants, et on lui avait dit qu'en règle générale, ceux-ci avaient l'esprit assez vif pour s'en rendre compte.

— Félicitations, monsieur, déclara Edward en lui tendant une main que Richard serra solennellement.

Incité par un coup de coude de son frère, James fit de même. Richard se pencha alors au plus vite vers Lizzy, espérant être assez prompt pour épargner à la frêle fillette un rappel à l'ordre similaire.

Heureusement, ce ne fut pas nécessaire. De son propre chef, Lizzy empoigna sa robe, la déploya, et exécuta une révérence somme toute convaincante.

Richard inspecta brièvement les trois enfants. Il décela une lueur hostile dans le regard d'Edward, de la curiosité dans celui de James, et une joie innocente dans les yeux de Lizzy.

— Je suis contente que vous soyez mariés, déclara la fillette. On peut manger du gâteau maintenant !

— Pas avant d'avoir fini votre déjeuner, intervint Juliet d'un ton affectueux. Mrs Perkins ?

— Je m'en occupe, dit la gouvernante en conduisant les enfants hors de la pièce.

— Ils sont très bien élevés, déclara Richard.

— Oui, répondit Juliet avec tendresse. Ils ont eu quelques difficultés à comprendre tout cela, mais je sais qu'ils finiront par s'y faire.

Se faire à quoi ? Juliet est leur mère, la seule à décider de ce qui est bon pour eux, et ça ne va pas changer.

Richard s'interrogeait toujours sur les paroles de Juliet quand le majordome invita l'assistance à se rendre dans la salle à manger.

Le repas de noces fut raffiné, accompagné de champagne frais et conclu par le gâteau susmentionné. Au grand soulagement de Richard, les enfants n'étaient pas dans la pièce. Comment aurait-il pu apprécier le contenu de son assiette avec leurs regards braqués sur lui ? C'était déjà suffisamment difficile avec tous ces adultes qui le jaugeaient.

Il était assis entre son épouse et George, qu'on avait, Dieu merci, décidé de placer à sa gauche. Tandis que les domestiques débarrassaient les bols de potage, son ami lui chuchota à l'oreille :

— Mari et père dans le même après-midi, bien joué, Richard.

Celui-ci le dévisagea comme s'il était frappé de folie.

— Ces enfants sont sous la seule responsabilité de Juliet et ils le resteront ; par ailleurs, vous savez très bien pourquoi je me suis marié.

— Bien sûr. Voilà que les capitaines d'industrie ont décidé d'imiter l'aristocratie et se marient pour acquérir terres et prestige. (George but une généreuse gorgée de vin.) Quel dommage ! Votre épouse semble avoir bien plus à offrir qu'un simple domaine.

Richard lança un regard en direction de Juliet, un petit sourire aux lèvres. Elle avait en effet bien d'autres attributs, mais aussi séduisante fût-elle, il ne devait pas perdre de vue les vrais motifs de son mariage.

Le repas suivit son cours. George, par bonheur, possédait un talent précieux : il pouvait parler de n'importe quel sujet d'une façon extrêmement distrayante, sans pour autant dire quoi que ce soit de significatif. Quand vint le temps de servir les poissons, il avait réussi à détendre toute l'assistance, y compris la mariée.

Oui, Richard avait bien fait d'inviter son ami, même si ce dernier adressait sourires et clins d'œil à l'une des domestiques qui aidaient les valets à apporter les plats dans la salle à manger. Le flair de George en matière de femmes de tout âge était légendaire, et il ne laissait jamais passer une occasion de séduire.

— J'apprécierais que vous évitiez de courir après les servantes pendant mon repas de noces, murmura Richard.

— Celui qui veut être de nouveau reçu dans une maison ne batifole jamais avec le personnel… D'ailleurs, vous avez l'intention de m'inviter à l'avenir, j'espère ? Enfin, une fois que votre lune de miel sera passée, bien entendu.

— Tout dépend de la façon dont vous vous comporterez aujourd'hui, répondit Richard en avalant une bouchée de poulet.

La viande était exactement comme il l'aimait, accompagnée d'une délicieuse sauce au brandy. Barclay avait sûrement fait part à Juliet de ses goûts et la jeune femme, en bonne épouse, avait veillé à ce qu'ils soient satisfaits.

Son épouse ! Des souvenirs d'une autre époque – et d'une autre mariée – lui revinrent en mémoire. Jeune, douce, innocente, avec un regard empli d'adoration qui offrait la promesse d'un amour parfait… promesse qu'une vie achevée trop tôt avait à jamais rompu.

— Le poulet ne vous convient-il pas ?

Richard se tourna vers Juliet et, avec une facilité qui trahissait une longue habitude, dissimula prestement ses émotions.

— Il est bien.

— Bien ?

Le visage de Juliet se ferma ; sa déception était évidente. *Miséricorde !* Il n'y avait pas que le poulet. Elle avait fait beaucoup d'efforts pour rendre l'événement élégant, raffiné, et Richard ne lui avait pas fait le moindre compliment.

— Vous êtes superbe aujourd'hui, dit-il.

— Merci, murmura-t-elle, troublée, le rose aux joues.

Avec un petit sursaut de la tête, elle revint à son assiette.

— Bravo ! Quel beau compliment, si original, si renversant ! Regardez-la, elle est sans voix.

— George, un mot de plus et vous finissez le nez dans le gâteau, chuchota sèchement Richard en plantant sa fourchette dans un morceau de poulet.

Toujours vêtue de sa robe de mariée jaune pâle, Juliet se tenait à la fenêtre de sa chambre et contemplait le paisible jardin éclairé par les rayons de lune. Le front pressé contre la vitre, elle tourna lentement la tête et frissonna en apercevant les roses qui couvraient le papier peint, le dessus-de-lit et celles, encore plus grosses, qui décoraient le tapis.

Dieu que c'était laid. Pas de doute, elle referait la décoration de cette pièce en priorité.

Elle l'avait choisie car c'était la plus proche de la chambre de maître, et qu'un mari aimait être près de sa femme. Certes, elle avait partagé le lit de Henry dès le premier jour de leur mariage, et ils n'avaient dormi séparément que durant les quelques jours qui avaient suivi chacun de ses accouchements.

Cependant, si Richard n'avait rien dit sur la question, elle le soupçonnait d'avoir un point de vue très différent sur la vie de couple. Juliet estimait pour le moment plus prudent d'avoir sa propre chambre. Une chose de plus qui distinguait ce mariage de son premier.

Les convives étaient partis peu de temps après le déjeuner, et leurs vœux de bonheur résonnaient encore aux oreilles de Juliet. Les deux époux s'étaient alors retrouvés seuls pendant quelques inconfortables minutes, avant que Richard prenne poliment congé et appelle Barclay d'une voix tonitruante. Il avait pris un imposant tas de papiers des mains de son secrétaire et s'était retiré dans le bureau pour s'occuper d'affaires pressantes.

Juliet ne l'avait pas vu depuis.

La jeune femme occupa le reste de sa journée comme si rien n'avait changé : elle s'assit à table avec ses enfants pendant que ceux-ci dînaient, aida Lizzy à prendre son bain, puis les borda avant de lire leur histoire favorite. Elle s'était ensuite rendue dans la chambre aux roses – et non celle du maître de maison – pour y attendre son époux.

Juliet se dirigea avec un soupir morose vers la petite penderie. Les fragiles espoirs qu'elle avait entretenus en récitant ses vœux de mariage plus tôt dans la journée la hantaient maintenant qu'elle se préparait pour la nuit. Elle avait épousé un parfait inconnu. Un homme séduisant, viril – mais aussi taciturne et parfois maussade, l'exact opposé de son premier mari, avec qui elle avait été si heureuse.

Mon Dieu !

En dépliant ses vêtements de nuit, Juliet se répéta qu'elle avait bien fait de donner congé à sa domestique : elle avait besoin d'être seule. La jeune femme enfila la chemise de nuit en soie et le peignoir assorti achetés spécialement pour l'occasion, et s'assit à sa coiffeuse. Elle se détacha les cheveux puis les brossa méthodiquement dans l'espoir d'apaiser un peu ses pensées.

Après tout, Richard aussi avait épousé une inconnue. Cela les mettait-il sur un pied d'égalité, ou faisait-il d'eux de beaux idiots ?

On frappa à sa porte, qui s'ouvrit sans qu'elle ait pu répondre. Richard entra dans la pièce, vêtu d'une robe de chambre de brocart bleu saphir qui accentuait sa carrure. Juliet comprit aux quelques poils noirs qui s'échappaient de son encolure qu'il ne portait rien d'autre.

Elle l'avait trouvé beau en plein jour mais ce soir-là, à la lueur romantique des bougies, il ressemblait à une statue aux proportions parfaites. Juliet sentit ses jambes flageoler quand elle comprit enfin qu'elle était mariée à cet homme superbe et qui dégageait une telle puissance.

Après des semaines passées à se demander ce qu'on ressentait quand on devenait la femme d'un autre homme, l'heure était enfin venue. C'était leur nuit de noces, et ils savaient l'un comme l'autre ce qui allait se produire.

Richard referma la porte derrière lui et avança vers elle. Juliet sentit une vague de chaleur balayer sa peau et son estomac se contracta brusquement. Richard avait les cheveux mouillés, et elle comprit qu'il sortait tout juste de son bain.

— Voulez-vous que j'éteigne les bougies ? demanda-t-il.

Sa voix grave lui donna la chair de poule. Plus jeune, elle avait appris que le meilleur moyen de lutter contre la nervosité était de lui faire face.

— Si vous n'y voyez pas d'inconvénient, j'aimerais les laisser ainsi, répondit-elle d'un ton aussi assuré que possible. D'ailleurs, pourquoi ne pas en allumer quelques autres ?

Richard lui lança un regard incrédule, mais s'exécuta. La lueur des chandelles semblait donner vie aux fleurs et baignait la pièce d'une lueur rosée.

— Diable, cet endroit va nous donner des cauchemars, dit Richard.

— Dans ce cas, nous ferions mieux de ne pas nous endormir.

Son époux haussa un sourcil et s'approcha d'elle. Il était fraîchement rasé, et l'odeur du savon lui emplit les narines.

— Vous aimez faire l'amour en pleine lumière ? interrogea-t-il en écartant une mèche de cheveux qui tombait sur le visage de la jeune femme, lui caressant le front au passage.

Il laissa ses doigts descendre le long de sa gorge, en direction de ses seins. Juliet ouvrit grands les yeux et le regarda bien en face, savourant ses gestes délicats. Cela faisait si longtemps ! Elle avait tout oublié des caresses d'un homme.

Juliet glissa les mains sous les revers de la robe de chambre de Richard.

— Parfois, la lumière des bougies, ou même celle du jour, rend cela plus excitant. Et vous, que préférez-vous ?

— Pouvoir voir ma partenaire a bien des avantages, surtout quand elle est aussi jolie que vous, répondit Richard d'une voix sensuelle et chargée de promesses.

Juliet sourit. Toutes les femmes aimaient qu'on leur dise qu'elles étaient belles, mais cet homme lui donnait l'impression d'être la seule à qui il ait jamais fait de tels compliments.

La jeune femme caressa du doigt le torse de Richard et celui-ci lui prit le poignet. Le cœur battant, elle attendit qu'il l'embrasse, mais il décida plutôt de se diriger vers la table pour leur servir deux verres de vin.

— Je suppose que votre première nuit de noces était très différente, déclara-t-il tranquillement.

Juliet contempla le fond de son verre, les sourcils froncés.

— Oui. Henry et moi étions très amoureux.

— Ce qui n'est pas notre cas.

— Non, dit Juliet en le regardant droit dans les yeux. *(Pas encore.)* Mais je suis contente. J'aime être mariée, avoir une maison à tenir…

— Et un homme qui vous protège, l'interrompit Richard avec un sourire énigmatique.

— Qui prenne soin de moi, le corrigea-t-elle. Oui, en effet.

— Excellent. Je veux que vous soyez heureuse, Juliet.

Il lui prit son verre et le posa sur la table, à côté du sien.

Juliet sentit une étrange chaleur lui monter aux joues. Elle avait bu trois gorgées de vin et n'avait presque rien mangé de la journée, mais ce n'était ni le manque de nourriture ni la boisson qui lui faisaient tourner la tête… c'était Richard.

Elle était hypnotisée par son air déterminé. Il murmura son nom, puis pressa les lèvres contre les siennes. Elle se laissa faire, et il explora sa bouche de quelques petits coups de langue. Diverses sensations parcoururent le corps de la jeune femme, notamment une subite chaleur entre ses cuisses.

Grands dieux, elle savait parfaitement ce que c'était : du désir à l'état pur. Elle l'avait déjà ressenti quelques semaines auparavant, quand il l'avait embrassée – et son émoi était cette fois encore plus intense, car elle savait que les choses n'en resteraient pas là.

Difficile de savoir ce que Richard pensait réellement de leur mariage, mais une chose était sûre : il la trouvait désirable, et c'était tout à fait réciproque. Voilà qui faisait un bon point de départ, après tout.

Juliet ôta son peignoir puis, sans réfléchir, se défit également de sa chemise de nuit.

—Je crois que je suis prête, et vous, l'êtes-vous ? demanda-t-elle en le regardant droit dans les yeux.

Richard ne bougea pas, mais son regard se fit plus intense.

—J'étais déjà prêt en entrant dans cette pièce.

Le cœur battant à tout rompre, Juliet s'allongea voluptueusement sur le lit. Richard la suivit, comme affamé.

Il caressa ses seins des lèvres et du bout de la langue, tournant lentement autour de ses tétons. Juliet enfonça les ongles dans les muscles de ses épaules et plaqua les hanches contre les siennes.

—Je veux que ce soit bon pour vous, Juliet.

—Ça l'est.

Richard s'attarda encore un moment sur ses seins, puis descendit lentement à coups de langue le long de son corps. Il se guidait de la main, touchant et caressant, pour enfin s'arrêter à la naissance de ses cuisses.

Oh! oui... De petites décharges de plaisir la chatouillaient tandis qu'il caressait doucement la peau sensible de son entrejambe. Le désir continuait à monter en elle, jusqu'à devenir presque insupportable. À chaque frôlement, son corps tendu comme un arc menaçait de se rompre.

Mais Richard n'était pas pressé. Juliet rejeta la tête en arrière quand, lentement, calmement, il posa la paume de sa main sur son sexe et glissa les doigts en elle. Très vite, étourdie par le rythme régulier de ses gestes, Juliet se pressa contre lui, secouée de petits hoquets. Sa fièvre montait, montait encore... et elle s'entendit soudain pousser un cri sonore et libérateur qui sembla se répercuter dans tout son corps.

Il lui fallut quelques instants pour recouvrer ses esprits, et quand elle rouvrit enfin les paupières, ce fut pour voir Richard qui la regardait avec intensité. Il lui toucha doucement la joue et une vague de tendresse l'enveloppa. Elle sentit les larmes lui monter aux yeux et tourna vivement la tête pour embrasser la paume de sa main.

Richard lui prit le menton et l'embrassa à pleine bouche. Lorsqu'il s'écarta, elle perçut son souffle chaud et saccadé sur sa joue. Rassemblant tout son courage, elle ouvrit les yeux.

Il était au-dessus d'elle, les traits tendus.

— Touchez-moi, dit-il d'une voix rauque en lui prenant la main.

Juliet, terriblement excitée par cette requête, referma aussitôt les doigts autour de sa verge. En quelques mouvements, elle trouva le rythme qu'il appréciait. Sous sa peau douce, son membre était très dur, annonçant à Juliet qu'il était plus que prêt à la prendre.

Elle changea de position pour l'accueillir, mais il la surprit encore en se détournant brusquement.

— Que faites-vous?

— Je vous épargne de tomber enceinte, répondit Richard en ramassant quelque chose qu'il avait laissé sur la descente de lit.

Juliet aperçut ce qui ressemblait à un petit étui de velours rouge avant que l'homme revienne se placer sur elle.

— Juliet, je ne peux plus attendre, souffla-t-il.

La jeune femme le sentit au même moment introduire son membre en elle jusqu'à ce qu'elle l'enveloppe entièrement. Il s'appuya sur ses coudes et Juliet ouvrit davantage les cuisses. Il laissa échapper un râle et donna un puissant coup de reins.

Juliet hoqueta, surprise par une sensation brûlante. Ce n'était pas de la douleur à proprement parler, plutôt une forte pression qui lui donnait l'impression d'être entièrement possédée par Richard.

Elle se détendit, s'offrit instinctivement à lui, faisant glisser ses mains le long de ses cuisses musclées pour le serrer contre elle. Richard s'immisça plus profondément en elle ; le corps en sommeil de la jeune femme le reçut avidement.

Elle le croyait arrivé au bout, mais l'homme lui prit les fesses à pleines mains et s'enfonça encore davantage. Les épaules cambrées, elle le regarda bien en face ; il avait l'air déterminé, féroce.

Juliet tenta instinctivement d'échapper à ce regard sauvage. Richard, à qui ce changement n'avait pas échappé, s'immobilisa.

— Je vous fais mal ?

La douceur de sa voix l'apaisa aussitôt.

— Non, je… non.

Elle plia les genoux pour l'accueillir, presque gênée. Elle s'était si facilement abandonnée à cette intimité… Cet homme était son mari, et aux yeux de Dieu ce qu'ils faisaient était parfaitement normal, pourtant tout cela lui semblait étrange.

Juliet souleva les hanches et, avec un grognement, Richard accéléra le mouvement. La jeune femme reconnut avec surprise les signes annonciateurs d'un second orgasme – qui n'eut cependant pas le temps de se développer. L'homme fut parcouru d'un violent frisson. Elle attendait que sa semence se déverse en elle, mais rien de tel ne se produisit. Étonnée, elle tordit le cou pour voir s'il s'était retiré, mais sentit la preuve bien solide qu'il n'en était rien.

— Navré, je ne pouvais pas vous attendre, murmura-t-il.

Une montée de plaisir inattendue envahit Juliet. Elle bougea les hanches pour trouver la position la plus adaptée, celle où elle sentirait le mieux cette délicieuse friction. Richard cala ses mouvements sur elle, leurs deux corps glissant en cadence l'un contre l'autre. Cette fois, tout se passa très vite et le spasme de jouissance qui la secoua, s'il n'était pas aussi intense que le premier, se révéla parfaitement satisfaisant.

Richard resta sur elle le temps que ses frissons s'apaisent, puis se laissa rouler sur le dos.

Bercée par une douce plénitude, Juliet savoura ce formidable sentiment de délivrance. Il n'y avait rien de semblable en ce monde, et elle n'avait pas honte d'admettre que cela lui avait manqué – terriblement.

Il était d'ailleurs incroyable qu'elle ait pu le retrouver si parfaitement avec Richard. Qu'elle soit assez en confiance pour donner libre cours à sa passion n'était pas anodin. Comment l'expliquer ? Juliet n'était pas sûre d'en être capable, et puis elle était trop fatiguée, trop satisfaite pour y songer.

Richard quitta le lit et le froid gagna aussitôt Juliet. Elle entendit son époux se diriger vers la table de toilette, verser de l'eau dans la cuvette puis essorer une serviette. Il éteignit ensuite les bougies, regagna le lit, et après lui avoir déposé un baiser sur l'épaule, s'étendit à ses côtés. Dans la pénombre, Juliet sourit et se pressa contre lui. Très vite, elle s'endormit.

Chapitre 6

Richard regardait fixement le plafond, la seule partie de cette pièce à ne pas être envahie par ces horribles roses, et attendait que son épouse s'endorme. Il venait de connaître l'expérience sexuelle la plus intense de sa vie, et ne s'en remettait toujours pas.

À sa connaissance il n'avait jamais fait jouir une femme aussi intensément, et il en avait éprouvé presque autant de plaisir que sa partenaire. Il avait déjà envie de recommencer.

Richard se couvrit les yeux du bras en soupirant. Juliet s'était sans doute abandonnée ainsi à lui en raison de sa nature passionnée, pourtant il était certain que cette merveilleuse expérience devait beaucoup à sa volonté de s'ouvrir complètement à lui. Une douce tendresse le gagna, aussitôt suivie par un sentiment de culpabilité. *Elle me fait confiance !*

Profondément ému, l'homme repoussa pourtant cette pensée. Il voulait que ce mariage soit semblable à un partenariat commercial parce que c'était ce qu'il maîtrisait le mieux. Toutes ces émotions intenses et déroutantes n'étaient bonnes qu'à troubler leurs esprits, et il n'aimait pas du tout cela.

Juliet s'agita à côté de lui, la peau couverte d'une fine couche de transpiration. Elle frissonna, et Richard ramena les couvertures sur elle – mais ce n'était pas assez pour la jeune femme.

Avec un petit grognement satisfait, elle se lova contre lui, et sa tête vint se loger entre son cou et son épaule.

Richard resta sans bouger. Les cheveux soyeux de Juliet lui chatouillaient le torse, et sa main délicate était appuyée contre son cœur. Progressivement, la respiration de la jeune femme ralentit – alors que le désir de Richard s'enflammait de nouveau.

Il voulait sentir les jambes de Juliet s'enrouler autour de sa taille, ses hanches se presser contre les siennes, entendre son souffle se faire plus saccadé. Admirer son beau visage en se glissant en elle, se laisser envoûter.

Bon sang! Conscient qu'il ne pouvait supporter cette torture une seconde de plus, Richard s'extirpa délicatement du lit. Juliet marmonna et se retourna vers son oreiller, et l'homme attendit en retenant sa respiration qu'elle s'immobilise. Très vite, sa respiration s'apaisa. Richard pouvait partir sans crainte.

Mais non sans regret.

Dévoré par le désir, Richard contempla son épouse endormie. Incapable de résister, il lui caressa les cheveux d'une main tremblante puis, posant sa joue contre la sienne, murmura :

—Que diable vais-je bien pouvoir faire de vous, ma belle Juliet ?

Le lendemain matin, Juliet se réveilla seule dans son lit. Elle passa la main sur le matelas, à côté d'elle, et comprit à sa fraîcheur que la place voisine était vide depuis plusieurs heures – peut-être même depuis le début de la nuit.

Elle s'étira en soupirant et sentit chacune de ses courbatures. Richard l'avait peut-être abandonnée au cours de la nuit, mais avant cela, il lui avait très consciencieusement fait l'amour.

Physiquement parlant, tout du moins. L'expérience avait très nettement manqué d'émotion, de leur part à tous les deux – peut-être même un peu plus du côté de Richard. Cela changerait avec le temps. Elle y veillerait.

Lavée et habillée, Juliet entra dans le petit salon, la gorge serrée… mais le trouva vide. Un domestique lui expliqua en rougissant que Mr Harper n'était pas encore levé, puis que les enfants avaient déjeuné et étaient partis faire une longue promenade avec Mr Barclay.

Elle congédia l'homme et se servit une tasse de café. Dormir seule, petit-déjeuner seule… était-ce là sa nouvelle vie ?

Abattue par cette pensée, elle mordit dans un toast et tâcha d'analyser la situation. Elle était sur le point de décider qu'il serait malvenu de flâner l'air de rien devant la chambre de Richard quand ce dernier entra dans la pièce. Surprise, la jeune femme lâcha sa tartine, qui atterrit à côté de son assiette vide.

— Bonjour, Juliet.

— *Bonjour, mon époux**.

Elle rougit devant la mine interdite de Richard. Grands dieux, pourquoi avait-elle dit une chose aussi idiote ?

— Je vous prie de m'excuser, bredouilla-t-elle. Peut-être ne parlez-vous pas français.

— Juste assez pour commander un plat dans un menu, si le nom n'est pas trop long. Et que je n'ai pas très faim.

Juliet sourit, soulagée.

— Je le lis assez bien, mais mon accent est épouvantable.

— J'ai trouvé ça plutôt joli. Qu'avez-vous dit ?

— J'ai dit : « Bonjour, mon mari. »

— *Très bien. Bonjour, ma…**

— *Femme**, je crois… mais pour être honnête, je n'en suis pas sûre. Je crois que nous aurons tous deux besoin de leçons si nous voulons un jour nous rendre en France.

— Nous n'aurons qu'à engager un interprète, dit Richard avec désinvolture.

Juliet lui répondit d'un faible sourire. C'était une solution certes logique, mais qui ne lui serait jamais venue à l'esprit. Ne perdait-on pas une bonne partie de l'intérêt qu'il y avait à voyager si on n'essayait pas de parler la langue locale ?

---

* *En français dans le texte.*

Richard s'assit à côté d'elle et la jeune femme contempla avec de grands yeux le contenu de son assiette : œufs, pommes de terre sautées, bacon, hareng fumé, toast beurré, et confiture de mûres s'y bousculaient. Il attaqua son repas avec entrain et Juliet se surprit à le contempler tandis qu'il mâchait gaiement.

C'était un spectacle des plus domestiques, et pourtant elle ne pouvait s'empêcher de songer à ses baisers ardents de la veille. Elle avait parfois eu envie de le dévorer à pleines dents, comme il le faisait avec son petit déjeuner.

Une vague de désir la parcourut quand elle se remémora la sensation de sa bouche sur sa peau brûlante. Il avait réveillé un plaisir ravageur qu'elle brûlait de ressentir de nouveau – au plus vite.

— Juliet ? Tout va bien ?

La jeune femme manqua de tomber de sa chaise.

— Oui ! glapit-elle.

Je suis seulement en train de devenir obsédée par la chose en vous regardant manger !

Il la regarda un instant, perplexe, puis revint à sa nourriture sans remarquer le petit soupir de Juliet.

— J'aurais aimé évoquer avec vous la rénovation et la décoration de ce manoir, annonça l'Américain une fois son assiette vide. Il y a beaucoup à faire. Pouvez-vous me donner le nom de celui qui a conçu la chambre de maître ?

Juliet porta sa tasse à ses lèvres, se rendit compte qu'elle était vide, et la reposa dans sa soucoupe.

— C'est moi qui l'ai décorée en me fondant sur ce que nous aimions, Henry et moi.

— Je n'en savais rien, répondit Richard en la resserrant. Je l'aime énormément en l'état, mais je comprendrais parfaitement si vous ne vouliez pas la garder ainsi.

— Pourquoi ? interrogea-t-elle en prenant du sucre.

— Ça ne vous dérange pas si j'y dors ?

— Pas le moins du monde.

Richard continuait à la dévisager, et Juliet comprit la raison de son étonnement.

— Je n'y ai jamais dormi : Henry est tombé malade avant qu'elle soit finie, puis j'ai dû m'installer dans la maison douairière.

— Vous êtes donc d'accord pour que j'en fasse mes appartements quand je séjourne ici ?

Juliet réprima une grimace. Deux choses lui déplaisaient dans la question de Richard : il ne lui demandait pas de dormir avec lui, et il semblait suggérer qu'il ne serait pas très souvent là.

— Le manoir appartient à Edward, et cette chambre lui revient donc, mais elle est un peu trop grande pour un petit garçon de dix ans, ne croyez-vous pas ?

— En effet, répondit Richard en souriant. J'aimerais, si cela vous intéresse, que vous supervisiez la remise à neuf de cette demeure.

— C'est un ouvrage considérable.

— Oui, et vous aurez besoin d'aide. Mr Barclay m'a confié qu'il serait ravi de vous assister si d'aventure vous acceptiez de vous atteler à cette tâche.

— Vous êtes sérieux ?

— Bien entendu.

— La chambre de maître est le seul projet de ce genre auquel je me sois jamais consacrée.

Pourtant, les idées commençaient déjà à se bousculer dans l'esprit de Juliet.

La plus grande partie des serviteurs avait déjà été réengagée, avec quelques domestiques supplémentaires pour leur faciliter la tâche. Grâce à leur efficacité, tenir la maison ne lui prendrait somme toute pas énormément de temps, et un projet de cette envergure serait un défi bienvenu. Juliet plongea son regard dans les yeux bleus de Richard et sentit son cœur palpiter. C'était également l'occasion rêvée de prouver sa valeur à son nouveau mari.

— Vous pouvez être sûre que je serai ravi si, au final, les autres pièces sont à moitié aussi réussies que la chambre de maître, dit Richard. De plus, l'argent que j'économise en évitant d'engager un décorateur pourra être investi dans les travaux.

Il annonça alors une somme qui fit sursauter Juliet. Avec de tels moyens, elle pourrait faire des merveilles.

— J'ai une requête, poursuivit-il. Je veux que ces papiers peints couverts de fleurs disparaissent en priorité.

— C'est entendu, répondit Juliet en riant.

— Et le salon égyptien en deuxième.

Richard tendit le bras, puis le retira en toussotant et Juliet comprit qu'en bon homme d'affaires, il avait machinalement voulu lui serrer la main.

Dépitée par ce geste d'une froideur formelle, Juliet décida promptement qu'au lieu d'être vexée, elle devait y voir le signe que Richard la traitait comme une professionnelle expérimentée. Elle tendit la main à son tour, espérant que l'Américain ne serait pas offensé par son audace. Apparemment pris de court, il n'hésita pourtant pas à la serrer franchement.

Au contact des doigts délicats de la jeune femme, un afflux de pure excitation remonta de l'entrejambe de Richard, qui parvint tout juste à retenir un gémissement. Certain que la bonne société réprouvait sûrement de telles pensées autour du petit déjeuner, il les bannit aussitôt de son esprit.

Juliet lui lâcha la main avec un doux sourire qui déclencha une série de réactions parfaitement saugrenues dans son estomac… ou peut-être étaient-ce les harengs qu'il avait dévorés ? Quoi qu'il en soit, il était temps pour lui de partir. Elle avait accepté de superviser les rénovations, et il était persuadé qu'elle ferait un travail magnifique. De toute façon, il pourrait bien faire changer plus tard ce qu'il n'aimait pas.

Plus rien ne le retenait à la campagne – à part sa superbe nouvelle épouse, et c'était un danger qu'il devait éviter à tout prix.

Il finit sa tasse d'une traite et se leva.

— Je vous prie de m'excuser, mais j'ai un train à prendre.

— Je pensais que vous resteriez plus longtemps, au moins jusqu'à la fin de la semaine, protesta Juliet, dépitée.

Richard aurait voulu lui dire quelques paroles réconfortantes, mais il s'obligea à y renoncer. C'était sans doute ce qu'un gentleman aurait fait, mais il n'en était pas un, et encore moins du genre à cajoler une femme, même si c'était la sienne.

Elle le regarda droit dans les yeux et il sentit à quel point elle le voulait à ses côtés, un sentiment si fort qu'il lui donna des sueurs froides. Pendant un instant, il songea à abandonner ses projets, mais son bon sens l'emporta. Il ne pouvait décidément pas demeurer là, à badiner avec son épouse.

Les bénéfices de deux de ses nouvelles entreprises avaient chuté de façon alarmante et il devait y remédier avant de perdre encore plus d'argent ; un nouveau partenariat plein de promesses se dessinait, et les négociations pour la vente d'une de ses aciéries étaient très près d'aboutir. Toutes ces obligations, et bien d'autres, requéraient son attention immédiate et exclusive. Juliet comprendrait certainement.

— Des affaires importantes m'appellent à Londres, et j'ai pensé que vous préféreriez rester ici avec vos enfants plutôt que m'accompagner.

— C'est vrai, mais je dois avouer que vous allez me manquer.

En voyant le sourire de la jeune femme trembler, Richard eut l'impression d'être le pire des goujats – des remords très vite étouffés par le soulagement de se savoir bientôt parti.

Son épouse s'attachait indéniablement à lui. Ce n'était pas forcément néfaste, mais il craignait que la nature féminine de Juliet ne la pousse à entretenir des sentiments romantiques qui finiraient par briser le cœur de la jeune femme, ce qui était bien la dernière chose qu'il souhaitait.

Les mises en garde de George résonnèrent dans son esprit. Leur mariage était un arrangement pratique, où chaque parti trouvait son compte. Brouiller ces limites clairement définies pourrait se révéler désastreux.

Richard ne se faisait pas d'illusions à son sujet. Il excellait dans certains domaines mais se montrait pathétique dans d'autres. Il pouvait s'assurer que Juliet ne serait jamais dans le besoin ou la protéger de son détestable beau-frère et de toutes les cruautés de ce monde.

En revanche, il ne serait jamais un époux dévoué, aimant, romantique, ni un père de substitution pour ses enfants. Son détachement émotionnel permanent lui avait donné le mordant nécessaire pour bâtir son empire et réussir au-delà de toutes les attentes – y compris les siennes. S'il perdait cette faculté, tout le reste suivrait.

Sa réussite financière lui permettrait d'assurer une vie de luxe à Juliet, et de lui offrir les moyens de rénover le manoir. Voilà qui devrait tout de même lui faire plaisir, non ?

Richard quitta la pièce, laissant derrière lui une Juliet confuse.

Voyant son mari s'éloigner, la jeune femme eut l'impression d'avoir déposé les armes. Ils n'étaient mariés que depuis un jour, et ils vivaient déjà séparés. Les choses ne se déroulaient pas du tout comme elle l'avait espéré.

Elle se passa une main sur le front et tâcha de recouvrer son calme. Par la fenêtre, elle vit Richard longer d'un pas décidé l'allée de gravier. Un valet lui tenait la portière d'une voiture, mais avant de s'y engouffrer, l'Américain jeta un regard derrière lui.

Il était trop loin pour distinguer clairement Juliet, ou même savoir qu'elle le regardait, mais quelque chose dans son attitude montrait qu'il était mal à l'aise… à l'idée de la laisser, peut-être ?

Juliet sentit sa colère s'estomper. C'était un signe encourageant. Cet homme était peut-être brutal et distant, mais il avait un cœur. La jeune femme, dont l'appétit était soudain revenu, beurra un toast, ajouta une cuillère de confiture de mûres, et y mordit à belles dents. Si elle ne faisait pas erreur, son époux imperturbable et si sûr de lui était légèrement nerveux en sa compagnie.

Voilà qui était merveilleusement intrigant.

Richard n'avait jamais pensé rester si longtemps loin de Highgrove.

Tout d'abord, il y eut ces mines de cuivre en Cornouailles qu'il fallut inspecter avant de pouvoir confirmer la vente. Cette procédure et les négociations qui l'accompagnèrent durèrent bien plus qu'il ne l'avait prévu, mais la réussite de toute l'affaire valut largement les quelques semaines passées dans cette région – c'était en tout cas ce dont il essaya de se convaincre.

Quand il quitta la Cornouailles à la fin de l'été, c'était avec l'intention de s'arrêter à Highgrove pour quelques jours, peut-être même une semaine, mais une grève à l'aciérie de Leeds le força à partir dans la direction opposée. Le temps de régler la situation – avec succès –, il apprit qu'on l'attendait à Londres pour une importante réunion d'actionnaires.

Une fois Richard dans la capitale, il fut beaucoup trop facile de se laisser entraîner par d'autres obligations professionnelles qui lui interdirent de séjourner ne serait-ce qu'un week-end à la campagne. Un grand nombre de ses associés avait appris la nouvelle de son soudain mariage. Il reçut félicitations, vœux de bonheur et même quelques cadeaux ; en revanche aucun de ces hommes ne s'étonna qu'il ne vive pas avec sa nouvelle épouse.

Quand les feuilles virèrent à l'orange, Richard décida qu'il était resté trop longtemps loin de Highgrove pour se contenter d'un bref séjour. Il ne pouvait tout de même pas arriver, passer quelques nuits dans le manoir – et partager le lit de Juliet – pour s'en aller ensuite comme si de rien n'était.

Non, il devait demeurer au moins un mois, peut-être même davantage – c'était en tout cas ce qu'il se répétait tous les soirs pour soulager sa conscience. Cependant, les lettres de son épouse restaient le meilleur remède contre sa culpabilité.

Elles commencèrent à arriver une semaine après son départ. Chacune d'entre elles s'ouvrait sur un compte-rendu de l'évolution des travaux, continuait avec quelques questions sur les changements que la jeune femme comptait entreprendre ensuite, et se terminait par quelques lignes sur son quotidien ou celui de ses enfants.

Richard apprit bientôt que sa nouvelle épouse aimait le bleu mais pas l'orange ou encore qu'elle détestait les araignées, mais préférait les déposer au fond du jardin plutôt que de les écraser.

Juliet savait reconnaître les marchandises de qualité et les bonnes affaires. Elle lui fit parvenir plusieurs échantillons des tissus qu'elle avait commandés à Londres pour qu'il donne son veto s'il les jugeait de mauvais goût, une précaution qui se révéla superflue. Richard fut très impressionné par l'aisance avec laquelle Juliet réglait la multitude de problèmes que soulevait une rénovation d'une telle ampleur.

S'il admirait l'efficacité de son épouse, ce fut la personnalité apparaissant dans ces lettres qui piqua son intérêt. Juliet avait un cœur généreux et un sens de l'humour féroce. Elle était dure en affaires mais juste avec artisans et marchands, et louait volontiers les efforts d'autrui.

Richard attendit bientôt ses lettres avec hâte et, graduellement, ses réponses se firent plus longues, plus détaillées… et finalement plus personnelles.

Il avait l'habitude d'être seul, de garder ses pensées pour lui, de résoudre lui-même ses problèmes. Les missives quasi quotidiennes de Juliet avaient fissuré le rempart qu'il avait construit autour de lui. C'était un sentiment difficile à décrire, mais qui devenait plus fort avec chaque lettre.

Des retrouvailles renforceraient-elles le lien unique qui s'était créé entre eux, ou au contraire le détruiraient-elles?

— George, je pars demain pour la campagne, annonça Richard en apportant quelques corrections au rapport qu'il étudiait.

Il le posa sur une pile de papiers sans cesse plus haute et s'attaqua au suivant.

— Passerez-vous les vacances de Noël avec votre famille? ajouta-t-il.

— Pas cette année: ma belle-sœur attend un heureux événement, répondit George d'une voix lugubre. Sa conversation n'a jamais été éblouissante, mais ces jours-ci, elle semble se limiter exclusivement à son état, et mon mollusque de frère se contente de hocher la tête et de la regarder, béat. Je crains fort de me faire sauter la cervelle si on m'oblige à rester plusieurs jours en leur compagnie.

— Ce qui risquerait fort de gâcher le dîner, observa Richard en souriant. Pas question de laisser une telle chose se produire!

Il ressentait cependant une vive sympathie pour son ami. Les femmes enceintes pouvaient rendre un homme très nerveux: mieux valait les éviter autant que possible.

— Je serais ravi que vous passiez les vacances à Highgrove. Juliet a déjà commencé à préparer les festivités, et elle m'a fait savoir que vous étiez convié.

— J'accepte! s'écria George. À la vérité, c'était pour vous quémander une telle invitation que je suis venu vous trouver en plein après-midi.

La nouvelle secrétaire de Richard entra dans la pièce, l'air affairée. Elle déposa une nouvelle pile de papiers au bord de son bureau et arrangea les autres avec efficacité.

—C'est la dernière? interrogea l'Américain.

—Oui, monsieur. J'ai réuni dans une valise tous les documents que vous m'avez demandés, votre correspondance, les contrats pour la fusion des aciéries ainsi que votre carnet d'adresses et de rendez-vous.

—Parfait, ce sera tout.

La secrétaire hocha la tête et quitta silencieusement la pièce.

—George, cessez de la regarder ainsi, dit Richard en barrant une phrase.

—Mais comment pouvez-vous savoir de quelle façon je la regarde? Vous n'avez pas quitté cette maudite feuille des yeux depuis que je suis arrivé, il y a vingt minutes!

—Je sens que vous scrutez la porte que ma secrétaire vient de fermer.

—Ce n'est pas entièrement ma faute, vous savez. Pourquoi diable avez-vous embauché une femme?

—Miss Hardie était parfaitement qualifiée et elle avait terriblement besoin d'un emploi, répondit Richard sans lever les yeux. Je pensais tout d'abord que ce ne serait que temporaire, afin qu'elle apprenne le métier, mais je suis si satisfait de son travail que j'envisage de l'engager de façon permanente. (Il signa son document et regarda son ami droit dans les yeux.) Cela dit, je ne vois pas en quoi ça vous concerne.

—Elle me perturbe beaucoup.

Richard écarquilla les yeux.

— Je ne vois pas pourquoi. Pour commencer, Miss Hardie est mon employée, pas la vôtre. Vous n'avez que peu de contacts avec elle, et certainement aucune raison de lui adresser la parole. Et puis, je ne voudrais pas paraître goujat, mais c'est une femme somme toute quelconque.

— Elle a peut-être l'air prude et guindée au premier abord, mais admettez qu'elle a un visage d'ange – et une superbe poitrine.

Vraiment ? Richard n'avait rien remarqué.

— Je n'ai apparemment pas étudié ses attributs avec la même attention que vous.

— C'est parce que vous travaillez tout le temps.

Richard ne put réprimer un sourire. George, qui pouvait sans effort séduire n'importe quelle femme, avait trouvé une adversaire à sa hauteur : l'inflexible Miss Hardie.

— Vous êtes seulement contrarié parce qu'elle ne soupire pas dès que vous entrez dans la pièce ni ne vous lance des œillades langoureuses quand elle pense que vous ne la voyez pas.

— C'est vrai, elle ne fait rien de semblable, répondit George avec philosophie.

— Une femme sensée : elle a de toute évidence repéré vos nombreux défauts et décidé avec sagesse de garder ses distances.

— Je ne suis pas si dépravé que ça !

— Assez pour lui faire peur. De plus, vous êtes un noble, et elle est une femme active, ce qui est plutôt inhabituel dans notre société. C'est une personne pragmatique qui pense que frayer avec vous ne lui apportera rien de bon.

— Je ne suis pas un satyre pressé de débaucher des demoiselles sans défense ! rétorqua George, furieux. Et puis, à son âge, je suis sûr qu'elle n'est pas si innocente que ça !

Richard reposa sa plume d'un geste brusque.

— C'est ma secrétaire, pas votre prochain jouet ! Elle m'accompagnera à Highgrove, elle aussi, mais pour travailler, et je compte sur vous pour la traiter avec respect. Importunez-la, et je vous chasse du manoir. Je me suis bien fait comprendre ?

— Oui, grommela George, la tête rentrée dans les épaules comme un petit garçon grognon.

— Si Miss Hardie vous plaît vraiment, faites-lui la cour comme il se doit, avec respect, grâce et finesse. (Richard sourit à pleines dents.) Mon Dieu, George, si vous voyiez votre tête !

L'aristocrate adopta aussitôt une mine impassible.

— Je sais ce que vous pensez, Richard, mais détrompez-vous : je n'ai pas réagi ainsi à cause de la différence de statut entre cette demoiselle et moi. Vous me connaissez assez bien pour savoir ce que je pense du mariage : on ne doit s'y résoudre que dans les circonstances les plus désespérées, ou sous la menace d'un pistolet.

Richard réprima un éclat de rire. George était un célibataire endurci, et le resterait sûrement toute sa vie, une attitude que l'Américain aurait autrefois jugée parfaitement avisée. Mais il découvrait peu à peu les bénéfices qu'une union harmonieuse pouvait apporter à un homme – tant que cette relation était fondée sur des termes raisonnables.

Juliet n'avait jamais pensé qu'il resterait si longtemps loin de Highgrove.

Après s'être remise du départ abrupt de Richard, elle se découvrit trop occupée pour souffrir de son absence. Savourant sa toute nouvelle aisance financière, elle se jeta tête la première dans la rénovation du manoir. Elle se sentait utile, déterminée, et chaque pièce achevée lui procurait une incroyable satisfaction.

Sans l'obstacle de l'argent, Juliet pouvait faire les choix qu'elle voulait. Elle avait accepté ce défi pour prouver sa valeur à son nouveau mari, mais elle se rendait désormais compte que l'expérience lui avait redonné confiance en elle au moment où elle en avait le plus besoin.

Non, elle ne souffrait pas de l'absence de Richard – jusqu'à ce qu'ils commencent à entretenir une correspondance. Le ton rigide et formel de son époux l'avait tout d'abord heurtée : elle avait l'impression d'être une associée de plus à qui il écrivait à contrecœur.

Mais progressivement, le style et le contenu de ses missives changèrent. Elles laissèrent deviner un humour pince-sans-rire et un dévouement à son travail que Juliet trouvait admirable. Le plus surprenant furent cependant le sincère intérêt qu'il accordait à l'avis de la jeune femme et sa volonté de s'en remettre à ses décisions. Elle ne s'était encore jamais sentie sur un pied d'égalité avec un homme, et trouvait cette sensation des plus enivrantes.

Tandis que les saisons se succédaient et que les jours cédaient la place aux semaines, puis aux mois, l'absence de Richard se fit cruellement ressentir. Ils restaient liés par leur correspondance, mais cela ne remplaçait pas la compagnie d'un époux. Heureusement, les enfants et les projets de Juliet l'empêchaient de sombrer dans la mélancolie.

Elle avait pourtant parfois envie de faire sa valise et de prendre un train pour Londres ; seule la retenait la peur d'être reçue avec froideur par son mari.

— Mr Harper arrive demain en début d'après-midi ! annonça Juliet, hors d'haleine, la dernière lettre de Richard à la main.

Elle poursuivit sa lecture, mais s'arrêta au paragraphe suivant et lança un regard à Barclay, qui s'employait à laisser des marques pour les peintres.

— Tout va bien, madame ? s'enquit le jeune homme en levant la tête.

— Il viendra avec son nouveau secrétaire.

— Je vois. Je savais que ça finirait par arriver. Mr Harper est un homme très occupé, qui a besoin d'une aide constante. (Barclay se racla la gorge.) Il reste encore une aile du manoir à refaire, et j'aimerais continuer à travailler avec vous, si vous me voulez toujours comme assistant.

— Avec grand plaisir. Je comptais vous le demander mais je n'étais pas sûre que vous trouviez vos nouvelles fonctions bien captivantes. Après avoir passé plusieurs mois à assister mon mari, rénover une demeure doit vous sembler bien ennuyeux.

— Le rythme de travail est très différent, je ne vous le cache pas. Mr Harper est un homme brillant, et ce fut un honneur d'être à son service. (Le jeune homme se pencha vers Juliet.) Cependant, puis-je vous faire une confidence ?

— Je vous en prie, dit Juliet, intriguée.

— Mr Harper me rendait si nerveux que parfois, le son de sa voix suffisait à me donner des sueurs froides.

— Oh, Mr Barclay…

— C'est vrai. Je ne suis pas fier de ma lâcheté, mais j'ai compris en vous assistant ces derniers mois que je peux faire du bon travail quand je ne suis pas si nerveux.

Richard avait-il conscience de ce problème ? Était-ce la raison pour laquelle il avait délaissé le jeune homme ?

— Je vous le confirme. Je vous serai à jamais redevable si vous acceptez de continuer à travailler avec moi.

Barclay rougit et baissa les yeux.

— Ce serait un honneur.

— Parfait, une bonne chose de faite ! J'en informerai Mr Harper demain, de vive voix.

Demain. Un frisson d'excitation la parcourut. Son mari arrivait au moment où les préparatifs de Noël commençaient à prendre forme. Il pourrait se détendre et s'amuser, et tous deux s'emploieraient à consolider le lien qui s'était formé au travers de leurs lettres pour construire une véritable relation de couple.

Pour Juliet, Noël était la période des miracles, où tout devenait possible. Même au cours des années les plus difficiles, les mille traditions qui reliaient Noël à la fête des Rois avaient toujours été accompagnées de rires.

Juliet avait l'intention d'offrir à Richard des fêtes qu'il n'oublierait jamais. Elle était quelque peu anxieuse, mais savait que sa joie et sa foi en la magie de Noël lui rendraient la tâche aisée.

Toutefois, le véritable défi serait de convaincre Richard de rester à Highgrove une fois les fêtes finies.

Chapitre 7

*P*our une fois que ce maudit train partait à temps, c'était Richard qui était en retard. Il avait espéré quitter Londres de bon matin et arriver pour le déjeuner, mais des affaires de dernière minute l'avaient retenu pendant plusieurs heures.

Ainsi, il n'était pas dans les meilleures dispositions quand il débarqua enfin à Highgrove accompagné d'une Miss Hardie silencieuse et quelque peu décoiffée.

— Bienvenue chez vous, Mr Harper, dit le valet qui aida le cocher à porter leurs bagages.

Richard le remercia et fit signe à Miss Hardie de le suivre. Ils n'avaient fait que quelques pas quand une voix suraiguë s'écria :

— Vous voilà !

Deux enfants se ruèrent sur lui. Le garçon était armé d'un bouclier et d'une épée en bois qu'il faisait tournoyer à chaque pas ; la fillette portait un tablier blanc à l'ourlet maculé de boue et s'était coiffée d'un foulard de soie bleue.

Richard eut un mouvement de recul quand le chevalier miniature et sa gente dame parvinrent à sa hauteur.

— Vous êtes en retard ; vous deviez arriver pour le déjeuner, déclara sans préambule le garçon.

Richard ouvrit la bouche pour se justifier, mais se ravisa. Il ne devait d'explications à personne, et surtout pas à ce jeune effronté.

La petite fille lui enlaça fermement les jambes.

— Vous voilà ! répéta-t-elle. On vous a attendu toute la journée !

Mais pourquoi diable ?

— Voulez-vous voir mon poney ? demanda le garçon. Il s'appelle Roi Arthur.

À vrai dire, Richard aurait plutôt préféré retourner à pied à Londres, et sans chaussures. Il fut sauvé par une femme robuste entre deux âges qui surgit du manoir au petit trot et s'arrêta net quand elle aperçut les deux enfants.

— James ! Lizzy ! Vous voilà enfin ! Je vous ai cherchés partout. Rentrez immédiatement avant d'attraper froid ! (Elle se tourna vers Richard.) Veuillez m'excuser, monsieur, je croyais que Lizzy était encore dans la nursery. Maître James a terminé ses leçons plus tôt que prévu et a décidé d'entreprendre une petite aventure, et bien entendu Lizzy l'a suivi. Elle adore ses frères.

La femme libéra doucement Richard de l'étreinte de la fillette et prit cette dernière par la main.

— Je suis Mrs Bickford, la nanny.

— Richard Harper, et voici Miss Hardie, ma secrétaire.

La nanny écarquilla les yeux.

129

—Mr Harper! Quel plaisir de vous rencontrer. Bienvenue chez vous. (Elle exécuta une révérence maladroite.) Venez, les enfants, n'importunez pas Mr Harper. Son voyage l'a sans doute fatigué.

Les deux créatures grommelèrent, mais Dieu merci, Mrs Bickford se montra inflexible. Richard ignorait quel salaire il versait à cette femme, mais ce n'était de toute façon pas assez pour sa peine.

Il sentit Miss Hardie danser d'un pied sur l'autre, mal à l'aise.

—Deux des enfants de mon épouse, expliqua-t-il.

—C'est ce que j'avais cru comprendre.

Elle semblait tout aussi choquée que lui par leur exubérance juvénile.

—Ils ont l'air de beaucoup vous aimer, s'empressa-t-elle d'ajouter.

—Je ne vois vraiment pas pourquoi.

Redoutant une autre rencontre du même genre, Richard entra avec précaution dans le manoir.

Dans le hall, la gouvernante l'accueillit d'un « bienvenue chez vous, monsieur » et envoya un domestique prévenir son épouse. Richard venait tout juste de quitter manteau, chapeau et gants quand la jeune femme apparut au sommet de l'escalier. Elle laissa échapper un petit cri de joie – ou peut-être de détresse ? – et dévala précipitamment les marches.

Richard l'observa, fasciné. Elle portait une robe décolletée en soie bleu saphir qui épousait parfaitement sa silhouette. Quelques mèches de ses superbes cheveux châtains avaient échappé à leurs épingles et ses joues avaient pris une jolie teinte rosée.

— Richard! Bienvenue chez vous!

Elle était la quatrième personne à lui dire exactement les mêmes paroles mais, venant d'elle, ces mots paraissaient sincères et vrais.

Et s'il était vraiment chez lui, ici?

— Juliet, je m'excuse pour ce retard; j'ai été retenu à Londres par d'importantes affaires.

— Peu importe, vous êtes ici désormais, répondit la jeune femme en lui prenant les mains.

Richard eut brusquement envie de l'embrasser, une façon parfaitement normale de saluer son épouse, mais qui le mettait mal à l'aise devant autant de monde.

Comme si elle avait lu dans ses pensées, Juliet lui pressa doucement la main – et ce simple contact manqua de lui arracher un gémissement. Excité, il plongea son regard dans ses yeux marron.

— Je suis heureux de vous voir.

Juliet sourit. Richard sentit ses dernières défenses céder… mais un toussotement attira l'attention de la jeune femme, qui remarqua la présence de Miss Hardie, et lâcha instantanément les mains de son époux.

— Vous êtes venu avec une invitée?

— Pardon? Non, pas du tout! Je vous présente Miss Hardie, ma nouvelle secrétaire.

— Oh, je… étrange, vous n'aviez jamais précisé qu'il s'agissait d'une dame, observa-t-elle, une lueur étrange dans le regard. Je suis ravie de vous rencontrer, Miss Hardie.

— Moi de même, Mrs Harper.

— Mrs Perkins, conduisez Miss Hardie à la chambre verte, je vous prie. Je suis sûre qu'elle sera parfaite pour elle.

— Oui, madame. Mademoiselle, si vous voulez bien me suivre…, dit la gouvernante.

Miss Hardie quêta l'approbation de Richard, et quand ce dernier lui répondit d'un signe de tête, emboîta le pas à Mrs Perkins. Les autres domestiques partirent vaquer à leurs occupations, et Richard se retrouva seul avec Juliet.

— Votre secrétaire ? demanda la jeune femme d'un air dubitatif.

Richard manqua d'éclater de rire. Elle semblait vraiment jalouse… de Miss Hardie ?

— Vous avez bien Barclay, rétorqua Richard avec un sourire matois.

— Ça n'a rien à… Richard Harper, vous moqueriez-vous de moi ?

— Je n'oserais pas, Mrs Harper.

Il s'approcha d'un pas… puis d'un autre. La tension devint presque insoutenable.

— Voulez-vous voir la maison ? demanda Juliet d'une voix tremblante. Comme je vous l'ai écrit, les travaux sont déjà terminés dans un grand nombre des pièces.

— Plus tard. Je dois d'abord saluer mon épouse comme il se doit.

Un frisson ébranla la délicate silhouette de la jeune femme et elle s'appuya contre lui, la joue contre son torse. Richard voyait ses seins se soulever rapidement alors qu'elle s'efforçait de refréner son désir. Il n'arrivait pas à détacher le regard de sa gorge, et son cœur battait à un rythme sans cesse plus irrégulier.

Sans prévenir, Juliet leva la tête et l'embrassa à pleine bouche, et l'intensité de sa propre réaction le stupéfia. Le contact des lèvres et de la langue de Juliet lui retourna les sens. On ne l'avait jamais embrassé avec une telle passion, une telle joie.

Richard, qui se sentait perdre tout sang-froid, pressa le dos de Juliet contre la porte d'entrée. Elle lui prit la tête à deux mains et remonta la jambe le long de la sienne. Richard s'imagina glisser la main sous sa jupe pour lui arracher ses dessous et la prendre sur-le-champ, là, dans le hall.

Par tous les diables!

Avant de se laisser complètement emporter, Richard détacha ses lèvres de celles de son épouse et la serra contre lui. Ils restèrent un long moment ainsi, le souffle court et le cœur battant à tout rompre.

— Je crois que je vous en voudrai moins, la prochaine fois que vous partirez, si vous promettez de m'embrasser ainsi à votre retour, dit Juliet.

— J'aurais dû prendre le train plus tôt, répondit Richard, qui essayait de se rappeler le chemin le plus court pour rejoindre la chambre de sa femme.

— Oui, il y a plusieurs mois.

Les mots de Juliet lui firent l'effet d'une douche froide. Il la lâcha lentement et recula. Il sentait ses yeux braqués sur lui, mais refusait de la regarder en face.

Richard n'aimait pas s'attarder sur ce qu'il ne pouvait plus changer, ni faire des promesses qu'il se savait incapable de tenir. Cette petite remarque sur sa longue absence lui rappelait cruellement à quel point les choses devenaient compliquées dès lors qu'on était en couple.

Les attentes d'une femme pouvaient pousser un homme à la folie, et Richard n'était pas prêt à se débattre avec les besoins et les sentiments d'une épouse : il avait une affaire à développer, des profits à faire, et n'avait tout simplement pas le temps.

— Si vous voulez bien m'excuser, je dois parler à Miss Hardie au sujet de lettres que j'aimerais voir partir demain matin, dit-il aussi calmement que possible.

Juliet lui prit la main, et Richard tressaillit : c'était le geste autoritaire et possessif de celle qui se savait autorisée à lui imposer ses exigences. Son esprit n'appréciait guère cette situation, mais son sexe le trahit.

— Je sais que vous avez de grandes responsabilités, et j'admire que vous les preniez avec autant de sérieux, déclara Juliet, les yeux brillants d'émotion. Nous dînons à sept heures et demie. S'il vous plaît, ne soyez pas en retard.

Elle le gratifia d'un sourire irrésistible et s'éloigna, laissant un Richard plus confus que jamais. Était-elle fâchée ? Vexée ? Déçue ?

Il lutta contre l'envie de la poursuivre – qu'aurait-il pu lui dire ? – et resta au milieu du hall à lutter contre son excitation, sans trop savoir comment faire pour s'occuper l'esprit et maîtriser son corps jusqu'à sept heures et demie.

Juliet n'eut pas le loisir de s'ennuyer jusqu'à l'heure du dîner. Elle resta dans la nursery pendant que les enfants mangeaient, et esquiva leurs mille questions sur Richard en évoquant les vacances qui s'annonçaient.

Les yeux de Lizzy brillaient chaque fois que Juliet évoquait les décorations de Noël, les diverses activités et les mets qu'ils prépareraient. James demanda à plusieurs reprises s'ils prendraient le traîneau pour se rendre à l'église pour la veille de Noël, et ne se tut que quand Juliet lui assura qu'ils n'y manqueraient pas si d'aventure il neigeait – ce qui était relativement improbable.

Même Edward se montra enthousiaste quand elle annonça au garçon qu'il était assez grand pour lire à haute voix l'histoire du premier Noël pendant le réveillon.

— Il y aura un sapin cette année? interrogea James.

Juliet serra Lizzy dans ses bras et enfouit le visage dans les boucles de la petite pour cacher ses larmes. Couper un sapin et l'installer ensuite au milieu du salon pour le décorer d'une multitude de rubans, nœuds, noisettes, fruits et petites bougies était une tradition que Henry avait instaurée quelques années avant sa mort.

Juliet n'avait pas eu le courage de continuer sans lui, et elle n'avait jamais imaginé combien cela manquait aux enfants – jusqu'à ce jour.

— Vous vous souvenez de l'arbre? s'enquit-elle doucement.

135

James n'avait que trois ans quand ils avaient passé leur dernier Noël tous ensemble.

— Un petit peu. Edward en parle tout le temps.

— Ce n'est pas vrai ! protesta ce dernier.

— Si c'est vrai !

— Les garçons ! les gronda Juliet, ce qui les fit instantanément taire. Si vous devez vous comporter ainsi, nous ne discuterons plus de Noël.

— Vous voyez ce que vous avez fait ? cracha Edward à son frère.

— Ce n'est pas ma faute !

— Si !

— Non !

— Ça suffit ! Faites-vous immédiatement des excuses !

Les deux garçons se retournèrent vers elle, interloqués, mais comprirent qu'elle ne plaisantait pas et obéirent à contrecœur.

— Et…, ajouta-t-elle.

— Pardon, maman, fit James avec sincérité.

— Pardon, marmonna Edward sans la regarder.

Grands dieux ! Et on disait les femmes impétueuses. Ces derniers temps, Juliet ne savait pas comment gérer les accès de colère de son aîné et son comportement inhabituellement contrariant. Quoi qu'elle fasse ou dise, il n'était jamais content et, pire encore, il commençait à exprimer son désaccord.

Peut-être avait-elle eu tort de renvoyer son premier précepteur pour le remplacer par un homme plus jeune, et nettement plus doux. Les résultats de ses fils s'étaient grandement améliorés, mais certainement pas leurs bonnes manières, ce qu'elle ne pouvait tolérer.

Edward et James avaient besoin d'un homme qu'ils pourraient admirer et respecter ; Juliet espérait secrètement que Richard accepterait de remplir ce rôle, mais son époux n'avait jusque-là pas montré grand intérêt pour ses enfants.

Peut-être les choses allaient-elles changer maintenant qu'il était là ?

Juliet promit à ses enfants qu'elle viendrait les embrasser avant qu'ils s'endorment et partit se changer dans sa chambre. Elle prit son temps, soucieuse de paraître sereine et maîtresse d'elle-même, et descendit dans la salle à manger une minute avant l'heure du dîner. Richard était déjà là et se tourna vers elle quand elle entra dans la pièce.

Elle remarqua aussitôt sur le buffet la bouteille de champagne dans son seau à glace et les deux flûtes.

— Je pensais qu'il serait approprié de fêter mon retour, expliqua Richard. Je vous sers ?

— Oui, s'il vous plaît.

— À quoi buvons-nous ? demanda-t-il en lui tendant un verre.

— À nous ?

— Pourquoi pas ? Après tout, nous sommes les deux personnes les plus importantes que je connaisse.

Juliet sourit et trinqua avec son mari. Elle but une petite gorgée, puis une autre plus grande. Le champagne était doux et merveilleusement frais. Elle aimait sentir les bulles lui chatouiller le nez, et adorait la façon dont le liquide glacé se réchauffait en descendant le long de sa gorge.

Richard la resservit dès que sa coupe fut vide.

— Monsieur, essayez-vous de m'enivrer ? interrogea-t-elle.

Il sembla si surpris par sa question que Juliet regretta aussitôt de l'avoir posée, mais il recouvra bientôt son sourire.

— Si vous buvez trop, me pardonnerez-vous ma terrible conduite de tout à l'heure ?

Ce fut au tour de la jeune femme d'être étonnée. De quoi parlait-il ? De ses baisers terriblement sensuels ou de son brusque départ ?

— Ne soyez pas si dur avec vous-même, dit-elle. Je dois cependant vous prévenir, me pousser à boire ne fera aucune différence : ivre ou non, je n'oublie jamais rien.

— Et vous l'êtes souvent ? Dois-je faire verrouiller la cave à vins ?

Juliet but une nouvelle gorgée et se pencha vers lui pour lui offrir un aperçu de son décolleté. Il serra les mâchoires.

— Ça ne changerait rien, j'ai un double de toutes les clés.

— On peut toujours changer une serrure.

— Et refaire une nouvelle clé.

Ils se dévisagèrent sans rien dire pendant un long moment, puis Richard finit par éclater de rire. Quelle chose merveilleuse de le voir abandonner son masque impassible d'homme d'affaires ! Ses yeux étaient d'un bleu incroyablement profond, celui du ciel avant que le soleil se couche, et quand il riait, son regard pétillait d'une façon irrésistible.

Ils prirent place à table – Juliet se félicita au passage d'avoir demandé qu'on dresse les deux couverts l'un à côté de l'autre, à un bout de la table – et les domestiques leur servirent leur soupe. Hélas, l'atmosphère légère avec laquelle avait commencé le dîner ne dura pas, et bientôt Richard ne réagit aux questions de Juliet que par des réponses sèches et succinctes qui se limitaient parfois à un seul mot.

—Avez-vous eu le temps de voir ce que j'ai fait du salon autrefois décoré à l'égyptienne ? demanda-t-elle.

—Non.

—Je crois qu'il vous plaira beaucoup. J'ai réussi à enlever toute trace de rouge pour le remplacer par un joli vert. Ça rend la pièce bien plus lumineuse et plus accueillante.

—Bien.

Juliet ne se découragea pas.

—Il me semble vous avoir envoyé des échantillons des tissus que j'ai choisis pour les canapés, les fauteuils et les tentures.

—En effet.

Ah, nous progressons, j'ai réussi à lui arracher deux mots au lieu d'un.

Juliet s'essuya les lèvres et fit signe au valet de remplir son verre de vin. Rester polie n'avait jamais été aussi épuisant.

On leur servit le plat de résistance – des médaillons de bœuf accompagnés de légumes et d'une sauce au brandy – et Richard demanda un verre de vin rouge qu'il vida d'une traite avant de faire signe au valet de le remplir de nouveau.

Juliet fit une nouvelle tentative.

— Le révérend Abernathy est venu me voir ce matin pour m'expliquer que le toit de l'église est dans un triste état, et je lui ai dit que nous paierions les réparations. J'espère que ça ne vous pose pas de problèmes.

— Non.

Enfer et damnation, nous voilà revenus à un mot.

Était-il fâché ou pire, complètement indifférent ? Peut-être n'écoutait-il pas, tout simplement. Elle but une gorgée de vin et l'observa à travers son verre pour tâcher de comprendre ce qui avait bien pu se passer. C'était leur premier dîner, certes, mais après plusieurs mois loin l'un de l'autre, n'avaient-ils pas des choses à se dire ?

— Comme c'est bientôt Noël, j'ai décidé qu'il serait très amusant de me raser la tête et de porter mes vêtements à l'envers jusqu'à la fête des Rois, déclara-t-elle en découpant tranquillement son bœuf. Que diriez-vous de vous joindre à moi ?

Le couteau de Richard tomba à grand bruit dans son assiette. *Bon, en tout cas, il m'écoute.* Juliet baissa le regard, soudain très intéressée par ses petits pois. Elle entreprit de les embrocher un par un sur sa fourchette jusqu'à ce que cette dernière ressemble à un boulier.

— J'ai l'habitude de dîner seul, lâcha-t-il enfin.

Était-ce là sa façon de se justifier pour son manque de conversation ? Si Juliet appréciait qu'il lui donne une explication, elle trouvait celle-là quelque peu insatisfaisante. Elle était sa femme, pour l'amour de Dieu !

— Mon comportement de ce soir porte probablement à croire le contraire, mais je vous promets que je ne suis pas l'une de ces femmes qui jacassent en permanence, dit-elle. Je n'ai rien contre un peu de silence.

— Peut-être les choses seraient-elles plus simples si je vous écrivais une lettre ? répondit Richard avec un petit sourire.

— Vous avez aimé notre correspondance ? demanda Juliet avec espoir.

— Oui.

— Moi aussi.

Elle but une nouvelle gorgée de vin et se détendit quelque peu.

— Cependant, poursuivit-elle, maintenant que j'ai découvert que vous ne disiez pas tout dans vos lettres, je crains de les apprécier beaucoup moins. (Richard fronça les sourcils.) Je pense à Miss Hardie, par exemple.

— C'est un choix peu conventionnel pour ce poste, je vous l'accorde, mais elle avait besoin d'un travail et moi je cherchais une secrétaire, voilà tout.

— Je refuse de croire que les choses soient aussi simples.

— Vous avez raison, elles ne le sont pas.

Un valet débarrassa leurs assiettes et Juliet remarqua que Richard n'avait pas touché à ses carottes. Elle demanderait que la prochaine fois, on les fasse revenir dans une sauce au beurre et, s'il les laissait encore, elle saurait que c'étaient bien ces légumes qu'il n'aimait pas, et non leur préparation.

Quand ils furent de nouveau seuls, Richard s'expliqua.

— Peu de temps après mon arrivée en Cornouailles, mon secrétaire est tombé malade. Étant une femme, Miss Hardie n'avait pas la formation normalement requise pour le remplacer, mais elle était la seule candidate disponible sur le moment. Les mineurs ne perdent pas de temps à faire des études, et aucun homme n'avait les compétences nécessaires.

» Miss Hardie a appris à lire et à écrire avec sa tante. J'ai tout de suite apprécié sa volonté de travailler pour moi, même si j'ai appris plus tard qu'elle lui avait valu les foudres des autres femmes de la ville. Et puis il y a eu cet accident…

— Quand la mine s'est effondrée?

Richard hocha la tête avec émotion.

— Vingt mineurs ont péri, et parmi eux le père et les trois frères de Miss Hardie, sa seule famille. Elle s'est retrouvée sans rien et, parce qu'elle m'avait fait part de son envie de travailler pour moi, elle était la cible de l'hostilité de ses voisins. Je lui ai demandé de m'accompagner à Londres pour être ma secrétaire, pour un temps seulement, mais elle s'est révélée si compétente que j'ai décidé de la garder aussi longtemps qu'il lui plaira.

— Vous l'avez secourue, comme vous l'avez fait avec moi.

Richard remua sur sa chaise, gêné.

— Ce sont deux situations très différentes.

—Vraiment?

Pourquoi était-il aussi mal à l'aise? Était-ce de la pudeur... ou autre chose?

—Merci de m'avoir raconté toute l'histoire. Je serai plus agréable avec elle à l'avenir.

On déposa sur la table un imposant gâteau couvert de confiture de mûres et de crème fouettée que Richard dévora du regard. Juliet lui servit une part généreuse et l'observa discrètement prendre une première bouchée.

Elle sourit devant sa mine ravie, et laissa son imagination s'emporter quand elle vit un peu de crème fouettée couler le long de sa lèvre. Sans réfléchir, elle la rattrapa du bout du doigt, qu'elle lécha ensuite.

Richard se figea, le souffle court. Il regardait alternativement son visage et sa poitrine.

—Qu'en pensez-vous? demanda-t-il.

—C'est délicieux. Juste ce qu'il faut de sucre, vous ne trouvez pas? répondit-elle avec un sourire malicieux.

Richard la dévisagea, stupéfait. Juliet avait toujours été une femme passionnée, ce que son défunt mari avait volontiers accepté, lui permettant de laisser libre cours à la part la plus sensuelle de sa personnalité. Si cette dernière était restée en sommeil pendant de nombreuses années, la seconde nuit de noces de Juliet l'avait libérée. Au cours de ces derniers mois, c'était son corps tout entier qui s'était langui de Richard.

—J'ai besoin d'une autre bouchée pour décider, murmura-t-il.

Il lui prit le poignet par surprise et fit glisser le doigt de la jeune femme le long de sa part de gâteau avant de le porter à sa bouche. Juliet sentit une grande chaleur l'envahir quand il suça lentement et avec délectation la crème amassée sur son doigt.

Elle laissa échapper un léger soupir et pressa la main contre sa joue. Richard saisit l'occasion pour donner un coup de langue sur sa paume, lui arrachant un petit cri qu'elle étouffa aussitôt quand un valet rentra dans la pièce. Elle tenta de se dégager, mais Richard refusa de la libérer… jusqu'à ce qu'il remarque le domestique.

Un sourire crispé aux lèvres, il déposa sur sa main un rapide baiser avant de la lâcher précipitamment.

—Vous dites qu'une aile entière du manoir reste à rénover ? demanda-t-il d'une voix rauque.

Juliet cligna plusieurs fois des yeux, incapable de se concentrer. Ses jambes tremblaient, et son esprit était hanté par des images de crème, de gâteaux et de torses masculins dénudés. Comment aurait-elle pu penser à ces travaux ?

—Euh… oui, plusieurs pièces sont encore inachevées, mais je vais interrompre les travaux d'ici à quelques jours.

—Y a-t-il un problème ?

—Non, mais je dois préparer les festivités, et les ouvriers risqueraient de me gêner.

—Et qu'en est-il de cette horrible chambre au papier peint décoré de roses ? (Richard se rapprocha.) J'y ai de merveilleux souvenirs, mais je dois vous avouer que ces fleurs me donnent encore des cauchemars.

—Elle est désormais entièrement décorée dans un jaune très doux. Je m'y suis d'ailleurs installée.

Richard déglutit avec effort.

—J'aimerais la voir, quand vous jugerez le moment opportun.

Juliet se redressa et lui adressa un sourire aguicheur.

—Et pourquoi pas maintenant ?

Juliet le regardait comme s'il était aussi appétissant que le gâteau qui venait de conclure leur dîner. Ce n'était certes pas la première fois qu'une femme séduisante le désirait, mais celle-ci n'était autre que son épouse, ce qui donnait à la situation un érotisme que Richard n'aurait jamais soupçonné.

Il se leva et, congédiant le valet d'un geste, tira la chaise de Juliet puis lui offrit son bras. Les deux époux sortirent en silence et, remontant l'escalier, se dirigèrent vers les appartements de la jeune femme.

—Nous y voilà ! s'exclama-t-elle une fois qu'ils furent arrivés dans la chambre. Que dites-vous de…

Richard l'embrassa. Il la sentit tout d'abord surprise, mais elle lui rendit bientôt son baiser et il la serra contre lui tandis que leurs langues se mêlaient. La fièvre qui l'avait torturé pendant tout cet interminable dîner était revenue de plus belle.

Il pressa ses hanches contre Juliet avec un grognement et elle lui enlaça le cou des deux mains. Quel bonheur de l'étreindre ainsi ! Il brûlait de lui ôter ses vêtements pour sentir sa peau douce contre lui, de plonger en elle et…

Bon sang !

Il mit fin à leur baiser.

— Qu'y a-t-il ? interrogea Juliet, hors d'haleine.

— J'ai oublié quelque chose.

Richard sortit de la pièce au pas de course, laissant derrière lui une Juliet hébétée.

Une fois dans sa chambre, il se dirigea droit vers ses bagages à la recherche de son nécessaire de rasage et constata avec force jurons qu'on l'avait déjà rangé. Il se rua dans la salle de bains, où il trouva enfin la petite trousse en cuir.

Il glissa l'étui de velours rouge qu'il y avait dissimulé dans sa poche et refit le chemin inverse. Juliet était là où il l'avait laissée, l'air quelque peu déboussolée.

Qu'elle est belle ! Ses lèvres étaient brillantes et légèrement gonflées, sa robe était délicieusement froissée. Le cœur battant, Richard s'élança vers elle.

— Que vous est-il arrivé ? Pourquoi êtes-vous parti ? demanda Juliet en reculant.

— J'ai dû aller chercher quelque chose.

— Quoi ?

Richard glissa à contrecœur la main dans sa poche.

— Un préservatif.

— Un quoi ?

— Vous en avez peut-être entendu parler sous le nom de « capote anglaise ».

Il lui tendit le petit étui, et Juliet prit avec méfiance l'un des objets en caoutchouc entre le pouce et l'index puis l'examina attentivement, la tête penchée.

— Je ne comprends pas.

— C'est pour vous éviter de tomber enceinte.

— Pardon ? glapit Juliet en lâchant le préservatif.

Elle contempla longuement l'objet tombé au sol avant de demander :

— Vous avez utilisé une de ces choses au cours de notre nuit de noces, n'est-ce pas ?

— J'ai promis de vous protéger, Juliet.

— De vous ? D'un bébé ? C'est ridicule !

— Pas pour moi.

Richard serra les dents. L'expression choquée et incrédule de Juliet montrait de façon éloquente que son ardeur s'était évanouie, mais malheureusement le membre de Richard n'avait pas reçu le message : il était encore dressé et prêt à l'action.

L'homme inspira profondément et comprit aussitôt que c'était une grossière erreur : le parfum d'épices et de lavande de Juliet lui emplit les narines. Les yeux fermés, il tenta de maîtriser sa respiration.

— Nous avons évoqué ce sujet avant notre mariage, dit-il.

— Je sais, mais je ne m'attendais certainement pas à ça.

La jeune femme semblait avoir les plus grandes difficultés à croiser son regard.

— Vous êtes blessée ?

— Pas exactement… je ne saurais l'expliquer. Je me sens… triste, je crois. Très triste.

Richard réprima un grognement de frustration.

— C'est un procédé si froid, si extrême ! poursuivit-elle. Ne pouvez-vous pas simplement… vous retirer ?

Mon Dieu, elle était impossible ! Il se vit allongé sur la jeune femme, prêt à jouir, et son sang se mit aussitôt à bouillir, mais il chassa fiévreusement cette image de son esprit.

—Une méthode nettement moins infaillible.

—Je vois que c'est très important pour vous, soupira Juliet.

Richard ne savait que faire. Il avait cru qu'elle comprenait pourquoi il ne voulait pas d'enfants, et qu'elle était d'accord. Il songea un instant à user de ses charmes pour mettre un terme à cette discussion. C'était une femme passionnée et généreuse et, de toute évidence, leur désir était réciproque. Il pourrait sans trop de difficultés la rendre folle d'excitation.

Non, pas question de la manipuler ainsi. Juliet était son épouse, et elle méritait son respect. Tant pis si son entrejambe semblait prêt à s'embraser.

—Vous avez besoin de temps pour vous faire à cette idée, soupira-t-il tristement.

Après un long silence, Juliet dit enfin :

—Je veux que l'intimité que nous avons construite dans nos lettres se développe, devienne plus forte.

—Je n'ai rien contre, mais nous devons être réalistes. Je pensais que nous étions assez adultes, assez sensés pour succomber au romantisme et avoir un enfant. Me suis-je trompé ?

Elle le dévisagea calmement.

—C'est pourtant naturel, dans un mariage.

—Pas toujours.

Ce n'était de toute évidence pas la réponse qu'attendait Juliet, mais tant pis : il avait répondu avec honnêteté.

—Nous ne connaîtrons une véritable intimité que si nous acceptons de ne pas nous cacher l'un à l'autre, de renoncer à tout ce qui pourrait nous séparer, reprit Juliet.

—Allons, ce n'est qu'une barrière de caoutchouc.

—Qui représente tellement plus ! Je suis navrée, Richard. Comme vous l'avez dit, j'ai besoin de temps.

Et lui aussi. Tout en prenant garde à ne pas toucher le corps délicieux de Juliet, Richard lui déposa un baiser sur le front.

—Bonne nuit.

Il quitta alors doucement la chambre, agrippant si fort la poignée de la porte que celle-ci laissa des marques dans la paume de sa main.

Chapitre 8

*R*ichard se laissa aller en arrière dans son fauteuil et regarda par la fenêtre de son bureau. Si un grand soleil brillait dans le ciel, le vent faisait tournoyer feuilles mortes et poussières le long d'un paysage désolé, un morne tableau qui ne faisait qu'aggraver son humeur déjà morose.

Miss Hardie, assise en face de lui, lisait à haute voix la lettre qu'il venait de lui dicter, mais il ne l'écoutait que d'une oreille distraite. Son esprit était hanté par des images de Juliet, tandis qu'il se remémorait les événements de la veille. Qu'aurait-il dû faire différemment pour que les choses ne se passent pas ainsi ?

Aurait-il pu finir dans le lit de la jeune femme, sentir la chaleur de son corps contre le sien ? Il avait eu le plus grand mal à trouver le sommeil, seul dans sa chambre, car chaque fois qu'il fermait les yeux, il voyait Juliet, ses joues enflammées par la passion, ses lèvres gonflées par leurs baisers…

Et ses grands yeux emplis de douleur et d'incompréhension.

Il y avait de quoi devenir fou ! L'aptitude de Juliet pour la passion était une bénédiction pour l'un comme pour l'autre, mais au lieu de faire l'amour comme ils le désiraient tous les deux, ils avaient dormi chacun de leur côté. Pire encore, si Richard ne se décidait pas à céder, la situation n'était pas près de changer, une perspective particulièrement déprimante.

Or Richard ne voulait pas d'enfants. Ses raisons étaient aussi anciennes que douloureuses, fruit de sa souffrance, de sa déception. Cependant l'idée même de révéler sa vulnérabilité, son passé, le bouleversait.

Il y avait sans doute un autre moyen de résoudre ce problème. Restait à le trouver.

La voix de Miss Hardie fit intrusion dans ses pensées.

— Ce sera tout, monsieur ? Désirez-vous apporter d'autres corrections avant que j'envoie ce courrier ?

Sa secrétaire l'interrogeait du regard, perplexe, comme si elle savait qu'il n'avait pas écouté le moindre mot de ce qu'elle venait de lui lire.

Il n'était pas dans son état normal, comme le prouvait cette incapacité à se concentrer sur ses affaires.

— Laissez-moi cette lettre. J'ajouterai peut-être une phrase dans le deuxième paragraphe.

Sa secrétaire lui tendit la feuille sans rien dire. Elle sortit ensuite un contrat de son porte-documents en cuir et Richard dut retenir un soupir, épuisé d'avance.

— Les avocats de Mr Sinclair m'ont fait parvenir leurs révisions, et le vôtre a commencé à...

On frappa très doucement à la porte, qui s'ouvrit soudain en grand. Lizzy, les yeux brillants d'excitation, se précipita dans la pièce. Richard se tassa dans son fauteuil, se préparant pour l'inévitable étreinte de la fillette, mais avant qu'elle puisse l'atteindre Edward entra à son tour et la prit fermement par l'épaule.

— Vous devez venir tout de suite ! annonça Lizzy en se débattant. Il faut faire le pudding !

— Maman vous a dit de ne pas entrer dans le bureau quand la porte est fermée ! la gronda Edward.

— J'ai frappé !

— Navré qu'elle vous ait dérangé, monsieur, fit le garçon sans regarder Richard. Je vais la ramener à Mrs Bickford.

Richard attendit sans rien dire que les deux petits fâcheux s'en aillent, mais Lizzy était apparemment beaucoup plus forte qu'elle n'en avait l'air. Elle échappa à Edward et vint se planter devant Richard.

— Vous devez venir préparer le pudding ! Maintenant !

— N'est-ce pas plutôt la tâche de la cuisinière, d'habitude ? demanda Richard, dérouté par l'insistance de la fillette.

— Non, Mr Harper : selon la tradition, toute la maison doit y prendre part, indiqua Miss Hardie en rougissant.

Richard lança un regard incrédule à sa secrétaire, qui baissa aussitôt la tête.

— Vous n'aimez pas Noël ? interrogea Lizzy avec inquiétude.

— Je n'ai pas l'habitude de…, commença Richard, mais la mine sérieuse de la fillette le coupa en pleine phrase.

Comment aurait-il pu expliquer à cette enfant innocente que la magie de Noël dont on parlait tant n'était qu'une illusion à laquelle il avait le bon sens de ne pas céder ?

— Vous n'êtes pas obligé de venir, monsieur, marmonna Edward avec une certaine agressivité. Mrs Perkins et notre cuisinière ont préparé les vrais puddings il y a plusieurs semaines. Mère leur a demandé de faire celui-ci pour que ceux qui n'étaient pas là puissent le remuer.

Richard lança un regard perdu à Miss Hardie, qui s'empressa d'expliquer :

— Tous les membres de la maisonnée remuent la pâte du gâteau à tour de rôle, d'est en ouest, en l'honneur des Rois mages.

— Il faut faire un vœu en même temps, ajouta Lizzy. Mais vous ne devez pas dire ce que c'est, sinon il ne se réalisera pas.

Richard fit la grimace. Remuer une pâte d'est en ouest, faire des vœux secrets ? On aurait dit quelque rituel païen, exactement le genre de choses dont il aimait se moquer d'ordinaire. Pourtant, le regard de Lizzy et l'intérêt manifeste de Miss Hardie le dissuadèrent d'exprimer son sentiment sur la question.

— Soit, je ne voudrais pas décevoir Mrs Perkins et notre cuisinière, qui se sont sans doute donné beaucoup de mal. Miss Hardie, je suppose que vous avez envie de vous joindre à cette tradition ?

La femme se redressa sur sa chaise, interdite.

— C'est très gentil de votre part, mais je ne fais pas partie de la famille, ni de la maisonnée.

— Ne soyez pas ridicule, si vous voulez y aller, allez-y. Allons, c'est le bon moment pour faire une pause de toute façon.

La secrétaire se leva d'un bond, aux anges. Richard secoua la tête et entreprit de lire le contrat qu'elle avait laissé sur son bureau, mais il sentit bientôt qu'on l'examinait avec insistance.

Lizzy.

— Vous ne venez pas ? demanda la petite fille.

— Peut-être plus tard.

D'où tenait-elle une ténacité pareille ? *Mon Dieu, espérons que ce ne soit pas de sa mère.*

— Mais ça ne sera pas drôle si vous ne remuez pas ! S'il vous plaît !

Richard chercha une réponse adéquate, mais tout ce qui lui venait à l'esprit lui semblait trop dur.

— Je dois pouvoir y consacrer quelques minutes, soupira-t-il, des paroles qu'il regretta instantanément.

Lizzy poussa un cri perçant et battit des mains sous le regard écœuré d'Edward. Richard se leva et suivit une Miss Hardie guillerette et une Lizzy folle de joie.

Alors qu'il atteignait l'escalier, une voix d'homme l'appela.

— George ! s'écria-t-il. Quand êtes-vous arrivé ?

— Il y a une heure. On m'a dit que vous travailliez, et je ne voulais pas vous déranger. (George se pencha vers lui.) Je vois que Miss Hardie a superbement bien supporté le voyage.

— Du calme. Il y a des enfants ici.

Les deux hommes se tournèrent vers Lizzy, qui battit des cils avec un sourire espiègle.

— Ravi de vous revoir, Miss Lizzy, déclara George en adressant un gracieux salut à la fillette. Je dois vous dire que vous êtes particulièrement ravissante cet après-midi.

Lizzy gloussa et se rapprocha de Richard. Il faillit passer un bras protecteur autour de ses épaules, un instinct parfaitement absurde qu'il refréna sur-le-champ.

— Nous allons faire un pudding, annonça Richard, qui se sentait parfaitement idiot.

— C'est bien pour ça que je suis là ! répondit gaiement George. Quelle bonne idée a eue ton épouse d'organiser tout ceci pour nous.

Nous ? Richard comprit la phrase de son ami quand il vit le nombre de personnes rassemblées dans la cuisine.

Juliet lui avait annoncé dans ses lettres que quelques membres de sa famille se joindraient à eux pour les vacances, mais Richard n'aurait jamais soupçonné qu'ils arriveraient aussi tôt. Noël n'était que dans deux semaines !

Il chercha Juliet du regard et l'aperçut à l'autre bout de la pièce. La jeune femme le vit elle aussi et rougit légèrement. Apparemment, il n'était pas le seul à avoir retourné les événements de la veille au soir dans sa tête, une pensée qui le réjouit étrangement.

Juliet, tout sourires, lui présenta divers oncles, tantes et cousins. Richard crut déceler non sans plaisir une note de fierté dans sa voix, mais se moqua aussitôt de sa propre vanité. Il désirait bien des choses chez sa charmante épouse, mais gagner son estime était loin d'être sa priorité.

Mrs Perkins et la cuisinière de la famille s'installèrent devant une grande table de travail en chêne et toute l'assistance s'approcha pour regarder les deux femmes verser divers ingrédients dans un grand saladier : miettes de pain, suif de mouton, raisins trempés dans le brandy, morceaux de pomme, d'orange et de citron, amandes… puis les épices : noix de muscade, macis, cannelle et gingembre. Une odeur piquante que Richard trouva étonnamment appétissante flotta bientôt.

— Comment procédons-nous, madame ? s'enquit la cuisinière.

— Mr Harper va commencer, répondit Juliet. Ensuite les enfants, du plus jeune au plus âgé, puis les dames, et finalement ces messieurs.

Tous les regards se tournèrent vers Richard, qui faillit sursauter. Il prit la cuillère en bois que lui tendait la cuisinière et la plongea dans le bol avec l'intention de se débarrasser au plus vite de cette corvée – mais s'arrêta brusquement.

— Où est l'est ? demanda-t-il.

Juliet posa la main sur la sienne.

— Par là.

Elle guida lentement ses gestes et Richard, qui serrait la cuillère de toutes ses forces, sentit son sang bouillir.

— À moi, à moi ! s'écria Lizzy en venant se placer entre eux. C'est moi la plus petite !

Pour une fois, l'exubérance de la fillette était la bienvenue. Richard lui laissa la cuillère et recula, espérant se fondre dans la masse des convives, mais son épouse ne l'entendait pas de cette oreille et le prit par le bras.

— Vous ne faites pas de pudding de Noël en Amérique ? demanda-t-elle d'une voix douce.

— Je l'ignore, en tout cas, je n'en ai jamais mangé.

— Nous ne mangerons pas celui-ci à Noël, car ses saveurs n'auront pas le temps de se développer. Notre cuisinière a très consciencieusement imbibé ceux qu'elle a préparés il y a plusieurs semaines de ça. Je suis sûre qu'ils seront délicieux.

— Imbibé ?

— Pardon, le terme peut surprendre. Chaque semaine, elle perce de petits trous dans les puddings pour y verser un peu de brandy. Ça leur donne un goût délicieux, et il sera également plus facile de les faire flamber.

— Vous faites flamber ces gâteaux ? C'est comme ça que vous les cuisez ?

— Grands dieux, non ! On les met dans un sac en tissu fermé par un cordon, qu'on attache à la poignée de la marmite dans laquelle ils seront bouillis.

Richard fit la grimace.

— Bouillis ? Vous les faites brûler pour cacher leur goût horrible ?

Juliet éclata de rire.

— Je vous l'accorde, c'est un mets plutôt lourd, qui n'est pas forcément du goût de tout le monde, mais la plupart des gens l'apprécient. La flambée fait partie du rituel : elle représente la passion du Christ, tout comme la branchette de houx dont on le décore symbolise sa couronne d'épines.

Richard hocha la tête, l'air entendu, mais à la vérité tout cela lui échappait complètement. Noël était une période de célébration religieuse, une chose qui n'avait jamais joué un rôle important dans sa vie.

Ses parents appartenaient à la classe ouvrière, et leurs principaux soucis étaient de s'assurer que leur famille ait un toit sur la tête et de quoi manger : ils n'avaient ni temps ni argent à consacrer à des traditions frivoles telles que ces histoires de pudding.

Pourtant, en regardant les visages souriants autour de la grande table, Richard s'avoua avec surprise que cet épisode domestique était pour l'instant la partie de la journée qu'il trouvait la plus agréable.

— Pourquoi votre cuisinière met-elle des pièces de monnaie dans le saladier ? demanda Richard. Je ne vois pas comment ça peut améliorer le goût de votre gâteau.

— Celui ou celle qui découvre une de ces pièces dans sa part reçoit richesse, santé et bonheur, répondit Juliet, les yeux brillants. En outre, ses vœux seront exaucés.

— Et maintenant, la bague en or ! annonça Mrs Perkins en dévoilant fièrement un mince anneau doré sous les murmures de l'assistance.

Elle l'arrosa d'une giclée de brandy et le laissa tomber dans la pâte.

Apparemment, ces gens aimaient fêter Noël en s'étranglant.

— Celui ou celle qui trouvera le bijou se mariera au cours de l'année prochaine, expliqua Juliet.

— Voilà pourquoi notre cher lord Moffat serre les dents.

— Mrs Perkins, si vous mettez la bague, alors il n'est que justice d'ajouter le dé à coudre et le bouton ! lança George.

Les dames maugréèrent, et un des jeunes cousins de Juliet poussa un cri enthousiaste.

— Je n'essaierai même pas de deviner ce qui arrive à celui qui trouvera l'un ou l'autre de ces objets dans son gâteau, soupira Richard.

Juliet lui sourit et se pressa contre lui. Ce contact inattendu le fit sursauter et réveilla son désir. Il recula d'un pas, sans pour autant parvenir à la lâcher. Tandis que les convives débattaient avec passion de ces histoires de bouton et de dé à coudre, Richard se découvrit incapable de quitter son épouse des yeux.

Il admira le profil de Juliet, souligné par les rayons de soleil qui se glissaient dans la pièce : sa peau parfaite, son nez mutin, ses lèvres pulpeuses… Richard se rappela alors l'une des rares traditions de Noël qu'il appréciait, la branche de gui sous laquelle on s'embrassait. Si ce n'était pas déjà fait, son épouse devait l'ajouter à la liste des préparatifs.

Le débat faisait toujours rage, et les rires se mêlaient aux clameurs indignées.

— Celui qui découvre le dé à coudre ou le bouton reste célibataire jusqu'à la fin de ses jours, expliqua Juliet. C'est une coutume quelque peu déprimante qu'on ne respecte guère.

— À moins, comme George, de vouloir précisément ne jamais se marier, répondit Richard.

— C'est en tout cas lui qu'on entend le plus. Je parie qu'il arrivera à ses fins.

— Allons, Miss Hardie n'a pas encore dit son dernier mot. Elle semble particulièrement remontée contre les boutons et les dés à coudre.

— Ils sont tous deux très véhéments, concéda Juliet en riant. Miss Hardie ne se laisse pas faire, je dois bien l'admettre, mais je parie tout de même sur George.

Ils regardèrent, amusés, les deux adversaires plaider leurs causes. Après une brève délibération, les convives donnèrent raison à George et les deux objets controversés se retrouvèrent dans la pâte du pudding.

— George, je vous l'ai déjà dit, vous avez raté votre vocation ! ricana Richard. Vous devriez être au Parlement.

— Je ne saurais pas quel parti soutenir ! répondit son ami. Mais c'est vrai, j'ai autant apprécié la discussion que la victoire.

— Vous êtes incorrigible ! le gronda Juliet en souriant.

— Seulement quand on m'y oblige, rétorqua-t-il, le regard pétillant de malice.

— Peut-être qu'aujourd'hui, il aurait été plus sage de céder, murmura Richard en regardant Miss Hardie.

La secrétaire observa le dé à coudre et le bouton disparaître dans la pâte avec un air réprobateur puis quitta discrètement la cuisine. Le sourire de George s'évanouit.

— Diable, je crains que vous n'ayez raison. Si vous voulez bien m'excuser…

George se fraya un chemin au milieu des convives et sortit à son tour.

— Lord George et Miss Hardie ? demanda Juliet, interloquée.

— Je sais, c'est absurde, mais George s'est entiché d'elle.

La préparation de la pâte étant terminée, les invités commençaient à quitter la pièce. Aurait-il la chance de passer quelques instants seul avec sa femme ?

Il contempla de nouveau son adorable profil, et se remémora le goût de ses lèvres, la sensation merveilleuse de son corps qui succombait à ses caresses. Elle portait une robe couleur de blé au col haut et orné de dentelle, une toilette qui aurait pu paraître guindée mais qui, sur elle, devenait étonnamment féminine.

Les doigts de Richard brûlaient de défaire les boutons nacrés qui remontaient de sa poitrine jusqu'à sa gorge. Il serait si délicieux d'embrasser sa peau laiteuse au fur et à mesure qu'il la dénuderait…

Richard se redressa et essaya de penser à autre chose pour tempérer son excitation, mais la tentation se faisait plus forte à chaque seconde. Mrs Perkins et la cuisinière s'étaient retirées à l'autre bout de la cuisine, près des fourneaux, sûrement pour faire bouillir le pudding.

Richard entreprit de dénombrer l'impressionnante collection de casseroles suspendues à des crochets de fer forgé au-dessus de la tête des deux domestiques.

— Richard, est-ce que vous me dites vraiment tout au sujet de George et Miss Hardie ? demanda Juliet.

Le son de sa voix suffit pour que Richard s'imagine en train de l'embrasser passionnément jusqu'à ce que de petites décharges d'excitation parcourent leurs corps.

Il ferma les yeux de toutes ses forces. C'était un homme à la volonté de fer, et pourtant, en moins de vingt-quatre heures, il s'était complètement laissé emporter par ses pulsions et ne maîtrisait plus rien dans sa relation avec sa femme.

— George éprouve une fascination passagère pour ma secrétaire, voilà tout, et il n'y a pas lieu de nous inquiéter, répondit Richard en regardant Juliet bien en face.

Terrible erreur : la jeune femme se mordillait la lèvre, qui brillait d'un éclat des plus tentants. Il suffirait à Richard de l'effleurer pour réveiller la passion de son épouse et l'emmener plus loin que jamais.

— Miss Hardie est une femme sans défense qui pourrait très facilement succomber aux charmes de George ! protesta Juliet, les sourcils froncés. Richard, il est de votre devoir, en tant qu'employeur, de la protéger.

— Allons, ne nous emportons pas ! Vous croyez que George va essayer de la prendre sur la table, pendant que tout le monde mange ce pudding de Noël ?

Était-ce parce que ses propres émotions lui échappaient complètement qu'il défendait son ami avec autant de véhémence ?

—Il y a beaucoup de recoins dans cette demeure ! Je vais mettre Miss Hardie en garde.

—George est un gentleman, et il n'a pas pour habitude de débaucher de pauvres innocentes, dit Richard, sans être vraiment convaincu de ce qu'il avançait. De toute façon, cet endroit est rempli de domestiques, sans compter les invités plus nombreux à chaque instant. Il serait miraculeux que lord Moffat se retrouve seul avec Miss Hardie.

—Un homme décidé peut accomplir l'impossible, surtout quand il est question d'une femme.

—Je connais George depuis des années. Croyez-moi, il n'est pas aussi rusé que vous le craignez.

—Je me fais tout de même du souci.

—Très bien, j'irai lui parler… une fois de plus, grommela Richard.

—Avant le dîner, s'il vous plaît. Je sais que ce n'est pas très orthodoxe, mais j'ai demandé à Miss Hardie de se joindre à nous ce soir pour que nous soyons un nombre pair.

Richard ne fit rien pour cacher sa surprise.

—Et elle a accepté ? Ne va-t-elle pas se sentir mal à l'aise ?

—Pourquoi donc ? Nous sommes en famille, et elle est assez intelligente pour converser sur n'importe quel sujet. De toute façon, je suis sûre que nous n'évoquerons que les festivités qui se préparent, et elle nous a bien montré aujourd'hui son intérêt pour le sujet.

Richard ne pouvait s'empêcher d'admirer la désinvolture avec laquelle son épouse avait évoqué le problème. Il doutait fort qu'elle ait convié Miss Hardie à table pour une simple question de parité. Juliet avait bon cœur, et la tragédie qu'avait vécue sa secrétaire avait attisé sa tendance naturelle à la compassion.

Juliet était une femme qui ne se contentait pas d'exprimer sa bonté : elle la laissait aussi lui dicter ses actes. Une qualité rare.

— Serons-nous nombreux pour le dîner ? demanda Richard d'un ton qu'il espérait détaché.

— Oh, non ! Seize en tout.

Juliet le regarda fixement, comme si elle guettait son approbation, et Richard hocha lentement la tête en s'efforçant de ne pas trop penser à son aversion pour de telles réunions. Il les tolérait parce qu'elles étaient parfois utiles pour les affaires, mais il doutait fort que ce dîner lui offre une quelconque occasion financière.

Il envisagea brièvement de s'enfermer dans son bureau pour la soirée, mais une telle décision ramènerait les convives à un nombre impair – et remplacerait l'anxiété qu'il lisait dans le regard de Juliet par de la déception.

Que cela lui plaise ou non, il devrait assister à ce repas, et avec le sourire. Restait à espérer que le vin coulerait à flots.

Pendant plusieurs semaines, le manoir serait rempli d'invités.

Maudit Noël.

Cela dit, toute cette agitation lui offrirait l'excuse parfaite pour ne pas avoir avec son épouse la conversation qu'il redoutait tant, celle au cours de laquelle elle voudrait qu'il lui fasse part de ses émotions, de ses sentiments sur leur mariage, et de la raison pour laquelle il ne voulait pas d'enfants.

Mais s'il était si soulagé que cela, comment expliquer sa mauvaise humeur ?

Plus tard ce soir-là, Juliet s'installa pour réfléchir dans le canapé de satin jaune qui trônait dans sa chambre. Le dîner s'était révélé des plus agréables. Les convives étaient d'excellente humeur, et l'atmosphère était festive. Pourtant, si elle avait aimé passer du temps en compagnie des oncles, tantes et cousins qu'elle ne voyait qu'une fois par an, une part d'elle-même aurait préféré être seule avec Richard.

Et ce n'était pas parce qu'elle sentait son cœur s'emballer près de lui. Pas uniquement. Elle aimait parler avec lui, même quand ses réponses étaient brèves. Elle voulait retrouver l'homme qu'elle avait découvert dans ses lettres, et en apprendre davantage sur lui.

Qu'est-ce qui le rendait heureux ? Triste ? Qu'aimait-il faire à part travailler dur et gagner de l'argent ? Montait-il à cheval ? Chassait-il ?

Et sa famille ? Avait-il été proche de ses parents ? Il lui avait dit que tous deux étaient morts, et qu'il n'avait ni frère ni sœur. Il semblait bien seul. Était-ce pour cela qu'il ne voulait pas d'enfants ? Y avait-il autre chose ?

Juliet savait bien qu'il fallait longtemps avant qu'un couple devienne vraiment intime, mais ils avaient déjà vécu les premiers mois de leur mariage séparés. Leurs lettres leur avaient permis de mieux se connaître, et maintenant qu'ils étaient réunis, elle n'avait pas l'intention de perdre ces précieuses journées. La mort de Henry lui avait appris que le temps passait vite.

La jeune femme pouvait rester assise à regarder le feu brûler, l'air morose, ou se retrousser les manches et tenter d'arranger les choses.

Mais comment ? Juliet savait qu'elle devait faire un compromis et oublier pour l'instant son envie d'avoir un autre enfant. Elle se consacrerait en premier lieu à consolider les liens émotionnels et physiques qui la rattachaient à son époux.

Des bruits de pas résonnèrent dans le couloir. C'était forcément Richard : aucun invité ne résidait dans cette aile du manoir. Bouillante d'excitation, elle contempla sa robe bleue, navrée de ne pas avoir le temps d'enfiler le déshabillé provocant qu'elle avait acheté un mois plus tôt.

Richard frappa sèchement à la porte et entra sans attendre. Juliet se redressa tant bien que mal, lissa sa jupe et prit ce qu'elle espérait être une pose irrésistible.

— Je vous dérange ? s'enquit-il avec désinvolture.

— Pas le moins du monde.

Il s'était débarrassé de sa veste, de son gilet et de sa cravate. Les boutons de son col étaient défaits, dévoilant en partie son torse musclé. Juliet s'efforça de ne pas le dévorer des yeux, ce qui lui demanda un effort considérable. Il émanait de Richard une virilité brute qui manquait de la faire défaillir chaque fois qu'il se trouvait près d'elle.

— J'ai reçu une lettre cet après-midi, reprit-il.

— Ce ne sont pas de mauvaises nouvelles, j'espère ?

— Non, enfin, pas pour moi. Vous ne serez peut-être pas du même avis.

La voix de Richard s'était imperceptiblement adoucie, et Juliet sentit la légère panique qui l'avait gagnée se résorber.

— Dites-m'en un peu plus sur cette mystérieuse missive.

Juliet fit de la place à son époux, qui s'assit à côté d'elle sur le canapé.

— Mystérieuse ? Pas vraiment. Elle est de Walter Dixon, quelqu'un de très important avec lequel j'aimerais beaucoup faire affaire. Il traversera la région en compagnie de sa femme pour aller passer les fêtes avec sa famille, et j'ai pensé que c'était l'occasion rêvée pour l'inviter à séjourner quelques jours chez nous.

— Je suppose qu'il serait très bon pour vous de l'impressionner ?

— Ça ne me nuirait pas, en effet, répondit Richard en haussant les épaules.

Juliet ne se laissa pas abuser par son attitude : gagner l'estime de cet homme comptait pour lui, et ce qu'il dit ensuite le confirma.

— J'essaie depuis plus d'un an de le convaincre de rejoindre un groupe d'investisseurs, et je crois qu'il est enfin sur le point d'y réfléchir sérieusement. Cette invitation serait pour moi la meilleure chance de parvenir à mes fins.

— Il serait idiot de ne pas vous écouter.

— Que savez-vous de mes affaires ? demanda Richard, l'air hésitant.

— Je ne lis pas que des romans à énigmes et des magazines de mode, monsieur, répondit Juliet en souriant. On parle souvent de vos succès dans les journaux.

— Je ne suis qu'une bizarrerie qui fait vendre du papier, voilà tout.

— Non ! On vous respecte, on vous admire.

— Je suis une curiosité, un riche Américain qui prend des risques insensés avec sa fortune.

— Tout le monde admire votre sens des affaires.

Les dents de Richard luisirent à la lueur des bougies.

— Pas vraiment. Mes semblables me tournent autour comme des requins, attendant avec impatience que je me casse la figure.

Juliet sentit sa gorge se serrer. Était-ce si grave ? Richard risquait-il vraiment de perdre toute sa fortune ?

— Dans ce cas, donnez-leur tort. Soyez plus sage, plus mesuré.

— Ah, Juliet, vous ne connaissez donc pas la première règle des affaires ? Pour gagner gros, il faut risquer gros !

— Votre chance finira par tourner, avec une telle attitude.

— Même si mes rivaux pensent le contraire, mon succès ne doit pas grand-chose à la chance. Je ne prends jamais de risques inconsidérés, et j'étudie en détail chaque affaire avant d'investir.

—Un Midas des temps modernes! s'exclama Juliet, impressionnée tout à la fois par la philosophie et le succès de son époux.

—Si ce n'est que, dans notre monde, il faut bien plus qu'un simple toucher pour changer quelque chose en or.

—Je le sais, croyez-moi.

Ils échangèrent un sourire. Juliet voyait son mari sous un tout autre jour. Elle commençait à mieux comprendre ce qu'il avait enduré. Beaucoup croyaient que le sort d'un être humain était déterminé dès sa naissance, mais Richard était la preuve vivante que l'on pouvait choisir son propre destin. Pour réussir, il s'était battu, longuement, âprement, et pourtant il ressentait toujours le besoin de faire ses preuves.

Parviendrait-il un jour à s'arrêter pour savourer son succès? Le voulait-il, seulement?

—Je ferai tout mon possible pour éblouir Mr Dixon, promit Juliet. (Elle posa une main sur le torse de Richard.) Que puis-je d'autre pour vous?

Les yeux de Richard s'éclairèrent et glissèrent lentement de ses lèvres à ses seins. Hypnotisée, Juliet l'enlaça.

—Vous êtes sans voix, monsieur? Dans ce cas, que diriez-vous d'un baiser?

Elle enfouit les mains dans ses cheveux et l'attira à elle.

Richard lui répondit par un baiser sauvage et passionné qui lui coupa le souffle. Elle se cramponna à lui en gémissant et s'abandonna avec ferveur.

On frappa à la porte.

—Mrs Harper ? Vous êtes là ?

La porte s'ouvrit aussitôt et Mrs Perkins entra dans la pièce. Richard s'écarta brusquement de Juliet, comme ébouillanté. Sans ses bras pour la soutenir, la jeune femme manqua de tomber du canapé.

—Qu'y a-t-il, Mrs Perkins ? demanda Juliet avec un calme très convaincant.

Même si elle n'était nullement dévêtue, elle savait que ses lèvres étaient rougies par les baisers de Richard et que ses cheveux étaient en désordre. Elle tenta de se recoiffer mais constata que ses mains tremblaient trop pour cela, et les posa sur ses genoux.

Mrs Perkins regarda tour à tour Richard et Juliet, gênée.

—Je suis vraiment navrée de vous déranger, mais Lizzy ne se sent pas très bien.

—Que lui arrive-t-il ? s'écria Juliet.

—Oh, rien de grave, répondit en toute hâte Mrs Perkins. Elle dit qu'elle a mal au ventre, ce qui n'a rien d'étonnant quand on sait à quelle vitesse elle a dévoré son dessert ce soir… et une partie de celui d'Edward, avant que Mrs Bickford s'en rende compte. La pauvre petite ne tient pas en place depuis qu'on l'a couchée. Je suis sûre qu'un câlin de sa mère la calmerait en un rien de temps.

Juliet se leva précipitamment. Son pauvre bébé ! Elle était presque parvenue à la porte quand elle se rappela soudain l'existence de Richard. Son mari se tenait debout, derrière le canapé.

—Allez-y, elle a besoin de vous, dit-il.

—Je suis désolée. Je ne reviendrai peut-être pas avant un bon moment.

—Je vous verrai demain matin, répondit Richard, le visage impassible.

Juliet sentit la déception la frapper en pleine poitrine. Elle n'avait pas envie d'attendre jusqu'au lendemain. Elle désirait continuer ce qu'ils avaient entamé. Une fois rassurée sur la santé de Lizzy, elle voulait parler avec son mari – et l'embrasser. Surtout l'embrasser.

—Vous pourriez m'accompagner, dit Juliet, qui pensait tenir là une idée de génie. Lizzy adorerait que vous veniez la voir.

—Dans la nursery ?

Juliet acquiesça. Lizzy idolâtrait Richard, et la présence de ce dernier améliorerait assurément l'humeur de la fillette, ce qui leur laisserait ensuite tout le loisir de…

Elle esquissa un sourire, mais remarqua alors l'expression alarmée de Richard et réprima un frisson de dégoût. Elle quitta la chambre à coucher à toute allure, sans attendre les excuses maladroites de son époux.

Chapitre 9

*R*ichard sentit sa gorge se nouer. «Bien joué»,
aurait sans doute raillé George. Pourtant,
Juliet n'avait pas demandé l'impossible. Elle voulait
se rapprocher de lui, souhaitait qu'il fasse partie de
sa famille. S'il en croyait Mrs Perkins, la petite fille
n'était pas réellement souffrante. Il n'aurait pas assisté
à quelque horrible spectacle, ni risqué d'attraper une
maladie contagieuse.

Non, s'il fuyait à toutes jambes, c'était par pure
lâcheté. Son cerveau lui-même lui disait qu'il avait
tort de se comporter avec une telle distance, comme
si Juliet venait envahir sa vie privée avec cette requête
pourtant bien modeste.

Richard serra les poings et les fourra dans ses
poches. Il était venu informer Juliet de la visite de
Dixon, solliciter son aide, et elle n'avait pas hésité une
seconde. Il savait qu'elle tiendrait parole.

Pourtant, quand elle en avait fait autant quelques
minutes plus tard, il avait catégoriquement refusé, la
blessant profondément au passage.

Vraiment, bien joué. Cependant, il n'avait pas
cherché à faire souffrir la jeune femme. Elle l'avait
seulement pris par surprise. Combien de fois lui avait-il

répété qu'elle était seule responsable de ses enfants ? N'avait-elle pas compris qu'il ne voulait jouer aucun rôle dans leur éducation ?

Pourtant, en quittant la chambre de Juliet, Richard se dirigea presque malgré lui vers la nursery. Il n'était pas très tard, mais il ne rencontra personne en montant l'escalier, pas même un domestique. Il reconnut sans mal la pièce qu'il cherchait à sa porte ouverte et ses meubles miniatures, et resta dans le couloir, tapi dans l'ombre.

Juliet était assise dans un rocking-chair, Lizzy sur les genoux, toutes deux blotties sous une épaisse couverture. La chaise se balançait doucement au rythme de la chanson que fredonnait la jeune femme.

Richard sentit son cœur se gonfler de tendresse. Les cheveux de Juliet avaient échappé à leurs épingles et tombaient en cascade sur ses épaules. Son regard était aimant, rassurant, et de ses gestes émanait une grande douceur. Lizzy, la tête nichée au creux du coude de sa mère, se cramponnait de sa petite main à son corsage, comme si elle craignait qu'on les sépare.

Entre, ne serait-ce qu'un instant. Montre-leur que tu es là si elles ont besoin de toi.

Mais ses pieds refusaient de bouger. Richard n'était pas habitué à ce genre de dilemme. Il s'était créé un environnement confortable à bien des niveaux, pas seulement financièrement, et avait cru jusque-là qu'il n'avait besoin de rien d'autre pour donner du sens à son existence. Pourtant, il devait bien l'admettre, l'arrivée de Juliet dans sa vie avait commencé à tout changer.

Il avait tout d'abord résisté, mais comprenait peu à peu que c'était une attitude idiote. On ne se refusait pas à une épouse passionnée, intelligente et attentionnée. Partager sa vie avec quelqu'un d'unique avait d'importants avantages – et unique, Juliet l'était sans aucun doute.

Il faisait son possible pour baisser sa garde et accepter ce qu'elle était si désireuse de lui donner… mais s'il voulait bien offrir à Juliet une place dans son cœur, accorder le même privilège à ses enfants était une tout autre affaire.

L'image d'un autre enfant, un nourrisson, fit irruption dans son esprit. Minuscule, frêle et pâle, enveloppé dans une couverture blanche, la respiration saccadée, le regard terne. Il se remémora les heures de travail acharné qu'il avait fournies pour tenter désespérément de gagner de quoi payer les soins pour ce garçonnet, soins qui en fin de compte s'étaient révélés vains.

La nourrice lui avait froidement annoncé qu'elle ne pouvait rien faire si le bébé ne voulait pas téter. Une panique incontrôlable et un sentiment d'impuissance l'avaient saisi quand ses paroles s'étaient vérifiées. Il revit le cercueil en pin, si petit qu'il était fait de morceaux de planches et garni de la même couverture blanche, que l'on avait lentement mis en terre un jour aussi froid que gris.

Richard serra les paupières. Ces tristes souvenirs lui donnaient toujours l'impression qu'une lourde pierre avait remplacé son cœur. Comment pourrait-il jamais s'en remettre ?

Il se consola en pensant à ce qu'il avait offert à Juliet et ses enfants : la sécurité financière, un statut dans la bonne société locale, et un avenir aux possibilités infinies. N'était-ce pas suffisant ?

Richard massa sa nuque endolorie. Peut-être avait-il eu tort de venir pour les vacances au manoir, avec ses traditions de Noël et son grand rassemblement familial, choses dont il se passait très bien d'ordinaire.

En revanche, et c'était là toute l'ironie de la situation, il ne pouvait plus se passer de la maîtresse des lieux.

Entre autres bénéfices, sa réussite lui avait donné le pouvoir de n'en faire qu'à sa tête, et il avait l'habitude qu'on accède à la moindre de ses requêtes somme toute raisonnables.

Ce qui n'était plus du tout le cas depuis qu'il était revenu au manoir. Il y avait sûrement un moyen d'y remédier.

Il ne restait plus qu'à trouver lequel.

Richard se réveilla le lendemain matin d'humeur sereine. Une bonne nuit de sommeil permettait souvent de voir la situation d'un œil neuf. Il n'avait aucune affaire urgente à régler ce jour-là, ce qui lui laissait une matinée entière en compagnie de sa femme pour entamer son grand projet : faire prendre à leur relation le tour désiré.

Les premiers rayons du soleil commençaient tout juste à éclairer l'intérieur de sa chambre. Il s'étira, quitta son lit confortable et partit se raser dans la salle de bains, entièrement nu.

Il était en train de terminer quand Hallet, son valet, entra dans la chambre.

— Monsieur, vous auriez dû m'appeler !

— C'est inutile, je me débrouille très bien tout seul, rétorqua Richard, ravi de cette victoire dans la guerre qui l'opposait à son domestique.

Richard tolérait sa présence car il avait compris qu'il n'était pas superflu d'avoir quelqu'un pour ranger et entretenir ses vêtements, mais il refusait qu'on l'habille comme s'il était un enfant attardé. Il n'appartiendrait décidément jamais vraiment à cette haute société, quelle que soit sa fortune.

Hallet sortit de la garde-robe et disposa soigneusement une tenue sur le lit. Richard inspectait le costume sombre avec un hochement de tête approbateur quand un scintillement attira son regard. Grands dieux, étaient-ce des boutons de nacre sur ce gilet gris brodé ?

— Tout va bien, monsieur ? demanda Hallet.

Richard lui adressa un sourire contrit. Il se rappelait vaguement que George avait insisté pour qu'il commande ce vêtement, mais ne se souvenait pas d'avoir accepté.

— Hallet, vous semblez déterminé à faire de moi un dandy.

— Monsieur, je peux vous assurer que ce gilet est à la pointe de la mode. Je serai toutefois ravi de vous en proposer un autre si vous le désirez.

Les deux hommes se contemplèrent un instant, et Richard finit par arracher le gilet des mains de son valet. Il le boutonna hâtivement et enfila sa veste sans jamais se regarder dans le miroir puis sortit à grands pas de la chambre, laissant derrière lui Hallet et ses airs suffisants.

Richard prit le chemin de la salle à manger, sûr qu'avec autant de monde dans le manoir, Juliet serait bientôt débordée par les requêtes de ses invités, or il voulait lui parler seul à seul. Il fut donc quelque peu déçu de trouver la pièce vide, à l'exception des domestiques qui mettaient le couvert et posaient des plats sur le buffet – des plats vides, s'il en jugeait par l'absence totale d'odeur.

— Bonjour, monsieur, le salua un serviteur blond, visiblement intimidé. Notre cuisinière a annoncé que le petit déjeuner ne serait pas prêt avant une demi-heure. Désirez-vous que je vous serve du café en attendant ?

— Où est mon épouse ?

Le domestique sursauta, et Richard se rendit compte qu'il n'aurait peut-être pas dû parler aussi sèchement. Il tenta de cacher sa mauvaise humeur, ce qui ne fit qu'aggraver le tremblement du malheureux. Où donc Juliet avait-elle trouvé un personnel aussi craintif ?

— Mrs Harper prend son café dans le petit salon, répondit un autre valet.

— Qui se trouve ?

— Par ici, monsieur.

L'homme l'emmena à travers un dédale de couloirs jusqu'au salon et Richard s'immobilisa sur le pas de la porte. Juliet écrivait, assise devant un secrétaire, près d'une longue rangée de portes vitrées qui donnaient sur le jardin. La pièce tout entière était baignée d'une douce lueur qui réchauffait le rouge du tapis et faisait briller l'or des murs.

— Cet endroit est superbe, dit Richard. Vous avez vraiment fait des merveilles.

Juliet se redressa, surprise.

— Bonjour, Richard, fit-elle d'une voix quelque peu lasse.

Richard décida de se jeter dans la gueule du loup – ou plutôt de la louve.

— Comment va Lizzy ce matin ? demanda-t-il.

— Elle dort encore, ce qui veut dire que tout va bien. Mrs Perkins avait vu juste : elle a pris trop de dessert, ce qui n'a rien d'inhabituel à cette période de l'année. Les enfants sont toujours très excités pendant les vacances de Noël. Avec toute cette nourriture si appétissante dans la maison, je vais devoir veiller à ce qu'on surveille de plus près ce qu'elle mange.

Elle se remit aussitôt à écrire, le nez baissé sur sa feuille.

— Merci de poser la question, ajouta-t-elle sans lever le regard.

— J'étais inquiet.

La plume de Juliet s'arrêta. La jeune femme le regarda, l'air dubitative, puis poussa un petit grogne-ment et revint à sa liste.

Hum. Les choses seraient peut-être un peu plus compliquées que prévu.

— J'aurais dû vous accompagner dans la nursery.

— En effet. (Elle écrivait plus vite, les doigts serrés sur sa plume.) C'eût été un acte de gentillesse qui aurait beaucoup réconforté Lizzy.

— Je suis désolé, dit-il doucement.

Juliet continuait comme si de rien n'était. Peut-être ne l'avait-elle pas entendu ? Quoi qu'il en soit, il ne le répéterait pas. Il regarda pendant une bonne minute la plume voler sur le papier avant d'en attraper brusquement l'extrémité.

— Voilà le problème avec les femmes ! Elles vous demandent des excuses et, quand vous les présentez, elles les refusent !

— Ah, vraiment ? rétorqua Juliet. Et que dire des hommes qui croient qu'en marmonnant « je suis désolé », ils obtiendront le pardon et que tout sera oublié ? Eh bien, monsieur, sachez qu'il n'en est rien !

Elle arracha d'un coup sec la plume à Richard et lui adressa un sourire triomphant. Richard, immobile, ne pouvait quitter ses lèvres du regard. Elles étaient roses, pulpeuses, parfaites pour y déposer un baiser… mais il doutait fort que sa femme apprécie ce genre de transports à ce moment précis.

— Juliet, j'essaie seulement de m'excuser pour mon comportement d'hier soir.

— Je sais, Richard, mais je ne comprends pas pourquoi vous avez agi ainsi. Répondez-moi franchement : vous détestez les enfants en général, ou seulement les miens ?

Soit, elle avait décidé de prendre l'offensive. S'il ne pouvait qu'admirer son courage, la situation devenait cependant très compliquée : qu'était-il prêt à lui révéler ?

Richard contempla longuement sa charmante épouse. Elle semblait déterminée à l'intégrer à sa famille, et si une part de lui refusait catégoriquement cette idée, il était par pur orgueil ravi de compter autant pour elle.

— Je n'ai rien contre les enfants, en principe… mais comme je n'en ai jamais vraiment côtoyé, je ne sais pratiquement rien à leur sujet.

Juliet se radoucit.

— Ils ne sont pas très différents des adultes, vous savez : ils désirent qu'on fasse attention à eux et qu'on passe du temps en leur compagnie. Au fond, ils veulent simplement être appréciés par ceux qu'ils aiment.

Richard tressaillit. Tout ce qu'il connaissait de l'amour paternel, c'était cette douleur intolérable qui vous comprimait la poitrine. Quand Richard avait enterré son fils – une semaine après que sa femme fut morte en couches – il avait vu la moindre lueur d'espoir, la plus petite trace de joie s'envoler en fumée.

Tout d'abord amer, il avait bientôt reporté dans son travail toute la force de son chagrin. Un investissement risqué lui avait rapporté d'importants dividendes, qu'il avait aussitôt réemployés dans l'aventure suivante. Sa fortune croissait peu à peu, mais le vide qui le poussait à avancer subsistait.

— Mr Dixon et mes affaires vont énormément m'occuper dans les prochains jours, dit-il d'une voix qu'il aurait aimée moins défensive. Je n'aurai pas beaucoup de temps pour…

— Je comprends, répondit Juliet en interrompant ses excuses d'un geste. Mais vous ne travaillerez pas en permanence ! Il faudra bien divertir ce monsieur, et tout le monde apprécie les préparatifs de Noël… des activités auxquelles participent enfants et adultes.

Elle lui lança un regard plein d'espoir. Comment aurait-il pu vouloir lui faire de la peine ?

— J'arriverai peut-être à passer un peu de temps avec les enfants.

— C'est vrai ? Vous vous joindrez à nous ?

— Autant que possible.

C'était un mensonge. Il n'avait aucunement l'intention de se retrouver au milieu d'invités joviaux et d'enfants déchaînés – surtout ceux de Juliet. Qui pourrait souhaiter une chose pareille ?

Mieux valait les éviter. La seule présence de Lizzy faisait déjà naître en lui des sentiments doux, paternels, terrifiants et parfaitement incompréhensibles. Richard savait seulement qu'il devait les enfouir au plus profond de son cœur.

Un valet apporta un plateau chargé de nourriture et d'une cafetière. Richard s'assit à côté de sa femme tandis qu'elle lui préparait une assiette, espérant que leur conversation soit terminée. Combien de temps pourrait-il encore tenir avant de devoir révéler cette douloureuse partie de son passé et se déshonorer en laissant remonter à la surface des émotions fort peu viriles ?

— J'ignore quand les Dixon arriveront, dit-il en étalant une généreuse couche de beurre sur son toast. Encore faudrait-il qu'ils acceptent mon invitation.

— Qui avez-vous invité ? demanda une voix d'homme. Une femme aussi voluptueuse qu'amusante, j'espère. C'est exactement ce que je voulais pour Noël.

Juliet éclata de rire, et Richard vit du coin de l'œil George, qui entrait dans la pièce. *À cette heure matinale ?* Richard consulta sa montre, incrédule.

— Fermez donc la bouche, Richard, vous allez finir par gober un moucheron, dit son ami en s'asseyant tranquillement.

— Vous comprendrez que je sois sous le choc. D'ordinaire, quand je vous vois debout si tôt, c'est que vous revenez d'une folle nuit en ville.

— Je sais, c'est incroyable, n'est-ce pas ? Je me suis réveillé à l'aube avec les idées claires et une faim de loup. L'air de la campagne a un effet parfaitement absurde sur mon organisme.

— Et sur votre cerveau, marmonna Richard.

George but une gorgée de café et demanda :

— Pourquoi n'êtes-vous pas enfermé dans votre bureau, le nez collé à vos papiers ?

— Je prends ma journée.

— Vraiment ? s'écria Juliet, enchantée.

Richard se figea.

— Et Miss Hardie, a-t-elle quartier libre, elle aussi ? s'enquit l'aristocrate avec une désinvolture fort peu crédible.

Juliet tapota doucement l'avant-bras de Richard, qui se rappela sa promesse de parler à George au sujet de sa secrétaire.

— Oui, mais ça ne vous donne pas pour autant le droit de la harceler. Nous avons déjà…

— Je sais, je sais, l'interrompit George, la main levée. Inutile de me faire une fois encore la leçon. Vous m'avez déjà expliqué très clairement ce que vous pensiez de mes sentiments pour cette délicieuse personne. J'essaierai de me tenir. C'est Noël, après tout.

— Vous devrez faire mieux qu'essayer, monsieur, dit Juliet avec un doux sourire. Je veux que vous promettiez, sur votre honneur.

George se tourna vers Richard pour obtenir son aide mais celui-ci haussa les épaules, très amusé par les malheurs de son ami.

— Très bien, je promets de ne pas importuner Miss Hardie, soupira lord Moffat. Dites-moi, Richard, si vous ne travaillez pas, qu'allez-vous faire de votre journée ?

La passer au lit avec ma femme, songea Richard, qui déplora que ce ne soit pas le cas. Quoique, peut-être plus tard…

— Juliet va me faire visiter le manoir. Je n'ai pas encore eu l'occasion d'admirer toutes les rénovations.

— Voilà qui m'a l'air très intéressant, commenta George, les yeux brillants.

— Souhaitez-vous nous accompagner ? demanda poliment Juliet.

L'homme sourit de toutes ses dents. Richard brûlait d'envie de lui envoyer un grand coup de coude dans les côtes, mais savait qu'il devait se montrer plus subtil que cela. Il glissa les mains le long de la table et, d'un mouvement preste du poignet, renversa la tasse de son ami. Une coulée de café se répandit aussitôt sur la nappe blanche.

—Pardon ! Quel maladroit je fais ! s'écria Richard alors que George se levait d'un bond pour éviter la rivière de liquide brûlant.

—Mon Dieu, Richard, quelle pagaille ! dit Juliet avant de quitter la pièce à toute vitesse en quête d'un domestique.

Richard se retourna vers son ami avec un sourire satisfait.

—Bon sang, faites-moi un peu confiance, je n'allais pas accepter son invitation, grommela George en épongeant le café.

—Je devais m'en assurer.

—Je croyais que les jeunes mariés n'avaient pas besoin d'excuses pour se retrouver seuls. Et puis, si j'avais voulu voir un gentleman lancer des regards affamés à son épouse et trembler de désir chaque fois qu'elle s'approche de lui, j'aurais passé les vacances avec mon frère Lawrence et sa femme.

Richard grimaça. Cachait-il si mal son jeu ?

Juliet revint à la tête d'une procession de serviteurs et George se rassit, visiblement irrité. Œufs mollets, harengs fumés, petits pains et toasts apparurent comme par magie sur une nouvelle nappe immaculée, et le petit déjeuner reprit comme si de rien n'était.

—Après déjeuner, je pense organiser une sortie afin de ramasser quelques branches pour les décorations, annonça Juliet. J'espère que vous viendrez tous les deux.

— N'est-ce pas plutôt la tâche des domestiques ? demanda Richard, guère enthousiaste.

Juliet semblait profondément choquée par sa question.

— C'est censé être amusant, Richard, pas une corvée.

— Oh.

— Je serais pour ma part ravi de vous accompagner, déclara George. N'est-il pas un peu tôt pour les décorations de Noël, cela dit ?

— Nous n'allons pas tout faire, répondit Juliet. Nous pouvons ramasser de quoi confectionner les guirlandes, même si nous n'allons pas toutes les accrocher. Naturellement, le sapin ne sera installé que la veille de Noël, et nous ne l'abattrons pas d'ici là, mais il sera divertissant de le choisir dès aujourd'hui. Nous pouvons en revanche installer le houx, le gui et les rubans. Je veux que les Dixon sentent l'esprit de Noël dès qu'ils passeront la porte d'entrée. Qui sait ? c'est le genre de détails qui peut vous assurer un partenariat.

— Dieu du ciel, Dixon ? pesta George. Ne me dites pas que ce moulin à paroles vient pour les vacances !

— Il ne séjournera pas ici longtemps, répondit Richard, flatté que Juliet fasse de tels efforts pour lui.

— Ce qui signifie sans doute que vous le poursuivez toujours comme un renard traque une poule. Je ne vois vraiment pas pourquoi vous refusez de me croire.

— George, vous connaissez Mr Dixon ? s'enquit Juliet.

— En effet, ou si je veux être plus précis, c'est lui qui me connaît. Nous éprouvons un dégoût mutuel, même si nous restons très civilisés.

— Pas toujours, ricana Richard.

— Quoi qu'il en soit, ce n'est pas un sujet à évoquer avec une dame. Je tâcherai de bien me tenir en présence des Dixon, tout en priant pour que leur séjour soit de courte durée.

George, bien se tenir ? Que Dieu leur vienne en aide.

— Et pas question de poursuivre Mrs Dixon de vos assiduités.

— Pas de Mrs Dixon, pas de Miss Hardie, soupira George en roulant des yeux. Ces vacances deviennent vraiment déprimantes.

Richard et Juliet éclatèrent de rire.

— Qu'y a-t-il de drôle ? demanda James en entrant dans la pièce.

Richard se raidit instinctivement. Dieu merci, Juliet était tournée et ne vit pas sa grimace.

— Des histoires de grands, répondit Juliet en l'enlaçant. Pourquoi n'êtes-vous pas dans la salle de classe avec votre précepteur ? Et où est Mrs Bickford ?

James haussa les épaules, évasif, et prit un toast sur la table. Richard, qui savait que le garçon se déplaçait rarement seul, se tourna vers la porte… Bien entendu, moins de dix secondes plus tard, Edward et Lizzy firent leur apparition. La fillette se précipita sur sa mère et enfouit sa tête au creux de son épaule.

—On se sent un peu timide ce matin, Miss Lizzy? la taquina George. Je ne saurais vous en blâmer. Les matins ensoleillés donnent toujours envie de se cacher aux yeux du monde.

—Vous êtes bête! dit la petite fille en riant.

—Seulement quatre ans, et elle vous a déjà cerné, ajouta Richard.

—C'est un grand esprit, comme sa mère, répondit George.

—Oui, c'est une petite fille très intelligente. Je suis sûr que c'est grâce à elle que ces trois enfants ont réussi à échapper à leurs leçons du matin.

Juliet écarquilla les yeux mais ne pipa mot. James secoua vigoureusement la tête.

—Lizzy n'y est pour rien, c'est…

—Personne! le coupa Edward en rougissant. Le précepteur nous a dit que nous n'étions pas obligés de travailler ce matin.

Richard haussa un sourcil dubitatif.

—Il l'aurait fait si on lui avait demandé, marmonna le garçon.

—Dans ce cas, qu'attendez-vous pour le faire? interrogea Richard.

—J'y vais! s'exclama gaiement James.

Il se précipita vers la porte, toast à la main, laissant derrière lui une traînée de miettes.

—Attendez! lui cria son frère, mais James avait déjà disparu.

—Il y a un problème?

—Le précepteur pourrait refuser, et alors nous devrions travailler.

— C'est fort possible, répondit Richard en jetant sa serviette sur la table.

Edward lui lança un regard plein de ressentiment, les lèvres serrées.

— Je n'ai pas besoin de travailler, je suis trop petite ! déclara Lizzy avec un sourire malicieux.

— Mais vous êtes assez grande pour demander pardon à Mrs Bickford de vous être cachée ainsi, rétorqua Juliet. Messieurs, si vous voulez bien nous excuser…

Elle prit la fillette par la main et fit signe à Edward. Le visage fermé, ce dernier suivit sa mère et sa sœur dans le couloir.

Richard se resservit du café, faisant mine de ne pas remarquer l'air ahuri de son ami.

— George, vous avez quelque chose à me dire ?

— J'essaie encore de comprendre ce que je viens de voir.

— Juliet veut que je prenne davantage part à la vie de ses enfants.

— Excellente idée. (George serra les dents, puis se tourna vers Richard.) Cependant, si vous voulez bien des conseils d'un vieil ami, je ne crois pas que vous en faire des ennemis soit la meilleure approche possible.

Chapitre 10

George était parti quand Juliet revint dans le petit salon, une demi-heure plus tard. Richard, qui lisait le journal, se leva prestement, un sourire courtois aux lèvres.

— Tout est réglé avec les enfants ? demanda-t-il.

Réglé ? Ses fils avaient lancé des regards mauvais à leur précepteur, Mrs Bickford avait été folle d'inquiétude quand elle avait constaté la disparition de Lizzy, et Juliet leur en voulait à tous. Pourtant, consciente que ses émotions étaient parfois beaucoup trop faciles à déceler, elle se força à sourire.

— Lizzy est avec Mrs Bickford, et les garçons auront terminé leurs leçons à temps pour les réjouissances de cet après-midi.

Richard la gratifia d'un sourire charmeur.

— Excellent. Que diriez-vous de faire enfin ce tour du propriétaire que vous m'avez promis ?

Juliet ne pouvait quitter sa bouche du regard. Depuis que leur soirée s'était terminée de façon aussi brutale qu'insatisfaisante, elle ne tenait plus en place ; le regard sensuel et la voix profonde de Richard n'arrangeaient rien à l'affaire. Ils ne lui rappelaient que trop avec quelle facilité il pouvait la rendre folle grâce à ses seuls baisers.

—Juliet?

Elle rougit soudain. Mais que lui arrivait-il donc? Était-elle incapable de songer à quoi que ce soit d'autre quand elle était à proximité de son séduisant et mystérieux mari?

—Par ici, dit-elle, heureuse que Richard ne puisse pas lire dans ses pensées.

Elle prit le bras qu'il lui tendait, et sentit aussitôt ses muscles fermes sous ses doigts. Elle tâcha d'ignorer les effets étranges de ce contact sur les battements de son cœur et le conduisit jusqu'aux pièces dont les travaux étaient achevés. L'agitation céda la place à la fierté quand elle surprit le regard appréciateur de Richard.

Même si, dans ses lettres, elle avait consulté son mari au sujet de la plupart des changements entrepris, il était très gratifiant d'observer ses réactions devant l'ouvrage accompli. Elle devait bien admettre qu'il était devenu très important pour elle de lui prouver sa valeur et son talent.

—Un bureau miniature? demanda Richard quand ils entrèrent dans une petite pièce tapie tout au bout d'une aile.

—C'est ici que je fais mes expériences décoratives, expliqua Juliet. Je comptais donner le même aspect à l'endroit où vous travaillez, mais quand l'artisan chargé des boiseries s'est mis à l'œuvre, j'ai pensé que ce serait un peu trop élaboré à votre goût.

—Ça ne laisse pas indifférent, en effet, dit Richard en passant la main sur l'encadrement finement sculpté d'une des fenêtres.

Il embrassa les lieux du regard, l'air sérieux, et Juliet l'imita, prêtant attention à chaque détail : la cheminée en marbre vert, le lambris en acajou et les moulures étaient tous dans des nuances foncées. Le tapis doré comportait des touches de vert, le bureau et les chaises qui l'entouraient étaient de facture ancienne. Richard écarta les rideaux, dévoilant une superbe vue sur le jardin figé par l'hiver.

Le soleil fit scintiller ses tempes argentées. Ses cheveux frisaient légèrement au-dessus du col de sa chemise et Juliet eut soudain l'envie parfaitement ridicule de les enrouler autour de ses doigts.

Sa présence toute en virilité semblait rendre encore plus petite la pièce déjà relativement exiguë. Il était diaboliquement beau dans son costume sombre qui accentuait le bleu de ses yeux.

Juliet se rendit compte qu'elle le dévorait du regard comme une écolière amoureuse et se racla la gorge.

—Voulez-vous que je redécore votre bureau dans ce style ?

—Non, je le préfère comme il est, répondit Richard.

Juliet hocha la tête, satisfaite d'avoir fait le bon choix. Comment pouvait-elle aussi bien comprendre son mari sur certains points, et pas du tout sur d'autres ?

—À mon avis, cet endroit sera un refuge idéal pour Edward quand il sera plus grand, dit-elle.

Elle ramassa sur le bureau une feuille blanche qui vint rejoindre celles qu'elle tenait déjà à la main.

—Puis-je vous demander ce que vous écrivez ? interrogea Richard.

—J'ai pensé que c'était l'occasion idéale pour prendre quelques notes au sujet de la décoration de ces pièces pour les fêtes. Tant d'elles ont changé ces derniers mois que je vais avoir besoin de nouvelles idées.

—Vous comptez décorer chacune d'entre elles ?

—Bien entendu, c'est pour ça que nous devons ramasser des branchages dès aujourd'hui. Avec autant d'invités, la maison entière sera pleine de monde, et il est très important que toutes les pièces rappellent Noël : l'odeur des sapins, l'or et le rouge des rubans, une boule de gui accrochée au-dessus de la porte…

Elle soupira, l'esprit assailli d'agréables souvenirs.

—C'est ce qui rend cette période de l'année si extraordinaire, ne trouvez-vous pas ?

Richard se raidit imperceptiblement.

—Je n'accorde pas beaucoup d'importance aux fêtes, admit-il. Pour moi, ce sont des jours comme les autres – si ce n'est qu'ils m'empêchent de travailler, puisque la plupart des gens sont occupés ailleurs. Je ne leur en veux pas, je ne participe pas à ces réjouissances, c'est tout.

Ainsi, il ne se délectait pas de la joie et de la bonne humeur qui accompagnaient de façon si parfaite l'atmosphère de partage de cette saison ? Juliet aimait tant recevoir les vœux de tous ceux qu'elle croisait – même des personnes qu'elle n'appréciait pas beaucoup d'ordinaire. Non, il était inconcevable que Richard soit hermétique aux joies des fêtes.

Certes, les traditions étaient peut-être différentes en Amérique, mais l'esprit de Noël était universel, quel que soit l'endroit où il était célébré.

Il suffit à Juliet d'observer le beau visage de Richard pour avoir sa réponse : son mari y était bien hermétique. Il n'avait jamais vraiment connu la générosité qui régnait à cette période, jamais savouré la joyeuse fraternité qui rassemblait alors tous les hommes. Le cœur de la jeune femme se serra dans sa poitrine.

Si Juliet refusait de le plaindre, elle ne pouvait s'empêcher d'être profondément émue. Richard semblait s'isoler des autres par choix, et se satisfaire parfaitement de son sort. Pourtant, elle commençait à penser que parfois, il se sentait très seul.

Cependant, la joie de Noël était contagieuse, surtout avec des enfants autour de soi. C'était le moment rêvé pour lui faire découvrir qu'avoir une famille et des amis était un cadeau qu'il fallait chérir.

— Eh bien, cette année, vous allez comprendre pourquoi on en fait toute une histoire ! annonça Juliet avec un enthousiasme forcé.

Richard lui lança un regard dubitatif. Juliet savait que le seul moyen de lui donner tort était de lui offrir un Noël parfait ; elle refusa donc de se laisser entraîner dans un débat. Pour changer de sujet, elle décida d'attirer de nouveau l'attention de Richard sur les travaux du manoir.

Ils traversèrent un couloir et se retrouvèrent devant deux armures installées de part et d'autre d'un escalier de service. Richard posa la main sur le plastron de l'une d'entre elles en haussant les sourcils.

— Nous les avons dénichées dans le grenier, expliqua Juliet.

— Je suis heureux d'apprendre que je n'ai rien déboursé pour ces horreurs.

— J'ai tout d'abord trouvé amusant de les installer dans la galerie des portraits, mais j'ai alors surpris James qui essayait de se glisser dans l'une d'entre elles pour faire peur à Edward, et j'ai compris que je devais leur trouver une place un peu moins en évidence.

— Vous auriez également pu les remettre au grenier.

— Où on les oublierait encore ? Pas question. Vous apprendrez, mon ami, que ce ne sont pas de simples ornements. En parcourant quelques vieux papiers, j'ai retrouvé leurs actes de vente originaux. Elles ont été achetées à un antiquaire quand la demeure a été construite, il y a une centaine d'années. Ces documents précisent qu'elles ont été forgées au XIIIe siècle pour un chevalier.

— Elles sont en trop bon état pour avoir servi au combat, dit Richard en levant la visière de l'armure pour regarder à l'intérieur. Nous pourrions peut-être les offrir à George pour Noël.

Juliet éclata de rire.

— Les enfants auraient le cœur brisé, surtout James.

—Ah, pas question de laisser une telle chose se produire ! répondit aussitôt Richard avec un manque évident de sincérité.

Juliet refusa de s'en inquiéter. Une petite voix dans son esprit lui soufflait qu'il ne serait pas simple d'amener Richard à devenir partie intégrante de sa famille. Il lui faudrait toute sa patience, toute sa persuasion pour montrer à son mari l'avenir qu'ils pourraient avoir ensemble.

Et elle le ferait. Il était grand temps que Richard comprenne que sa vie ne serait plus jamais la même.

Le vent glacé lui coupa le souffle dès qu'il mit le pied dans la cour au milieu de laquelle les convives se rassemblaient pour l'excursion. Il y avait beaucoup d'adultes, et un nombre un peu plus réduit d'enfants. Ces derniers couraient dans tous les sens en jouant semblait-il à une version du chat perché où il fallait hurler à pleins poumons.

Richard balaya le groupe du regard avec un début de migraine. Il envisagea un instant de regagner la maison, sûr de pouvoir prétexter quelque travail pour fuir tout ce tapage… mais à la vue de Juliet, il s'arrêta net. Vêtue d'un manteau bleu saphir au col bordé de fourrure et d'un bonnet assorti, elle se tenait au centre de la petite troupe, occupée à bavarder.

Elle était éblouissante. Richard aurait voulu la prendre par la main et l'entraîner loin de là, la garder pour lui pendant tout l'après-midi, mais il savait bien que c'était impossible.

— Tout le monde peut voir à votre tête que vous n'avez aucune envie d'être là, lui dit George en venant se placer à ses côtés. C'est censé être amusant, vous savez.

— Pour qui ? Je ne comprends toujours pas pourquoi on ne confie pas cette corvée aux domestiques. Ils s'en tireraient certainement mieux que des femmes et des enfants.

— Il y a aussi quelques gentlemen dans le groupe ! fit mine de s'offusquer George en exhibant ses biceps. Et puis les domestiques nous suivront avec des charrettes. Ils se chargeront de porter toutes les grosses branches et rapporteront notre butin au manoir. Je vous assure, tout cela est on ne peut plus civilisé. Maintenant, taisez-vous un peu et essayez de vous amuser.

— Je continue à penser que c'est parfaitement ridicule. Ça me rappelle mes livres d'histoire et cette reine française qui se déguisait en laitière.

— Marie-Antoinette ? C'est absurde.

— Exactement ! Et regardez comment les choses ont fini pour elle !

— Mon cher Richard, vous êtes bien la seule personne capable de comparer une agréable sortie à une décapitation.

— Oui, surtout quand j'ai l'impression de me rendre à ma propre exécution. (Un petit garçon passa entre les deux hommes en hurlant.) Les gamins font-ils toujours autant de bruit ?

— Comment diable le saurais-je ? Je n'ai pas d'enfants !

George s'éloigna en secouant la tête. Richard ne pouvait pas lui en vouloir : sa mauvaise humeur s'accordait très mal avec l'esprit de l'après-midi. Au moins, le climat avait décidé d'y mettre du sien : s'il faisait froid, le soleil brillait au milieu d'un ciel bleu clair et une bonne odeur d'hiver flottait dans l'air.

La petite troupe se mit en marche. Richard se plaça à l'arrière et tâcha d'éviter les regards. Le temps de traverser la grande pelouse, il avait déjà amassé sur ses bottes luisantes une impressionnante quantité de boue. Si quelques morceaux se détachèrent quand il traversa la passerelle qui menait au bois, la plus grande partie resta solidement accrochée. Edward ouvrait la procession, suivi de près par James et quelques-uns des jeunes cousins de Juliet.

Les femmes étaient rassemblées au milieu du cortège, même si Richard distingua l'élégante toque en castor de George au milieu des bonnets. Son ami était penché vers une petite silhouette vêtue d'un manteau noir – Miss Hardie, sans aucun doute.

Les hommes fermaient la marche – quelques oncles et deux cousins qui avaient à peu près l'âge de Richard, mais dont il avait oublié les noms. Ils lui adressèrent un sourire amical, mais en vinrent très vite à discuter entre eux, probablement parce que la mine peu engageante de Richard n'invitait pas à la conversation.

Après ce qui parut à Richard une marche interminable, le groupe s'arrêta.

— Par où commençons-nous ? demanda Juliet avec un grand sourire.

Tous les convives se mirent à parler en même temps. Il fut entendu qu'il fallait d'abord choisir le sapin, même si on ne l'abattrait pas avant la veille de Noël. Richard s'efforçait encore d'imaginer un arbre au milieu du salon quand les participants partirent dans toutes les directions à la fois. Pris de court, il se retrouva seul avec Juliet et Lizzy.

La chasse avait débuté.

Richard contempla les bois en se passant une main dans les cheveux.

— Par où commençons-nous ? s'enquit-il.

— Oh non, nous restons là ! répondit Juliet. Nous allons inspecter les arbres que les autres auront trouvés et nous en choisirons un.

— Cette année, c'est moi qui décide ! déclara solennellement Lizzy.

— Enfin, vous allez nous aider, ma puce, répondit Juliet.

— Juliet ! Venez voir celui que j'ai trouvé ! cria une voix féminine.

— Et c'est parti, dit la jeune femme, le regard brillant.

Elle prit Richard par le bras et l'entraîna dans un chemin étroit. Lizzy courait gaiement devant eux, ses boucles blondes bondissant sous le bord de son bonnet.

Ils arrivèrent dans une petite clairière où plusieurs cousines et tantes de Juliet étaient rassemblées autour d'un immense sapin aux immenses branches odorantes. Richard estima que l'arbre faisait au moins sept mètres de haut.

— Il est superbe, mais un peu trop grand, je le crains, observa Juliet. Nous serions obligés d'en couper le sommet, ce qui gâcherait sa forme.

— Celui-là est mieux ! annonça fièrement l'oncle Horace en désignant un sapin de bonne taille.

— Il est plus petit, et très beau, approuva Juliet.

— Il a un trou, annonça Lizzy, le doigt tendu.

— Nous pourrons le cacher avec des rubans, ou tourner ce côté contre le mur, grommela l'oncle Horace.

Le groupe ignora ses suggestions et se dirigea vers le sapin suivant.

Richard cacha son amusement tandis que Juliet passait en revue les candidats et ne se laissait pas démonter par les regards implorants ni les arguments, aussi convaincants soient-ils. Elle avait une idée très précise de ce qu'elle cherchait, et ne s'arrêterait que quand elle l'aurait trouvé.

Un arbre. Dans une maison. Richard avait décidément du mal à se faire à cette perspective, qui ressemblait beaucoup selon lui à un rituel païen. Vénérer la nature, décorer des plantes, exactement le genre de choses qu'auraient pu faire des druides.

Il se rappelait avoir lu que le prince Albert, né en Allemagne, avait fêté la naissance de son premier fils en faisant dresser un arbre de Noël dans le château de Windsor. Apparemment, cette tradition s'était répandue dans le pays tout entier, même si elle échappait complètement à Richard.

Comme toute la prétendue magie de cette période de l'année, d'ailleurs. Il cachait cependant le plus gros de son agacement de peur de faire mourir l'étincelle qui brillait dans les yeux de sa femme. Tout ceci la rendait manifestement très heureuse, ce qui à son tour lui réchauffait le cœur.

Une rafale glacée faillit lui arracher son couvre-chef, et il s'approcha automatiquement de Juliet pour la protéger de cet assaut. Elle éveillait en lui un étrange instinct protecteur dont il ne se serait jamais cru capable.

Richard était depuis longtemps passé maître dans l'art de se couper de ses émotions mais, avec Juliet, c'était tout bonnement impossible. Quelque chose en elle semblait l'appeler, le supplier de profiter de l'instant présent. Même s'il essayait de toutes ses forces, il savait qu'il ne pouvait la tenir complètement à distance. Plus surprenant encore : il n'en avait pas envie.

—Nous ne pourrons pas commencer à ramasser le reste des branchages tant que nous n'aurons pas trouvé notre sapin, dit l'une des tantes. Que pensez-vous de celui-ci ?

Richard entendit le petit soupir exaspéré de Juliet. L'arbre était chétif et complètement tordu sur un côté. C'était de loin le pire des candidats, même lui s'en rendait compte.

—Il fait encore bien jour, répondit Juliet. Nous pouvons nous accorder quelques minutes de plus, n'est-ce pas, Richard ?

—Oui, ça ne peut pas nous faire de mal, acquiesça-t-il.

Juliet le regarda, agréablement surprise, et il sentit toute la force de ses beaux yeux sombres. Il laissa échapper un éclat de rire, étonné de ressentir une telle joie.

Sa vie aurait-elle été ainsi si sa jeune femme et son enfant avaient survécu ? Aurait-il partagé leurs excursions hivernales, se serait-il réjoui de leurs rires, les aurait-il partagés ? Ce profond attachement, créé non seulement par l'amour, mais aussi par une confiance mutuelle et un sentiment de sécurité… était-ce là ce qui constituait une famille ?

— J'en ai peut-être trouvé un ! annonça Miss Hardie, à quelque distance de là. Qu'en dites-vous ?

— Il est parfait ! tonna George. Venez, tout le monde ! Je crois que Miss Hardie a déniché ce qu'il nous faut !

Juliet roula des yeux et Richard sourit de plus belle. Il était difficile de se fier à l'opinion de lord Moffat dès que Miss Hardie était concernée. Cet arbre était peut-être encore pire que le précédent.

— Allons voir, suggéra Juliet.

Ils trouvèrent George et Miss Hardie à côté d'un sapin majestueux, épais, d'un vert profond et parfaitement symétrique.

— Qu'il est beau, souffla Lizzy.

— Vous avez raison, lord George, il est parfait, déclara Juliet.

Toute l'assistance murmura son approbation, à l'exception de l'oncle Horace, qui insista pour qu'on examine à nouveau son sapin.

— Richard, me ferez-vous l'honneur ? demanda Juliet en lui tendant un long ruban de satin rouge. Nouez-le aussi haut que vous le pourrez afin que les jardiniers sachent quel arbre abattre.

Richard s'exécuta timidement. Cet arbre avait beau être superbe, l'Américain n'avait pas changé d'avis au sujet de toute cette excursion, mais il était prêt à avoir l'air un peu ridicule pour plaire à son adorable épouse. Les muscles de ses jambes tendus à se rompre, il attrapa l'extrémité d'une branche bien au-dessus de sa tête et y attacha le ruban.

Tous se mirent à l'acclamer, leurs applaudissements quelque peu étouffés par leurs gants. Le vent glacé souffla de nouveau, mais Richard constata à sa grande surprise qu'il ressentait une agréable chaleur.

Quand les convives se rassemblèrent pour décider de la suite des événements, les talents de Richard pour l'organisation prirent le dessus. En moins de temps qu'il n'en fallut pour le dire, il sépara l'assemblée en plusieurs groupes – un pour couper les branches de sapin, un autre pour cueillir du houx, et un troisième pour le gui.

— Pourquoi devons-nous ramasser du gui ? demanda James.

— Pour que les messieurs puissent embrasser les jolies dames, répondit George en adressant un clin d'œil à Miss Hardie, qui rougit.

— Pouah ! s'écria le garçon en frémissant.

— Il ne vous faudra que quelques petites années pour changer complètement d'avis sur la question, jeune homme.

James secoua la tête avec véhémence et tous les adultes éclatèrent de rire.

— Dépêchons-nous, déclara l'oncle Horace. Il fera bientôt nuit.

Chaque groupe prit son ordre très à cœur et s'attela aussitôt à sa mission. Richard se rendit compte qu'en bon chef, il ne s'était inclus dans aucun d'entre eux. Alors que les participants s'éloignaient, il fut d'abord tenté de suivre Juliet, mais se rappela alors le gui. Les hommes les plus jeunes avaient insisté pour que la tâche leur revienne, il décida donc de les rejoindre. Il n'avait fait que quelques pas quand il entendit un bruissement de feuilles derrière lui.

— Je croyais que vous alliez ramasser du houx, vous deux, dit-il en se retournant vers James et Edward.

— On veut s'occuper du gui, annonça Edward. Tout le monde sait que c'est le plus important… enfin, après le sapin.

— Je n'aime pas le moment où il faut s'embrasser, mais c'est toujours mieux que cueillir le houx, ajouta James. Ça pique ! Regardez ce que ça a fait à mon manteau !

Le garçon tendit le bras pour montrer les accrocs sur sa manche.

— Vous savez où trouver du gui, au moins ? demanda Edward.

Richard continua à marcher sans ralentir l'allure, même s'il savait qu'il allait trop vite pour les deux frères.

— Ça pousse au sommet des vieux chênes, insista le garçon. Vous ne saviez pas ?

— J'ai grandi en ville.

— À Londres ?

— New York.

Richard s'arrêta et balaya lentement les environs du regard. Il n'entendait ni voix ni bruits de pas : les hommes étaient sûrement allés dans une autre partie de la forêt. Dieu sait qu'elle était grande.

— Très bien, et où trouve-t-on ces chênes ? interrogea-t-il.

— Je vais vous montrer ! s'écria James d'une voix au moins deux octaves plus haute que d'ordinaire.

Le garçon détala sans attendre, Edward sur les talons. Richard songea un instant à partir dans la direction opposée, puis se ravisa.

Laisse-leur donc une chance.

Il les suivit en serrant les dents. L'homme et les deux garçons s'enfoncèrent profondément dans les bois pour s'arrêter devant un bouquet de très grands arbres. Richard leva la tête et, en effet, distingua sur les plus hautes branches du plus proche les petites baies blanches bien reconnaissables. L'insaisissable gui.

— Il faut grimper pour aller le chercher, expliqua Edward.

— C'est bigrement haut, observa James d'une voix hésitante.

— Allons, ne faites pas le bébé, le taquina Edward en attrapant la branche la plus basse.

Richard lui prit instinctivement le poignet. Il imaginait très bien le visage horrifié de Juliet s'il lui ramenait un fils sérieusement blessé.

— Je vais grimper, et vous deux, vous m'attendez ici, dit-il.

— Je veux le faire ! protesta Edward.

— Non.

— Mais je…

— Edward, j'y vais en premier. Ensuite, si nous n'en avons pas assez, vous pourrez essayer.

Edward ouvrit la bouche pour répondre, mais Richard foudroya les deux garçons du regard. Au bout d'un long moment, ils hochèrent la tête.

Richard réprima un soupir de soulagement. Il avait bien l'intention de débarrasser ces arbres de la moindre trace de gui pour empêcher James et Edward de se lancer dans leur ascension.

Il ôta chapeau et manteau, tapa du pied pour se réchauffer puis se hissa sur la ramure la plus basse.

Richard n'avait pas escaladé un arbre depuis bien des années, mais il n'avait certainement pas oublié comment faire ; il éprouvait chaque branche avant d'y grimper. Il ne lui fallut que quelques minutes avant de se retrouver hirsute, débraillé, en sueur… et à portée de main de son objectif.

— À gauche ! lui cria James.

— Non, il y en a plus à droite ! protesta James.

— Prenez les boules qui ont le plus de baies, ce sont celles que maman préfère !

— Ce n'est pas vrai !

— Si c'est vrai !

Richard secoua la tête en souriant. *Ces deux-là manquent-ils parfois une occasion de se disputer ?* Il s'assit sur une grosse branche et se mit à l'œuvre sur la boule de gui la plus proche. Une fois cette partie du chêne bien nettoyée, il prit un instant pour réfléchir à la situation.

Il était toujours beaucoup plus facile de grimper sur un arbre que de revenir au sol. Les garçons avaient finalement cessé de se disputer, et Richard savoura le silence. Il entama lentement sa descente, peu désireux de se casser la jambe.

Soudain, son pied glissa. Richard resta suspendu quelques secondes dans le vide, le cœur battant, mais très vite il se rattrapa. Son valet lui lancerait sans doute un regard noir quand il verrait dans quel état étaient ses bottes. Aucun cirage ne viendrait à bout des profondes griffures que l'écorce avait laissées dans le cuir.

Mais au moins, Richard était en un seul morceau et souffrait pour la bonne cause.

En approchant du sol, Richard se rappela à quel point les branches les plus basses avaient plié à l'aller, et décida de ne pas les mettre davantage à l'épreuve. Il inspira profondément, sauta et atterrit sans encombre.

Très fier de lui, il se retourna pour observer la réaction de James et Edward… et comprit pourquoi les deux garçons s'étaient montrés si silencieux.

Ils avaient tout bonnement disparu.

Pendant un instant, Richard paniqua, craignant qu'ils n'aient résolu d'escalader l'un des autres chênes. Il inspecta les branches des arbres voisins et poussa un soupir de soulagement une fois assuré que personne, adulte ou enfant, ne s'y était réfugié.

—James! Edward!

Sa voix résonnait dans les bois, profonde, solitaire. Richard cria de nouveau, sans plus de résultat. *Bon sang!* Ils étaient vraiment partis.

Entre leurs bavardages constants et ses propres pensées vagabondes, Richard n'avait guère prêté attention à l'itinéraire qu'ils avaient emprunté pour rejoindre les chênes.

Au bout d'une centaine de pieds, il décida qu'il s'était trompé de direction. Il tenta de rebrousser chemin, mais se retrouva dans une partie des bois complètement différente.

Furieux, il s'assit sur le tronc d'un arbre tombé à terre pour réfléchir. Il ne redoutait plus que les enfants soient en danger : ils avaient très bien su comment trouver les chênes, et n'avaient sans doute eu aucun problème pour faire le trajet inverse.

Plus il y pensait, et plus Richard était convaincu que les deux garçons l'avaient délibérément conduit dans un coin extrêmement dense de la forêt pour l'abandonner. Ils lui en avaient peut-être voulu de ne pas les avoir laissés grimper dans les arbres, à moins que cela n'ait été leur intention dès le départ.

Richard grimaça. Se retrouver victime d'un tour pendable était le cadet de ses soucis. Il n'avait pas menti quand il avait confié à Edward et à James qu'il était un enfant de la ville. Il ne savait pratiquement rien de la forêt.

Suffisamment, cela dit, pour comprendre qu'il était bel et bien perdu.

Chapitre 11

Juliet sourit à l'oncle Horace, fièrement campé à côté d'un imposant tas de rameaux de houx et de sapin. Même si l'homme avait été prompt à s'adjuger la responsabilité de ce succès, il apparut que tout le monde avait travaillé dur pour rassembler toute cette verdure – et il en arriverait encore. Quelques membres du groupe n'étaient pas encore revenus, notamment ceux qui étaient partis en quête du gui, c'est-à-dire les jeunes hommes, lord George et Richard.

Juliet espérait tant que Richard s'amusait. Partager Noël avec lui était tellement important pour elle. Elle voulait qu'il découvre les traditions qui lui procuraient tant de joie, qu'il ressente la magie de l'attente, et qu'il participe à ces préparatifs qui étaient tout sauf une corvée.

Oui, qu'il soit détendu, souriant en écoutant les chants de Noël, apaisé et heureux en contemplant la splendeur du service religieux. Elle voulait qu'il soit étourdi par toutes les images, tous les goûts de la saison, qu'il croie vraiment que tout ceci allait lui apporter un peu de bonheur.

—Maman ! Je me suis encore piqué !

—Vous devez cesser de toucher le houx, James, ou au moins, gardez vos gants.

Le garçon suça son doigt puis obéit docilement. Depuis qu'Edward et lui étaient revenus avec quelques branches de gui à la main, une heure plus tôt, il s'était montré étonnamment calme ; il était même resté près d'elle au lieu d'aller jouer avec les autres enfants.

Inquiète, elle lui toucha le front, mais il n'avait pas de fièvre. Elle supposa donc qu'il était fatigué et le tira par la manche pour qu'il s'assoie avec elle sur un tronc.

Juliet avait très envie de serrer son fils contre elle mais, consciente que cela embarrasserait énormément le petit garçon, elle se contenta de lui tapoter le dos. Étrangement, James ne protesta pas. Au contraire, il s'approcha.

Quelques minutes plus tard, les hommes revinrent avec une piètre récolte de gui.

—C'est un bien maigre butin, s'excusa George. Nous reviendrons peut-être demain.

—Ce sera en effet nécessaire si nous voulons décorer toutes les pièces, répondit Juliet en se levant pour accepter l'offrande.

—Et comme je le dis toujours, on n'a jamais trop de gui sous lequel s'embrasser ! renchérit l'oncle Horace.

—Messieurs, pour le bien de Noël et des baisers, nous reviendrons donc passer ces bois au peigne fin demain ! annonça George d'une voix théâtrale, ce qui provoqua les rires de l'assistance.

Juliet parcourut du regard les visages penauds amassés derrière lord Moffat sans trouver celui qu'elle cherchait.

— Où est Richard ? demanda-t-elle.

— Il n'est pas avec vous ?

— Non.

— Vous pensez qu'il pourrait être rentré au manoir ?

George venait d'exprimer la plus grande peur de Juliet. Elle regarda l'homme dans les yeux et comprit que, selon lui, c'était bien le cas. Non ! Elle avait pourtant cru que Richard était prêt à participer aux réjouissances de son mieux, au moins pour elle. Apparemment, elle s'était trompée.

Elle remit précipitamment sous son bonnet la mèche de cheveux qu'elle tripotait nerveusement et s'efforça de faire bonne figure. Elle ne voulait pas que la misanthropie de Richard gâche la bonne humeur générale.

— Vous avez tous bien travaillé, et je pense qu'il est temps de rentrer. Des boissons chaudes et des sandwichs nous attendent à la maison. Je ne sais pas vous, mais pour ma part, je suis affamée.

Elle ouvrit la marche en direction du manoir. Le groupe venait de quitter la partie la plus dense de la forêt quand elle entendit un bruissement dans les buissons, plus loin sur le chemin, et vit soudain apparaître Richard.

Il n'était pas reparti ! Juliet s'approcha de son mari avec un grand sourire, mais sa joie fut quelque peu tempérée par la mine furibonde de Richard.

— J'ai trouvé du gui, dit-il. Où voulez-vous que je le pose ?

Il tenait à bout de bras plusieurs boules de gui comme si elles grouillaient de vermine.

— Bonté divine, vous en avez cueilli trois fois plus que nous ! s'exclama George. Comment avez-vous fait ?

— On m'a aidé, répondit Richard en observant tour à tour Edward et James. N'est-ce pas, les enfants ?

— C'est vrai ? leur demanda Juliet.

James baissait la tête, captivé par le bout de son soulier qu'il frottait lentement sur le sol. Edward, en revanche, se tenait immobile comme une statue et regardait droit devant lui, les lèvres serrées.

— Oh, ce n'était pas grand-chose, dit calmement Richard. Je ne suis pas étonné que les garçons aient oublié d'en parler.

Juliet avait ardemment souhaité que son mari fasse plus ample connaissance avec ses enfants, mais elle soupçonnait l'expérience de ne pas avoir été des plus agréables. James avait l'air extrêmement inquiet, quant à Edward, bien droit, le menton levé, il semblait prêt à se battre.

Que s'était-il donc passé ? Elle se retourna vers Richard, dont le visage fermé ne lui apprit rien. Les deux garçons le regardèrent sans rien dire, un silence qu'elle jugea éloquent et qui décupla son inquiétude. On lui cachait quelque chose.

Juliet prit le bras de Richard et l'entraîna à l'écart.

— Tout va bien ? demanda-t-elle.

— À merveille, répondit-il, les dents serrées.

Elle n'en crut pas un mot.

—J'ai comme l'impression que vous ne me dites pas tout, ajouta-t-elle vivement, sans pour autant élever la voix. Il s'est passé quelque chose avec Edward et James. Je ne savais même pas qu'ils étaient avec vous : je croyais qu'ils étaient partis chercher du gui avec l'oncle Horace et les autres.

—Cette histoire ne vous concerne pas, Juliet. C'est entre les garçons et moi.

—Mais, Richard, je…

—Je suis un adulte, et je n'ai besoin de personne pour gérer deux enfants.

Juliet aurait voulu argumenter, mais Richard lui lança un regard glacial et elle comprit en soupirant qu'il ne céderait pas.

Craignant de prononcer des mots qu'elle regretterait ensuite, Juliet décida alors de faire la dernière chose à laquelle Richard s'attendait. Elle se pencha vers lui jusqu'à ce que leurs lèvres se touchent presque et murmura :

—Vous savez bien que je finirai tôt ou tard par savoir ce qui est arrivé.

Richard posa les mains sur les hanches de son épouse.

—Vraiment ?

—Soyez-en assuré, dit-elle avant de l'embrasser.

Il sursauta, surpris. Une vague de plaisir la parcourut ; quelque chose passa entre eux, plus puissant que la simple sensualité de l'instant, qui rendit ce moment intime, spécial.

—Eh bien, Richard, nous avons la preuve que le gui que vous avez trouvé est particulièrement efficace !

s'esclaffa l'oncle Horace. Freyja, la déesse de l'amour, serait fière de vous.

—Qui ? demanda Juliet, quelque peu distraite par les mains de Richard sur sa taille.

—Freyja, répéta oncle Horace. Selon les légendes anglo-saxonnes, c'est grâce à elle que l'on s'embrasse sous une boule de gui.

—J'ai toujours cru que c'était à cause d'un ancien mythe nordique, intervint Miss Hardie.

—Peu importe ! D'où qu'elle vienne, c'est une superbe tradition ! dit Horace en éclatant de rire. Allons, Harper, montrez-nous de nouveau comment faire.

Juliet se retourna vers le groupe en rougissant et sourit, son éternelle mèche rebelle devant les yeux. Elle tenta de la chasser d'un mouvement de la tête, et sentit les doigts gantés de Richard sur son visage. Il repoussa doucement les cheveux récalcitrants et lui caressa la joue avec plus de tendresse que jamais auparavant.

Il était souriant, mais la regardait avec une intensité qui lui donnait des frissons. Elle comprit alors qu'il n'était pas seul responsable de cet émoi.

Juliet soupira, consciente à cet instant précis qu'elle avait irrémédiablement abandonné son cœur à cet homme. *Je suis amoureuse.*

Elle s'aperçut que tout cela avait commencé longtemps auparavant, depuis qu'il avait pris sa défense contre son odieux beau-frère, puis pendant cette nuit de noces au cours de laquelle ils avaient partagé une telle extase. Juliet savait bien sûr qu'il était facile de confondre attirance charnelle et amour, mais c'était à travers leur correspondance qu'étaient nés son admiration et son respect pour son mari.

Cependant, il avait fallu attendre qu'ils soient réunis pour que ses sentiments se révèlent complètement.

Oh! oui, elle l'aimait.

Cette découverte la rendait heureuse et lui donnait de l'espoir. Un mariage était tellement plus réussi avec de l'amour! Juliet, protégée du froid par les bras de Richard, les lèvres encore humides de son baiser et le cœur battant, sentait qu'elle touchait presque du doigt son rêve : qu'un jour, cet homme l'aime aussi.

— « Le houx et le lierre, quand ils eurent poussé… », chanta alors James.

— « De tous les arbres de la forêt… », poursuivit son frère.

Bientôt, tous les convives se joignirent à eux – d'une voix assez fausse, pour beaucoup. Les chants de Noël se succédèrent pendant tout le trajet du retour et Juliet, entraînée par la bonne humeur ambiante, reprit elle aussi couplets et refrains à pleins poumons, la joue pressée contre l'épaule de Richard. Ce dernier ne chantait certes pas, mais il souriait et, alors qu'ils arrivaient en vue du manoir, Juliet l'entendit même fredonner.

Elle sourit. C'était un début.

Quand l'après-midi toucha à sa fin, Juliet en était venue à comprendre toute la portée du dicton : « Trop de cuisiniers gâtent la sauce. » Tout le monde semblait avoir une opinion bien arrêtée sur la décoration des pièces, de l'emplacement des branches jusqu'à la couleur des rubans.

L'oncle Horace était d'humeur maussade parce qu'il se piquait les doigts en posant le houx sur les cheminées, et le cousin Andrew manqua de tomber de l'échelle sur laquelle il était monté pour accrocher un rameau de sapin sur un tableau.

Richard s'était réfugié dans son bureau et, pour une fois, Juliet ne l'en blâmait pas. Quand ses deux tantes vieilles filles faillirent en venir aux mains pour savoir si l'on mettrait des clochettes argentées ou dorées sur les boules de gui, elle envisagea même de le rejoindre.

Dieu merci, tout le monde était de nouveau de bonne humeur quand vint l'heure du dîner, même si Juliet remarqua que les deux vieilles femmes s'installèrent chacune à un bout du salon lorsque les dames quittèrent la salle à manger afin de laisser les hommes savourer cigares et porto.

Ces derniers ne tardèrent pas à les retrouver. Fatigués par l'exercice et l'excitation, les convives se montrèrent silencieux et songeurs. Même George se taisait pour une fois, quoique son regard dérivât fréquemment en direction de Miss Hardie, qui faisait mine de ne pas le remarquer.

— Il est temps d'aller se coucher, annonça soudain l'oncle Horace. Ma chère Juliet, je suis sûr que vous nous avez préparé pour demain une liste longue comme le bras de choses à faire, et j'ai besoin de repos si je ne veux pas être ridicule à côté des membres les plus jeunes de notre groupe.

—Inutile d'essayer de lui donner des remords, oncle Horace, dit le cousin Andrew avec un sourire malicieux. Vous savez bien que Juliet adore voir les membres de sa famille se tuer à la tâche.

—Ce ne serait pas Noël si on ne faisait pas quelques efforts, jeune homme, le tança la tante Mildred. Tout n'apparaît pas par miracle, bien préparé, le jour du réveillon. (Elle se tourna vers Juliet.) Que ferons-nous demain ?

—Notre cuisinière aura besoin d'aide pour décorer les biscuits en pain d'épice, répondit Juliet, le regard pétillant. Cela dit, si c'est trop fatigant pour vous, ne vous en faites pas, elle comprendra. Les enfants accepteront peut-être de lui prêter main-forte.

—Ah ! Ils en mangeront plus qu'ils n'en décoreront, c'est certain ! ricana l'oncle Horace.

—Et pas vous ?

Tous éclatèrent de rire. L'oncle Horace feignit l'indignation, mais se joignit bien vite à l'hilarité générale. Ils se souhaitèrent bonne nuit, puis se dispersèrent.

—Vont-ils tous rêver de biscuits, maintenant ? demanda Richard tandis que Juliet et lui gravissaient l'escalier côte à côte.

—Sans doute. Le pain d'épice de notre cuisinière est légendaire. Attendez seulement d'y goûter.

—J'ai une autre gourmandise à l'esprit.

Juliet hoqueta. Elle sentait l'haleine de Richard dans ses cheveux quand il s'avança pour déposer un baiser sur sa tempe.

— De quel genre, exactement ? demanda-t-elle en essayant de s'approcher de lui.

— Permettez-moi de vous rejoindre dans votre lit ce soir et vous le saurez.

Une foule d'images sensuelles envahit son esprit : les larges épaules de Richard, sa poitrine musclée et son ventre plat baignés par la lueur des bougies… Elle avait l'impression de humer son odeur virile, de l'entendre gémir sous ses caresses, souffler contre sa tempe…

Elle le vit l'embrasser délicatement, imagina ses mains puissantes glisser sur sa peau nue, enflammant de désir chacun de ses nerfs, lui caressant les seins…

Elle sentit tout son poids, la plénitude qui semblait toucher jusqu'à son âme quand il s'immiscerait en elle…

Juliet ferma un instant les yeux.

— Vos préservatifs…, murmura-t-elle.

— Resteront dans ma chambre. Il y a d'autres façons de se donner du plaisir.

De nouvelles visions érotiques apparurent, ardentes, dévorantes.

— Je… D'accord.

Richard sourit, visiblement soulagé. Avait-il vraiment cru qu'elle se refuserait à lui ? Ils se dirigèrent en toute hâte vers les appartements de la jeune femme, et aussitôt entrée dans la pièce, Juliet congédia sa domestique sans même se formaliser du petit sourire entendu de cette dernière.

Juliet s'avança vers sa coiffeuse et, les mains tremblantes, entreprit d'ôter les épingles de ses cheveux. Elle observa dans le miroir Richard dénouer sa cravate, ôter sa veste et son gilet, et laisser tomber le tout au sol. Sa chemise, son pantalon et ses sous-vêtements suivirent bientôt le même chemin.

Ma foi, il est bien pressé.

— Laissez-moi vous aider, dit-il en venant se placer derrière elle.

Richard défit prestement les boutons qui descendaient le long du dos de sa robe et la déshabilla tandis qu'elle le regardait faire, impuissante. Très vite, plus aucun vêtement ne les sépara.

Juliet se retourna vers lui, et il lui prit le visage ; ses yeux brûlaient comme des braises. La jeune femme, un peu embarrassée, se cramponna à son bras.

Il fallait chérir de tels moments. Une fois les vacances terminées, Richard rentrerait à Londres, peut-être pour plusieurs mois. Juliet se força à oublier cette déprimante pensée. Ce soir-là, il était devant elle et la désirait presque autant qu'elle le désirait lui.

Et si les choses s'arrangeaient entre eux, qui sait ce qui pourrait arriver ? Richard demeurerait peut-être plus longtemps ou, mieux encore, ne partirait pas du tout.

Elle pressa ses seins contre le torse de Richard tandis qu'une merveilleuse chaleur l'envahissait. Elle le serra dans ses bras et fit courir ses mains le long de son dos.

Juliet s'apprêtait à suggérer qu'ils se rendent dans son lit quand Richard se pencha, la fit basculer et la souleva dans ses bras pour lui faire traverser la pièce. Elle ne distinguait pas son visage dans l'obscurité, mais vit ses dents briller. Il souriait.

Il l'étendit sur le dessus-de-lit en soie, alluma la bougie de la table de nuit et s'allongea à côté d'elle. Juliet se délecta de la façon dont il la dévorait des yeux. Peu importait ce qui se passait entre eux, elle ne douterait jamais de la passion et du désir de cet homme.

Richard déposa un baiser sur sa joue, puis descendit lentement vers son épaule tandis qu'il parcourait des mains sa peau brûlante. Il la touchait absolument partout, avec ses doigts, ses lèvres, sa langue. Elle se tordit de plaisir et sentit qu'il lui écartait les jambes.

Il lui embrassa le ventre, et les muscles de ses cuisses se contractèrent au fur et à mesure qu'il descendait. Elle savait ce qu'il avait en tête et, pudiquement, résista.

— Richard, je ne suis pas sûre que…

— Chut… tout va bien. Laissez-moi faire.

Il la caressa lentement, frôlant les poils de son entrejambe. Lentement, Juliet s'abandonna complètement à lui.

Les yeux fermés, le souffle court, elle attendit.

Il posa les mains sur ses hanches pour l'immobiliser, lécha doucement l'intérieur de ses cuisses et s'interrompit pour souffler doucement sur sa peau, ce qui provoqua de délicates sensations.

Il reprit ensuite cette torture, une lente exploration de son corps. À chaque baiser, il se rapprochait davantage de son sexe. Juliet sentait son corps prendre vie. Elle se cambra, avide de connaître la délivrance que ses lèvres lui promettaient.

— Richard, je vous en supplie…, haleta-t-elle.

— Vos désirs sont des ordres, ma chère.

Richard frotta délibérément son menton râpeux contre la peau délicate de ses cuisses et glissa la langue dans son intimité brûlante.

Juliet crut devenir folle. Elle lui attrapa les cheveux, sans vraiment savoir si elle voulait le repousser ou l'attirer à elle. Il suffit alors d'un coup de langue pour qu'elle crie sans retenue, parcourue par une vague de désir.

Elle se sentait humide, au bord de la jouissance. Richard la lécha de plus belle.

Juliet souleva les hanches en gémissant ; il ne lui manquait qu'un peu plus de pression là… et là… Richard, qui semblait avoir compris sa frustration, lui prit les fesses et la pressa contre lui.

Il n'en fallut pas davantage à Juliet. Elle sanglota son nom, emportée par les spasmes, les cuisses tremblantes. Richard resta avec elle jusqu'au dernier frisson, ses baisers se faisant progressivement plus doux.

Comblée, éreintée, Juliet se laissa retomber sur le matelas et, peu à peu, sa respiration s'apaisa.

—Satisfaite ? demanda Richard, le regard brillant.

Juliet rougit. Cet abandon total n'était pas digne d'une dame. Elle l'embrassa voluptueusement, et sentit la preuve irréfutable de son désir se coller contre son ventre.

Elle descendit la main le long du torse de Richard et le caressa. Richard changea de position en gémissant pour qu'elle puisse aller plus bas et la guida fiévreusement vers son érection.

Elle empoigna sa verge et la serra fermement.

— Mon Dieu, Juliet! s'écria Richard en sursautant.

Juliet répéta en riant les mots qu'il lui avait chuchotés un instant auparavant.

— Chut, Richard, tout va bien. Laissez-moi faire.

Elle ferma les yeux et le caressa doucement, savourant pleinement son poids, sa taille.

Juliet laissait ses doigts s'attarder sur chaque point sensible dès que Richard gémissait. Elle couvrit son torse de baisers, de sa gorge jusqu'à son nombril. Son pénis grossit encore, et une goutte perla à son extrémité.

Juliet se lécha les lèvres, prête à le prendre dans sa bouche pour faire jouir Richard, mais elle découvrit qu'il avait autre chose en tête.

— Comme ceci, chuchota-t-il.

Il la maintint contre le lit. Juliet le regarda, confuse, mais il l'embrassa au creux du cou et tout se mit à tourner. Elle lutta pour ne pas fermer les yeux. Elle voulait voir tout ce qui se passait dans ces iris si bleus.

Richard se mit à cheval au-dessus du ventre de Juliet, glissa sa verge entre ses seins, et elle comprit alors ce qu'il voulait.

— Comme ceci, mon cher? susurra-t-elle en les pressant l'un contre l'autre, son propre désir réveillé.

Ils se regardèrent en haletant. Richard posa les mains sur les tétons de Juliet, durcis par l'excitation, et bientôt les gémissements de la jeune femme se mêlèrent aux siens.

En sueur, faisant de son mieux pour se maîtriser, il donna un coup de reins. Juliet n'arrivait pas à croire à quel point sentir cet homme au corps ferme et tendu s'appuyer frénétiquement contre sa poitrine, les yeux embrumés par la passion, pouvait être sensuel.

Il accéléra l'allure ; ses fesses, en effleurant les côtes de Juliet, provoquaient en elle des sensations terriblement érotiques.

La tension grimpa, grimpa encore jusqu'à ce que Richard pousse un grondement rauque et se mette à frissonner. Juliet cria elle aussi quand elle sentit le liquide chaud jaillir sur sa peau. Les bras serrés autour de sa taille, elle eut soudain envie de dire à cet homme qu'elle l'aimait, mais elle se retint de justesse, craignant qu'il n'apprécie guère cette déclaration.

Il resta un moment allongé sur elle, le silence seulement troublé par leurs halètements, puis roula sur le dos. Juliet se sentit aussitôt seule, gelée. Elle se tourna pour l'embrasser, mais il avait déjà quitté le lit.

Elle l'entendit se laver devant la cuvette, à l'autre bout de la pièce. Il revint ensuite vers elle, et la nettoya doucement avec une serviette humide tout en lui embrassant les épaules et le cou.

Puis, d'un geste, il lança le linge qui atterrit dans la vasque avec un clapotement.

— Vous ai-je déjà dit que vous êtes une femme extraordinaire et très excitante ? demanda-t-il en s'allongeant à côté de Juliet.

— Non, mais vous avez fait bien mieux : vous me l'avez montré.

— J'adore être incapable de vous choquer… enfin, pour l'instant. Je vais devoir faire des efforts.

— Mon ardeur ne vous dérange pas ? interrogea Juliet.

—Pas le moins du monde.

—Vraiment?

—Juliet, votre caractère passionné m'impressionne. Vous n'avez pas honte de votre désir – ce qui me fascine – et j'espère que ça ne vous arrivera jamais. Pour être honnête, je souhaite de tout mon cœur que vous deveniez encore plus aventureuse et inventive.

De tout son cœur? Bonté divine! Juliet savait qu'elle aurait dû être offusquée par une telle déclaration, mais elle appréciait l'honnêteté de Richard.

—Je veux que notre relation ne se cantonne pas au sexe, bredouilla-t-elle.

—Moi aussi, répondit Richard, sa voix guère plus forte qu'un murmure.

Juliet ne doutait pas de sa sincérité, mais ses paroles ne lui apportèrent pas la paix qu'elle désirait tant. Vouloir quelque chose était facile, y parvenir beaucoup moins.

Chapitre 12

Cela faisait une heure que Richard avait connu l'extase, et il n'arrivait pas à trouver le sommeil. Allongé, il regardait Juliet, qui dormait, les poings fermés. Elle avait repoussé les couvertures sur ses hanches et il distinguait clairement ses courbes harmonieuses sous sa chemise de nuit.

Richard se força à contempler le plafond. Il se rappelait le goût de sa peau, le poids de ses seins, sa respiration saccadée…

S'il avait été sexuellement comblé, il en voulait davantage, une prise de conscience qui lui donnait l'impression d'être extrêmement vulnérable. Richard avait envisagé ce mariage comme une collaboration, mais il était évident que chacun des deux partis avait laissé ses émotions s'y immiscer.

Il voyait bien que, si Juliet se délectait de leurs tête-à-tête, pour elle ils ne se limitaient pas au sexe. L'intensité avec laquelle elle se consacrait à cette dernière activité trahissait la force de ses sentiments.

L'aimait-elle ? Pendant un instant, cette pensée l'emplit de joie. Après tout, n'était-ce pas ce que tout mari espérait de son épouse ?

Mais qu'en était-il de lui ? Richard grimaça. Il admettait ressentir quelque chose pour Juliet. De l'amour ? Non, il ne l'aurait pas défini ainsi, et c'était bien ce qui le préoccupait. Il n'avait aucune envie de la faire souffrir, bien au contraire.

Il voulait la protéger, la rendre heureuse et, pour l'instant, il ne voyait qu'un moyen d'y parvenir : continuer à gagner de l'argent, rester un homme d'affaires important, une tâche qui lui demandait tout son temps, toute son attention. Il ne pouvait se laisser distraire par ses sentiments, or c'était précisément ce que Juliet espérait de lui.

Elle poussa un petit grognement satisfait et se rapprocha de lui, sans doute en quête de chaleur. Dans le cœur de Richard, la peur succéda à la tendresse. Était-il capable d'offrir à cette femme le bonheur qu'elle méritait ?

Quelque chose en Juliet l'appelait, une sensation dont il n'aurait jamais soupçonné l'existence. Serait-il capable de répondre ? Et que dire de ses enfants ? Réussirait-il à leur ouvrir son cœur ?

Déboussolé, Richard sortit du lit, ramassa ses vêtements en frissonnant et regagna sa chambre sans un bruit.

Il comprit très vite qu'il n'y dormirait pas mieux. Assis devant sa cheminée, il regarda mourir le feu en vidant consciencieusement une bouteille entière de whisky – un acte stupide qu'il regretta dès le lendemain matin.

Le soleil lui faisait mal aux yeux, il avait un goût abominable dans la bouche et son crâne bourdonnait. Assis dans son lit, Richard attendit que la pièce cesse de tourner pour se lever.

La porte de la chambre s'ouvrit brusquement. *Hallet, sans doute.* Richard ferma les yeux pour s'éclaircir les idées et, quand il les rouvrit, ce fut George qu'il trouva au pied du lit en lieu et place de son valet.

—Vous ne pouviez pas attendre que je descende pour le petit déjeuner? grogna Richard.

—À une heure pareille? (George s'installa dans un fauteuil, près de l'âtre.) Puisque vous êtes le maître de ces lieux, je suppose que la cuisinière vous préparera des œufs, du hareng ou ce qui vous plaira, mais sachez qu'on va bientôt servir le déjeuner.

—Pardon?

Richard chercha à tâtons sa montre sur la table de nuit et la consulta, l'air hagard. George avait raison: il était midi passé.

—Pourquoi personne ne m'a réveillé?

—Votre valet a essayé, plus d'une fois, de même que votre épouse… (George sourit.)… sans succès, on dirait.

Richard regarda son ami en fronçant les sourcils, ce qui lui fit encore plus mal au crâne. Il se rendit dans sa salle de bains en titubant, vida le contenu du broc dans le bassin en porcelaine et y plongea entièrement la tête.

Irrité de trouver l'eau encore tiède – grâce à son efficace serviteur – Richard ne se sentait qu'à peine mieux quand il émergea. Il décida d'ignorer les coups de massue qui résonnaient entre ses tempes et se sécha les cheveux. Il entreprit ensuite de se laver et de se raser, puis retourna dans sa chambre avec un besoin impérieux de café.

Hélas, il n'y trouva que George. Richard tira furieusement sur le cordon de sa sonnette, et Hallet apparut quelques secondes plus tard.

— Dois-je aussi servir un petit déjeuner à lord George ? demanda l'homme quand Richard lui eut donné ses instructions.

— Non.

— Si, dit George au même moment.

Hallet attendit, un sourire aux lèvres.

— Apportez une très grande cafetière, et une tasse pour lord George, transigea finalement Richard.

— Entendu, monsieur.

— Vous êtes d'une humeur exécrable aujourd'hui, remarqua George. Vous faites-vous du souci à cause de la visite de Dixon ?

— Non, mentit Richard.

— Vous ne devriez pas, vous savez.

— J'ai dit non.

— Et ce n'était pas la vérité. Je parie qu'une demi-heure après son arrivée, vous vous enfermerez tous deux dans votre bureau pour discuter de votre partenariat. Nous aurons de la chance si nous vous voyons au dîner.

— N'exagérez pas, George. Ce sont aussi des vacances pour sa femme et lui. L'occasion de profiter d'un Noël à la campagne.

— Richard Harper en maître de cérémonies qui entonne des chants de Noël, taille le sapin et danse le quadrille, voilà un spectacle que je ne manquerais pour rien au monde.

On frappa à la porte avant que Richard puisse répondre et Hallet entra, un plateau en argent dans les bras. Il déposa ce dernier sur une petite table près de la fenêtre et se retira silencieusement dans la garde-robe.

Richard, dont le mal de crâne s'était mué en martèlement sourd, apprécia à sa juste valeur les manières discrètes de son valet. Si seulement George pouvait se taire, il arriverait peut-être à se sentir de nouveau humain.

Il se versa une tasse de café, y ajouta une grande cuillère de sucre et but une longue gorgée.

Un goût atroce se répandit dans sa bouche, l'étranglant presque. Penché sur le plateau, il recracha l'infâme liquide et arrosa au passage le toast qui s'y trouvait.

— Mon Dieu, Richard, qu'y a-t-il ? s'écria George en se levant d'un bond.

Richard se contenta de secouer la tête, incapable de répondre. Sa langue le brûlait, et il avait l'impression d'avoir la bouche remplie de paille. Il prit un coin de toast encore sec, mordit dedans et mâcha lentement pour faire passer l'horrible goût.

— Essayez de boire votre café, croassa-t-il.

George le regarda avec méfiance, porta la délicate tasse de porcelaine à ses lèvres et sirota une petite gorgée.

— Un peu trop chaud, mais il est plutôt bon.

Richard lui prit le récipient et le renifla avec méfiance. Il trempa un doigt dans le sombre breuvage, le mit dans sa bouche et une amertume familière se répandit sur sa langue. *Du café, sans sucre.*

Il contempla le plateau, déconcerté… et comprit soudain en regardant le sucrier en argent. George buvait son café noir. Richard prit une pincée de poudre blanche et la goûta.

Par tous les diables, du sel.

— On dirait que les garçons ont encore frappé, grogna-t-il.

George lui céda sa tasse sans un mot et Richard avala son contenu d'une traite. Il préférait tout de même son café sans sucre que salé.

— J'ai comme l'impression que votre petite aventure dans les bois, hier, n'était pas un accident. Que s'est-il passé ?

— Edward et James m'ont conduit jusqu'aux chênes, puis ont disparu pendant que je ramassais le gui.

— Mais comment avez-vous retrouvé votre chemin ?

— Par chance, admit Richard, qui se demandait bien pourquoi il avait envie de sourire. Et puis je ne pouvais supporter l'idée de me faire ridiculiser par deux enfants.

— Mon frère et moi avons connu une période semblable, avec notre père. Quelle belle époque… Nous avons mis de la colle sur le fauteuil de son bureau, ce qui a sonné le glas de sa culotte de cheval préférée, glissé dans son lit un lézard qui a décidé de se réfugier entre ses jambes – les cris de mon géniteur ont failli faire mourir de peur les domestiques –, enduit la rampe d'escalier de graisse, mis de l'eau dans son brandy… (George se laissa aller en arrière dans son siège, les mains derrière la tête.) Un jour que nous étions particulièrement remontés contre lui, nous l'avons même dilué avec un liquide… disons d'origine corporelle.

— Mon Dieu, vous avez uriné dans son brandy ?

— Directement dans le pichet, sans faire tomber une seule goutte sur le tapis. Ce fut un grand moment pour nous.

— Et qu'a fait votre père ?

— À ma connaissance, il n'a jamais rien remarqué en ce qui concernait son brandy. Pour le reste, il nous faisait tous les soirs, au cours de la demi-heure qui précédait le dîner – le dernier moment de la journée où nous le voyions –, un compte-rendu de ses dernières mésaventures. Chaque fois, il se demandait à haute voix qui pouvait bien être responsable de tours aussi pendables. Pourtant, il ne nous a jamais posé de questions directement, ni ne nous a accusés de quoi que ce soit.

» Nos facéties ont toujours semblé l'amuser, ce qui ne manquait pas de stimuler notre imagination : nous avons passé bien des nuits à élaborer des farces toujours plus outrancières. Nous avons fini par comprendre qu'il les attendait avec impatience, chose qu'il n'a avouée que des années plus tard.

— Et quand avez-vous finalement mis un terme à ces idioties ?

—Quand Lawrence est parti pour le pensionnat. C'était beaucoup plus difficile et nettement moins amusant de faire ces plaisanteries tout seul.

—Je ne vois pas ce qu'elles avaient de drôle au départ, dit Richard en se servant une nouvelle tasse de café.

—Si vous voulez mettre fin à ces tours, il faut contre-attaquer, reprit George avec un sourire machiavélique. Je suis sûr que nous pouvons trouver d'horribles insectes dans les parages. Une monstruosité noire et rampante sur un dessus-de-lit bien propre suffit à terroriser même le plus endurci des garçons. Ou alors, que dirais-tu de glisser quelques miettes dans leurs lits ? Elles attireront une armée de fourmis en un rien de temps.

Par tous les diables, c'était ridicule ! Richard se massa énergiquement la nuque. Pas question de se lancer dans une guerre sans fin contre les fils de Juliet, surtout avec le travail qui l'attendait.

—Je vais ignorer ces bêtises, déclara-t-il. Il est évident que ces deux garçons veulent me montrer qu'ils ne m'aiment pas, et je ne vais pas leur faire le plaisir de me mettre en colère. Ils ont perdu.

—C'est une grave erreur. Si vous faites comme si de rien n'était, ils vont redoubler d'efforts pour attirer votre attention.

—Je suis prêt à en prendre le risque, répondit Richard, secrètement inquiet que son ami ait raison. Et puis si ça ne marche pas, je pourrai toujours envoyer Edward en pension.

— C'est un peu cruel, il ira bien assez tôt, à ses douze ans.

Richard haussa les épaules. Il enfila le pantalon anthracite et la chemise blanche que Hallet avait posés sur le lit, puis s'apprêta à mettre ses chaussures en cuir noires, ses préférées.

Il se figea. Son pied baignait jusqu'à la cheville dans une substance gluante.

— Bon sang !

— Qu'y a-t-il encore ? demanda George.

— On a mis quelque chose d'humide dans mon soulier.

— Grands dieux ! (George se pencha et renifla profondément.) Ça ne sent pas mauvais.

— C'est déjà ça. Regardez dans l'autre et dites-moi ce que vous y trouvez.

Moyennement enchanté par cette requête, George ramassa la seconde chaussure et l'examina attentivement.

— Du porridge, annonça-t-il.

— Les petits voyous.

Richard se détendit légèrement : au moins, ce n'était pas du fumier.

— Vous êtes sûr que ce n'est pas un coup de Hallet ? interrogea George en reposant prudemment la chaussure. Votre absence totale de goût pour tout ce qui concerne la mode lui donne des cheveux blancs. Vous n'avez jamais remarqué comment il baisse la tête quand vous ignorez ses conseils ?

— Hallet adore le défi que je représente, et aime encore plus le salaire que je lui verse. Il m'habillerait comme un dandy si je le laissais faire. Et puis c'est lui qui va devoir nettoyer tout ça maintenant, une tâche que je ne lui envie pas.

— Un homme intelligent agirait ainsi pour vous lancer sur une fausse piste.

— Hallet ! cria Richard.

— Oui, monsieur ? fit le valet en émergeant de la garde-robe.

— Avez-vous versé du porridge dans mes souliers ce matin ?

— Je vous demande pardon ?

— Vous l'avez bien entendu, intervint George. Quelqu'un a rempli les chaussures de Mr Harper de porridge, et nous nous demandons si ce n'est pas une plaisanterie de votre invention.

Le domestique s'avança dans la chambre, la main sur la poitrine.

— Saccager de si belles choses n'a rien d'amusant ! Vous vous moquez sûrement de moi, monsieur !

— Hélas non, répondit Richard. Il y a bien une quantité considérable de cet aliment dans mes chaussures, même si, pour ma part, je ne vous soupçonne pas une seule seconde.

Malgré son irritation initiale, Richard commençait à voir l'humour de la situation. Edward et James étaient particulièrement intrépides ; il le fallait pour s'introduire ainsi dans sa chambre pendant qu'il dormait.

— Veuillez m'excuser, Hallet, c'était ridicule.

L'expression guindée du valet s'adoucit légèrement. Il regarda alors les chaussures de Richard et courba l'échine, comme si on venait de lui déposer un fardeau colossal sur les épaules.

— Je vais vous chercher une autre paire, monsieur, ainsi que des chaussettes propres, soupira-t-il.

Nettoyer ses chaussures serait très compliqué, mais Richard espérait tout de même qu'elles pourraient être sauvées. C'était de loin les plus confortables qu'il possédait.

Le soleil entrait à flots par ses fenêtres ; la journée était apparemment magnifique. Richard se demandait néanmoins, vu la façon dont elle avait commencé pour lui, s'il n'était pas plus sage de regagner son lit, rabattre les couvertures sur sa tête et attendre la suivante.

Munie d'une fourchette en argent, Juliet s'apprêta à attaquer son poisson, le dernier plat du dîner. Ce repas pourtant soigneusement préparé afin d'impressionner les Dixon se révélait être une épreuve.

Il n'y avait pas eu de silences gênants et les convives se montraient très polis, mais tout semblait un peu forcé. La chaleureuse camaraderie qui avait jusque-là uni ses invités s'était clairement envolée.

Juliet était intriguée par ce changement et désolée de la tension qui flottait dans la salle à manger. Elle s'était toujours considérée comme une hôtesse exemplaire, douée pour mettre tout le monde à l'aise et entretenir les conversations.

Mais ce soir-là, elle n'y parvenait que très modérément, ce qui la perturbait au plus haut point. La visite de Mr Dixon était très importante pour Richard, et elle voulait que tout soit aussi réussi que possible.

Le menu était raffiné, la nourriture sophistiquée et bien préparée, les vins étaient variés et nombreux. Juliet avait décoré la table avec des rameaux de sapin, choisi sa porcelaine la plus fine, son argenterie la plus lourde, ses verres en cristal les plus délicats et avait fait éclairer la pièce par des bougies.

Juliet comprenait qu'il était difficile pour Mrs Dixon de retenir tous les noms et les visages de l'assemblée, mais honnêtement, cette femme ne faisait pas beaucoup d'efforts. Elle ne parlait que quand on lui posait directement une question, et toujours avec un minimum de mots.

Sa réticence horripilante contrastait avec l'attitude de son mari. Ce dernier s'exprimait d'une voix tonitruante qui résonnait dans toute la pièce et venait interrompre les autres conversations – ce qui n'aurait pas été bien grave si ses paroles n'avaient pas été ennuyeuses et vulgaires.

Mr Dixon, comme tout le monde le découvrit très vite, aimait parler d'argent – le sien, celui qu'il convoitait, et ce qu'il gagnait de plus que ses concurrents. C'était très grossier, mais il était impossible de l'arrêter. Changer de sujet se révéla peine perdue, car l'homme avait un talent fascinant pour toujours ramener la conversation à ce qui l'intéressait.

Juliet comprenait sans mal que Mr Dixon ait réussi dans les affaires : il était l'opiniâtreté incarnée. Elle ne pouvait s'empêcher de le comparer à son mari.

Richard était lui aussi tenace, mais d'une façon bien plus subtile, plus raffinée, et qu'elle pouvait apprécier – contrairement aux fanfaronnades sans fin de son potentiel associé.

Richard écoutait Mr Dixon mais se montrait plutôt nonchalant. Un œil extérieur n'aurait jamais deviné à quel point l'estime de cet homme comptait pour lui.

Juliet continua à observer son mari, sans cesse plus admirative. Richard la regarda soudain dans les yeux et lui adressa un sourire suggestif.

Paralysée, le cœur battant, elle sentit le rouge lui monter aux joues.

Il n'a donc pas oublié la nuit dernière.

Juliet avait été très déçue de se réveiller seule, surtout quand elle avait trouvé Richard affalé sur son lit dans une chambre qui empestait le whisky.

Quelque chose l'avait troublé, c'était évident. Elle pensa tout d'abord que c'était la visite des Dixon, mais décida en y réfléchissant davantage qu'il y avait autre chose. Quoi que ce fût, elle voulait que Richard partage ses tourments avec elle, autant que ses pensées, ses espoirs et ses secrets.

Peut-être que ce soir…

—N'est-ce pas vrai, Juliet ? demanda l'oncle Horace.

—Oh, si, répondit-elle précipitamment, en espérant qu'il s'agissait d'une question innocente.

Elle sourit aux convives rassemblés à son extrémité de la table, et Mrs Dixon la regarda, la mine revêche. Grands dieux, elle n'était vraiment pas très agréable.

Juliet se demanda soudain si Mrs Dixon n'était pas tout simplement très timide. Peut-être aurait-elle été plus à son aise avec un visage familier à proximité ? Hélas, George était l'unique convive qu'elle connaissait, et Richard avait bien précisé que lord Moffat devait rester aussi loin d'elle que possible, sans doute de peur qu'il ne tente de la séduire. Juliet n'aurait pas été étonnée de voir l'homme se lancer dans une telle entreprise.

Beaucoup moins étonnée en tout cas que de surprendre un sourire chez Mrs Dixon. Cette femme aurait pu changer l'eau en glace par la seule force de son regard.

Elle était très jolie, avec des cheveux blonds et des yeux bleu clair, ce qui rendait d'autant plus regrettable son manque de personnalité. Juliet ne voyait vraiment pas ce qu'un homme aurait pu lui trouver d'intéressant – mais bien sûr, certains préféraient les femmes jolies et muettes.

Un valet lui demanda si elle avait terminé son plat, et elle lui fit signe de débarrasser son assiette. À l'autre bout de la table, George lui adressa un imperceptible haussement de sourcils comme pour signifier : « Je vous l'avais bien dit. » En effet, lord Moffat n'avait pas eu tort quand il lui avait annoncé que les Dixon n'étaient pas les plus aimables des convives.

— Mesdames, je vous propose de nous retirer dans le salon pour laisser ces messieurs à leur porto et à leurs cigares, annonça-t-elle.

Les dames approuvèrent, et Juliet les entraîna hors de la salle à manger. On leur servit alors du thé et toutes se lancèrent dans d'agréables discussions – à une exception près.

Mrs Dixon refusa la tasse qu'on lui tendait et resta bien droite dans sa chaise, les yeux rivés sur la porte. Juliet se creusa désespérément les méninges pour trouver un sujet de conversation qui pourrait l'intéresser.

— Vous montez à cheval, Mrs Dixon ? demanda-t-elle.

— À l'occasion, mais je suis très exigeante quant au choix de ma monture, répondit la femme avec dédain.

— Nous avons de belles écuries. Je suis sûre que nous trouverons une bête qui vous conviendra.

Était-elle morose, ou particulièrement peu sociable ?

— Prenez un biscuit au pain d'épice, dit Juliet en lui tendant un plateau en argent. Nous avons passé une bonne partie de la journée à les décorer – enfin, ces messieurs et les enfants les ont surtout dévorés.

Les autres dames gloussèrent et hochèrent vivement la tête.

— Je ne mange rien de sucré, c'est désastreux pour la silhouette.

— Quel dommage, murmura Juliet en offrant le plateau à Miss Hardie qui, à sa vive satisfaction, déposa deux biscuits dans son assiette.

— Le grand air m'ouvre l'appétit, se justifia la secrétaire en croquant la tête de l'un des personnages en pain d'épice.

—J'ai toujours détesté la campagne, répondit Mrs Dixon avec une calme hostilité.

Juliet espéra tout d'abord qu'elle plaisantait, mais l'expression fermée de son visage lui apprit qu'il n'en était rien.

—Dans ce cas, il est de notre devoir de vous faire changer d'avis, déclara-t-elle d'un ton faussement enjoué, décidée à rester amicale même si on la provoquait.

Les messieurs firent leur entrée. Accaparé par Mr Dixon, Richard ne regarda pas Juliet, mais lord George vint immédiatement s'asseoir à ses côtés, un sourire aux lèvres.

—Vous vous amusez bien?

—Pas vraiment. Pourquoi ne m'avez-vous pas parlé de Mrs Dixon?

—Qu'y a-t-il à en dire? Elle a tout le charme et tout l'esprit d'une plante verte. Elle n'a aucune espèce de titre mais se comporte comme une reine. Vous n'auriez rien gagné à le savoir plus tôt.

—Probablement. (Juliet arracha d'un coup de dent une jambe de son biscuit.) Au moins, vous ne m'avez pas caché ce que vous pensiez de son mari.

—Son absence totale de bonnes manières est la première chose que l'on remarque chez lui, mais ne vous y trompez pas: sous ses dehors grossiers, c'est un homme très intelligent, impitoyable, puissant et extrêmement influent.

—Vous pensez que Richard a tort de vouloir s'associer avec lui?

— Richard a un sens des affaires et un instinct sans pareils, et je suis sûr qu'il ne se fait pas d'illusions sur cet homme. (George baissa la voix.) J'espère seulement que la réussite de Dixon ne troublera pas le jugement de notre ami.

Juliet cessa de mâcher, terrifiée à l'idée que Richard puisse être victime des manigances de Dixon.

— Dites-moi, Juliet, quelle grande aventure nous avez-vous préparée pour demain ? demanda avec une certaine avidité l'oncle Horace.

— Je crois qu'il est temps d'aller chercher la bûche de Noël, répondit Juliet.

— Une bûche ? s'enquit Mr Dixon, intéressé. Que c'est pittoresque !

— C'est une tradition que nous prenons très au sérieux, expliqua Juliet avec un léger sourire. Celle que nous avons choisie cette année vient d'un arbre que nous avons abattu il y a plusieurs mois afin qu'elle ait eu le temps de sécher. Nous la brûlerons au cours du réveillon, mais comme nous avons déjà un sapin à décorer ce jour-là, nous la rapporterons au manoir demain. J'espère que votre épouse et vous-même vous joindrez à nous.

— Avec grand plaisir ! s'écria son hôte. C'est très généreux de votre part de nous inviter.

Mrs Dixon était loin de faire preuve du même enthousiasme que son mari, mais Juliet refusa de laisser sa mine renfrognée gâcher sa petite victoire. Faire plaisir à cet homme profitait à Richard, et elle savait désormais qu'elle était prête à tout pour obtenir l'attention et l'estime de son époux.

Chapitre 13

$\mathcal{L}$e lendemain matin, la cour des écuries se retrouva envahie par une foule turbulente dont la bonne humeur défiait le froid. Apparemment, rapporter cette bûche était une nouvelle occasion pour les invités de se réjouir – comme à vrai dire à peu près tout à cette période de l'année.

Deux robustes valets d'écurie sortirent un cheval de trait entièrement harnaché qui, comme le devina Richard, serait chargé de traîner la bûche. *Mais quelle taille peut bien faire cette chose s'il faut une telle bête pour la transporter?*

Et quelle distance parcourraient-ils, si tout le monde devait monter à cheval? Richard regarda avec dégoût les autres animaux présents dans la cour. Ils étaient tous grands, en bonne santé, et débordaient de la même énergie que les enfants – et que quelques-uns des adultes – rassemblés autour d'eux.

Richard ne montait pas souvent, n'avait aucun talent pour cela et n'était pas du tout pressé d'enfourcher l'une de ces créatures. Il crut être sauvé quand il vit qu'on préparait deux voitures, mais comprit quand les convives les plus âgés s'y engouffrèrent qu'il aurait l'air complètement ridicule s'il se joignait à eux.

Aucune échappatoire : il devait monter à cheval.

Cherchant à retarder l'inévitable, il se fraya un chemin entre les montures et les invités pour retrouver sa femme. Il congédia le valet d'écurie d'un geste et mit les mains en coupe pour offrir un marchepied à Juliet. La jeune femme sourit, y posa un pied botté et se hissa sur sa monture.

— Merci, dit-elle en arrangeant sa robe.

— Tout le plaisir est pour moi.

Elle le regarda sous le bord de son chapeau, et Richard ne put s'empêcher de sourire comme un idiot. Il avait eu l'intention de rejoindre Juliet dans son lit, la veille, mais Dixon avait voulu jouer au billard et parler affaires jusqu'à une heure avancée.

Richard regrettait maintenant de l'avoir préféré à son adorable épouse. Il lui suffisait de plonger ses yeux dans les siens pour sentir toute la force de leur passion.

— À moi ! s'écria Lizzy, les bras tendus.

Il se tourna vers Juliet, perplexe.

— Lizzy veut monter avec moi au lieu de prendre la calèche, expliqua-t-elle. Voulez-vous bien me la passer, je vous prie ?

La petite fille avança d'un pas, comme si elle avait senti sa réticence. Pour ne pas se laisser le temps de songer à la douleur sourde dans sa poitrine, Richard la souleva prestement, surpris par son poids. Grands dieux, elle était légère comme une plume.

Afin de dissimuler les étranges émotions qui l'avaient assailli quand l'enfant avait sauté dans ses bras,

Richard poussa un grognement théâtral, comme si elle était trop lourde pour lui. Comme il l'avait prévu, cela la fit éclater de rire.

—Vous avez mangé trop de biscuits… et de gâteau à la crème… et de petits pains. Je crois que je me suis fait mal au dos.

Lizzy rit de plus belle.

Richard se rendit alors compte que presque tout le monde était à cheval, prêt à partir. *Satanées traditions de Noël!* Il s'approcha en maugréant de l'étalon impatient qu'on avait choisi pour lui.

Par miracle, il parvint à monter sur l'animal sans avoir l'air complètement ridicule. Assis bien droit sur sa selle, il prit les rênes et vint se placer à côté du cheval de Juliet. Lizzy lui fit de grands signes de la main, comme si elle ne l'avait pas vu depuis des années.

Richard observa le groupe, surpris de reconnaître autant de visages. Il remarqua James et Edward qui conversaient à voix basse, penchés l'un vers l'autre, mais ils se séparèrent dès qu'ils se sentirent observés. Richard éprouva aussitôt les sangles de sa selle. Il n'avait été la victime d'aucun mauvais tour depuis la veille, mais il préférait demeurer sur ses gardes.

Tous se mirent en route, les plus jeunes en tête. Ils descendirent au petit galop la pente herbeuse qui menait à la forêt. Si les calèches réussirent à les suivre pendant un bon moment, elles furent forcées de s'arrêter quand le chemin devint trop étroit.

—Nous serons bientôt de retour! cria Juliet à leurs passagers.

Les bois se firent bientôt plus denses, baignés d'une lueur irréelle par les rayons de soleil qui parvenaient à passer à travers les branches dénudées. Tandis que le sentier serpentait, Richard se préoccupa principalement de rester sur sa selle, content que le manque d'espace oblige les bêtes à avancer au trot.

Ils débouchèrent dans la clairière où les attendait la bûche de Noël. Richard descendit prudemment de cheval et accrocha ses rênes à une branche, puis aida Lizzy à descendre. La petite fille partit rejoindre les autres enfants en courant dès que ses pieds touchèrent le sol.

Juliet sauta sans aide à bas de sa monture. Elle avait les joues roses, les yeux rayonnants de joie ; il ne l'avait jamais trouvée aussi belle. Sans prêter attention aux autres, il lui enlaça la taille et l'embrassa avec autorité. Il la sentit tout d'abord résister, surprise, puis se laisser aller contre lui en gémissant.

Il prit alors conscience qu'on murmurait autour d'eux : tout le monde attendait Juliet. Il mit fin à leur baiser à contrecœur, secrètement flatté par le petit cri désolé qu'elle laissa échapper.

—Pourquoi avez-vous arrêté ? interrogea-t-elle, le regard ardent.

—Je préfère un peu d'intimité pour faire l'amour à ma femme.

Juliet se retourna et regarda le groupe, interdite.

—Oh, mon Dieu ! Devons-nous expliquer que nous avons aperçu du gui au sommet de cet arbre ? demanda-t-elle.

— Dans un sapin ? Même moi, je sais que c'est impossible.

Heureusement pour eux, les enfants étaient surexcités et leurs gambades attirèrent bientôt l'attention générale.

— Soyez prudents ! les avertit Juliet quand ils défilèrent en équilibre sur la bûche.

Richard essaya de les dénombrer, mais il s'arrêta à dix. D'où pouvaient bien venir tous ces bambins ? Ils étaient trop nombreux pour appartenir à la même famille !

— Je vais attacher le premier ruban, annonça l'oncle Horace.

— Et moi chercher du houx, mais du qui ne pique pas ! ajouta James.

Tous éclatèrent de rire et se dispersèrent. Il fallut à Richard un instant pour comprendre qu'ils avaient l'intention de décorer la bûche avant de la rapporter au manoir.

— Je devine à votre air surpris qu'on ne fait pas les choses ainsi en Amérique, lui dit Dixon en passant près de lui, une grosse branche de sapin dans les bras.

— J'ai grandi en ville, où on n'apprécie guère de couper les arbres ; nous fêtions les vacances en jouant au *snapdragon*, répondit Richard en se remémorant un jeu auquel il avait participé pendant les rares années où son père avait réussi à faire quelques économies.

— Au *snapdragon* ? J'étais toujours le plus rapide, je gagnais presque chaque fois ! s'écria Dixon. Et sans jamais me brûler les doigts !

—Si vous le souhaitez, nous pourrons y jouer ce soir. Après tout, il nous faut seulement du brandy, des raisins secs et du feu.

—Avec plaisir !

—Tante Mildred a demandé qu'on accroche aussi ces fleurs en papier qu'elle a confectionnées, annonça Juliet en les fixant sur la bûche.

Chacun, à son tour, ajouta sa petite touche aux décorations dans une atmosphère de franche camaraderie. Même Mrs Dixon s'autorisa un léger sourire après avoir accroché un rameau de houx dont les feuilles vertes et les baies rouges tranchaient avec le brun de l'écorce.

Quand la bûche fut jugée prête, on attacha des cordes à chacune de ses extrémités, puis au harnais du cheval de trait. Richard s'apprêtait à récupérer sa monture, bien décidé à ne pas se retrouver le dernier en selle, quand il remarqua que tous ses compagnons s'étaient mis en file indienne devant le gros rondin.

—Pourquoi s'assoient-ils dessus à tour de rôle ? s'enquit-il auprès de George.

—Pour faire un vœu.

—Vous plaisantez, j'espère ?

George lui lança un regard réprobateur.

—Vous aurez sans doute compris que dans votre belle-famille, on ne prend pas les traditions de Noël à la légère.

—Vous ne trouvez pas ça un peu excessif ?

—Ne soyez pas ridicule, c'est merveilleux, si vous êtes d'humeur à vous amuser un peu. Dieu du ciel, même Dixon est ravi de s'asseoir sur cette bûche pour faire un vœu. Vous ne pouvez pas faire comme tout le monde ?

Richard resta un instant muet. George avait touché un point sensible, l'origine même de sa réticence : il n'était pas un suiveur, mais un chef. Depuis des années, il se tenait volontairement à l'écart des autres, car c'était ainsi qu'il fonctionnait le mieux.

Épouser Juliet l'avait précipité tête la première dans une famille, ce qui rendait sa façon habituelle d'agir bien plus difficile. Était-il capable de s'adapter ? En avait-il seulement envie ?

Il n'eut qu'à regarder Juliet assise sur la bûche, les yeux brillants, pour avoir sa réponse. Il se joignit au cercle des convives et, s'il n'alla pas jusqu'à prendre place sur le rondin pour faire un vœu, il parvint à sourire, applaudir, et feindre d'être intéressé.

La cérémonie achevée, chacun regagna sa monture ; Richard aida Juliet et Lizzy avant de monter en selle. Il se plaça au milieu du cortège pour être sûr de ne pas être laissé en arrière. Edward et James partirent au galop une fois sortis des bois, aussitôt imités par George et quelques-uns de leurs jeunes cousins.

Les tantes de Juliet s'extasièrent devant la bûche, et les cochers des deux calèches effleurèrent leurs chapeaux en signe d'appréciation. Richard supposa en souriant que cela faisait partie de la tradition.

Richard fit une volte dans la clairière, espérant apercevoir Juliet, mais ce fut Walter Dixon qui vint se poster à ses côtés.

— Chez nous, le plus jeune fils de la famille versait toujours du vin sur la bûche avant que nous la fassions brûler, dit-il avec chaleur. Nous priions ensuite pour que Notre-Seigneur nous prodigue bonheur et santé, et nous protège du besoin.

— Je suppose que ces traditions ont du bon, répondit Richard, qui s'efforçait toujours de comprendre pourquoi elles signifiaient autant pour tous ces gens.

— Ne sous-estimez pas leur pouvoir, ce sont elles qui nous unissent. Je suis agréablement surpris de voir que vous les respectez autant : c'est une qualité que j'apprécie chez mes associés.

Le sourire de Richard se réchauffa imperceptiblement. Qu'aurait dit Dixon s'il avait su que c'était Juliet, et non lui, qui accordait une telle importance à toutes ces coutumes ? Il ne voyait toutefois aucun inconvénient à s'en approprier le mérite si cela pouvait l'aider à atteindre son objectif.

Il avait travaillé d'arrache-pied pendant des mois, passé des semaines à élaborer une offre sensée, et c'était cette satanée bûche qui allait convaincre Dixon ? Peu importait, après tout, tant qu'à l'arrivée, l'homme acceptait sa proposition.

Tous reprirent le chemin du manoir, les deux calèches en tête. Richard entendait leurs passagères chanter à tue-tête – des chants de Noël, bien évidemment.

Les domestiques s'étaient rassemblés devant le manoir pour observer le cortège, et applaudirent à tout rompre quand la bûche franchit la grande grille et fut traînée dans la cour des écuries. Plusieurs servantes coururent s'y asseoir en gloussant pour avoir la chance de faire un vœu.

Richard se retourna et constata avec surprise que Dixon était toujours à ses côtés.

— Le plus étrange, avec Noël, c'est cette façon qu'il a de vous sauter dessus au moment où vous vous y attendez le moins, dit pensivement ce dernier. J'avais oublié quelle joie il y a à retrouver ces traditions toutes simples.

Simples ? Ce n'était certainement par le terme qu'aurait employé Richard pour décrire leur excursion. Juliet avait tout organisé avec la précision d'un général, sans rien laisser au hasard. Il était très fier de son épouse, notamment parce qu'elle avait donné à ce labeur un air de grande facilité.

Toute l'agitation autour de la bûche s'apaisa enfin et le groupe rentra dans le manoir. Richard profita des bonnes dispositions de Dixon pour l'attirer dans son bureau.

— Avez-vous eu l'occasion de consulter l'estimation des profits que je vous ai envoyée la semaine dernière ? demanda-t-il à peine l'homme assis.

Dixon l'observa un instant avec un sourire matois.

— Ces chiffres sont très tentants, mais sont-ils seulement exacts ?

— À la vérité, ils sont même sous-estimés. Si le projet est correctement mené, il pourrait aisément rapporter le double.

— Expliquez-vous, dit Dixon en se carrant dans son fauteuil, les bras croisés.

Richard inspira profondément et marqua volontairement un temps d'arrêt. Apparaître trop pressé risquerait de tout gâcher. Nonchalant, presque cavalier, il passa en revue les principaux aspects de sa proposition. Son explication terminée, il constata que Dixon était penché en avant, clairement intéressé.

Enfin, je le tiens !

Richard se dirigea vers le buffet pour leur servir deux verres de whisky. Il se rappela les méfaits de jeunesse de George et évita le pichet, lui préférant une bouteille récemment ouverte et rangée dans le meuble.

Il tendit un verre à Dixon, puis leva le sien.

— Aux nouvelles collaborations.

Au lieu de boire, Dixon dévisagea longuement Richard.

— J'étais décidé à ne pas prendre de décision avant le nouvel an.

— C'est fort dommage, car mon offre n'est valable que jusqu'à la fin de cette année.

Dixon cilla, le visage de marbre. Le presser était risqué, mais Richard savait qu'il devait agir ainsi. Il en avait assez de tourner autour du pot.

— Harper, vous êtes un malin. Vous faites diversion avec toutes vos réjouissances de Noël, puis vous essayez de me faire tourner la tête en me promettant la fortune.

— Et ça marche ?

— On ne vient pas à bout de moi si facilement.

— C'est pour moi une qualité, et un trait de caractère que je partage.

Dixon sourit.

— Aux partenariats, et aux profits ! dit-il en levant son verre.

Richard eut les plus grandes difficultés à réprimer son sourire. Il avait gagné ! Pourtant, une pensée l'emportait sur la joie intense qui courait dans ses veines – une chose à laquelle il n'aurait jamais songé quelques mois plus tôt.

Il mourait d'envie de partager cette nouvelle avec Juliet.

Après le dîner, l'oncle Horace organisa une partie particulièrement animée de charades, et ceux qui n'avaient pas envie d'y participer jouèrent aux cartes ou conversèrent tranquillement. Juliet circulait parmi ses hôtes pour s'assurer que tous passaient un moment agréable.

Lord George essaya désespérément de surprendre Miss Hardie sous le gui, mais cette dernière, bien trop avisée pour ne serait-ce que s'en approcher, s'installa sur un canapé pour discuter avec Barclay.

Le dîner s'était considérablement mieux déroulé que celui de la veille, même si Mrs Dixon demeurait maussade. Richard souriait, manifestement ravi, et Mr Dixon avait été nettement moins grossier et vantard.

Juliet attribua cela à l'agréable moment qu'ils avaient tous partagé, et décida qu'elle devait veiller à entretenir cette bonne humeur. Elle constata avec satisfaction que les domestiques avaient roulé le tapis pendant le dîner, comme elle l'avait demandé.

On avait désormais assez de place pour danser, et la tante Mildred avait accepté de s'occuper de la musique.

La vieille dame joua quelques accords solennels sur le pianoforte pour attirer l'attention de tous.

Juliet courut presque pour rejoindre son époux, à l'autre bout de la pièce.

— Richard, dansez avec moi.

— Mais, Juliet, je…

Elle lui prit fermement la main, l'entraîna au centre de la pièce et remarqua alors à quel point il était tendu.

— Je suis sûre que ce sera une valse, lui chuchota-t-elle. Tante Mildred commence toujours ainsi. Elle dit que c'est terriblement romantique pour un couple de tournoyer face à face en se serrant l'un contre l'autre.

— Vous ne serez pas du même avis après cette danse, je le crains, répondit Richard, la mine sévère.

— Pourquoi ? s'enquit-elle, alertée par la légère panique qu'elle lisait dans son regard.

— Je n'ai jamais dansé de valse.

— Jamais ?

— J'en ai vu suffisamment pour avoir une vague idée des pas, mais je vous conseille de faire attention à vos pieds. Ils vont sans doute être copieusement écrasés.

Juliet essaya de sourire. Elle se moquait complètement de ses orteils, mais beaucoup moins du masque distant derrière lequel Richard s'était réfugié, comme chaque fois qu'il était dans une situation inconfortable.

Elle songea un instant à feindre une migraine pour quitter la piste, mais les époux Dixon vinrent se placer à leur gauche et la musique commença avant qu'elle ait eu le temps de se décider. Juliet fit une révérence, et Richard s'inclina. Il posa une main sur sa hanche, lui saisit délicatement les doigts de l'autre, sans jamais la quitter des yeux. Juliet s'appuya sur son épaule et la pressa doucement.

Richard la fit alors brutalement tourner. Elle laissa échapper un petit cri et manqua de s'affaler sur le sol.

— Trop rapide ? chuchota-t-il.

— Un peu, répondit Juliet, qui s'efforçait d'être aussi encourageante que possible. Ce n'est pas une course.

Ils firent une nouvelle tentative, bien plus lentement cette fois. Juliet se limita aux pas de base, exagérant ses mouvements, et Richard les imita avec plus ou moins de réussite. Il aurait été très tentant pour elle de mener la danse, mais elle ne pouvait embarrasser ainsi son mari.

— Vous vous en tirez très bien, dit-elle, espérant flatter son orgueil viril.

— Inutile de me parler comme à un enfant, rétorqua Richard, les dents serrées. Je sais très bien de quoi j'ai l'air.

Juliet voulut protester, mais il avait raison. Prétendre que Richard dansait à merveille ne les aiderait ni l'un ni l'autre.

— Laissez-vous guider par le rythme de la musique.

— S'il ne faisait pas si froid dehors, je le laisserais nous emmener hors d'ici, sur la terrasse.

Juliet éclata de rire. Richard la serra contre lui, et elle lui marcha sur le pied. Il poussa un petit grognement et la fit doucement pivoter. Par miracle, ils évitèrent un autre incident et ne perdirent pas la cadence.

— Richard, c'est notre première danse. Je passe un moment merveilleux, pas vous ?

— Non. J'ai sûrement l'air complètement idiot.

Il lui jeta un regard lugubre, mais Juliet ne se laissa pas abuser.

— Menteur. Vous vous amusez, je le vois. Arrêtez de compter les pas et laissez-vous entraîner.

Richard roula des yeux.

— Comment le savez-vous ? Je bouge les lèvres ?

— Non, mais je peux voir les chiffres défiler dans votre tête.

— Une femme qui lit dans les pensées ? Quelle terrifiante idée.

— Je ne suis pas d'accord. Il est toujours bénéfique pour un couple de partager ses sentiments les plus intimes.

— Vraiment ? Très bien, dites-moi à quoi je pense.

Il lui décocha une œillade d'une incroyable sensualité et Juliet trébucha. Il resserra son étreinte et l'empêcha de tomber. Juliet se sentit submergée par une vague d'émotions. Cet homme lui remuait les sens, mais c'était son cœur qui répondait.

Juliet respirait très vite, mais son visage restait calme.

— Je n'ai pas besoin de lire dans les pensées pour savoir ce qui se passe dans votre tête, Richard Harper.

La jeune femme regarda son mari droit dans les yeux et, avec une audace qui la stupéfia elle-même, elle lâcha son épaule, glissa la main entre ses cuisses et pressa le membre en érection qu'elle était sûre d'y trouver.

Richard sursauta, abasourdi. Au même moment, la musique se fit plus forte, et ramena Juliet à la réalité. Écarlate, elle retira précipitamment sa main.

Mon Dieu, mais quelle folie m'a prise ?

Explorer leur sexualité dans l'intimité d'une chambre à coucher était une chose, mais agir de façon aussi indécente, en public…

Ils passèrent en tournoyant à côté d'un autre couple, et George cria quelque chose à Richard, qui lui répondit, sans que Juliet comprenne leurs paroles. Elle paniqua, persuadée que tout le monde avait remarqué ce qu'elle venait de faire – mais non, les convives étaient absorbés par la danse, ou leurs conversations.

Elle poussa un soupir de soulagement et regarda son mari, dont le visage était toujours figé par la stupeur.

Mortifiée, elle ne put que tourner la tête. Les yeux baissés, la main serrant de toutes ses forces l'épaule de Richard, elle tenta de formuler une explication, des excuses, quoi que ce soit, mais son esprit restait désespérément vide.

Vraiment, que pourrais-je dire ?

— Personne n'a rien vu, chuchota Richard d'une voix légèrement outrée.

Ces mots ne la soulagèrent pas autant qu'elle l'espérait, même s'ils lui donnèrent le courage de le regarder en face. Elle attendit que la danse s'achève, au supplice, persuadée que le silence de Richard était une sorte de punition pour son geste insensé.

Il l'attira à lui jusqu'à ce que la joue de la jeune femme repose contre son torse, mais les battements réguliers de son cœur ne parvinrent pas à la réconforter. Ils tournoyaient une dernière fois quand soudain Richard éclata d'un rire tonitruant, la tête rejetée en arrière, ce qui ne manqua pas d'attirer les regards.

Juliet constata avec stupéfaction qu'elle riait elle aussi.

Chapitre 14

*P*rêt à exploser, Richard sentait le sang battre dans ses veines, la passion s'emparer de lui, mais rien ne le touchait autant que le rire de Juliet.

Sa femme était écarlate ; sans doute regrettait-elle d'avoir agi de la sorte, ce qui n'étonnait pas Richard. Il avait été particulièrement choquant de se faire empoigner d'une façon aussi indécente, et ce au beau milieu d'une valse, qui plus est. Pourtant, il n'avait pas détesté cela, bien au contraire. Une fois qu'il avait repris son souffle, il avait décidé qu'il aimait vraiment être ainsi harcelé par sa délicieuse épouse.

Il aurait voulu le lui dire mais craignait de l'embarrasser encore davantage. La musique fit un crescendo, puis s'arrêta brusquement. Juliet s'écarta de lui et exécuta une gracieuse révérence. Richard remarqua alors les trois rangs de perles qui ornaient son cou et venaient se lover à la naissance de ses seins. Le collier était certes joli, mais c'était un bijou de toute jeune fille.

Juliet méritait de porter des diamants étincelants dont l'éclat se refléterait dans ses yeux. Richard demanderait dès le lendemain matin à Miss Hardie de prendre contact avec un joaillier de Londres afin qu'il envoie ses plus belles pièces au manoir. Il n'aurait alors qu'à choisir sa préférée.

La tante Mildred joua ensuite une sélection de chansons folkloriques, puis un quadrille, et tout le monde dansa et changea de partenaire avec force rires et plaisanteries – sauf Juliet, qui resta aux côtés de son mari.

Richard remarqua qu'elle tapait du pied en mesure, mais il était égoïstement ravi qu'elle ait décidé de s'asseoir avec lui. Il résolut alors de prendre des leçons de danse. Miss Hardie trouverait un professeur expérimenté et discret. Ce serait une surprise merveilleuse pour Juliet, et l'assurance que la prochaine fois, elle participerait pleinement à la soirée.

En dansant avec lui du début jusqu'à la fin.

Richard observa attentivement les invités et, quand il décela chez eux les premiers signes de lassitude, fit signe à un domestique. Ce dernier quitta discrètement la pièce et revint bientôt avec ce que Richard lui avait demandé de préparer. Le maître des lieux se réjouit de constater que l'homme avait suivi ses instructions à la lettre.

— Mesdames et messieurs, puisque vous m'avez si généreusement fait prendre part à vos traditions, j'aimerais vous rendre la pareille en partageant avec vous l'une de mes préférées : le *snapdragon*, annonça Richard.

— C'est un jeu d'ici ! s'exclama George.

—Ah, ces Américains, toujours prêts à s'approprier les inventions des autres! railla Dixon, ce qui fit rire toute l'assemblée.

—On n'y joue plus guère que dans les familles avec un curieux sens de l'humour et une certaine fascination pour le feu.

—Le feu? demanda faiblement Juliet.

—Allons, George, ne jouez pas les rabat-joie, dit Richard. C'est très amusant.

—Amusant? répéta son ami, incrédule.

Richard se pencha en avant et baissa la voix.

—Ce n'est pas vous qui m'avez suggéré de me joindre à toutes ces frivolités?

—Avec raison, Richard! Le *snapdragon* peut très facilement devenir dangereux! Je crois que je vous préférais en Scrooge.

—En qui?

—Peu importe. Vous comprendrez quand vous lirez le cadeau de Noël que je vous ai apporté. C'est un livre de Mr Dickens.

—Jamais entendu parler de lui.

George lui lança un regard atterré.

—Il a pour titre *Un conte de Noël* et raconte la rédemption d'Ebenezer Scrooge, un gentleman amer et obsédé par l'argent. Ça ne vous rappelle personne?

—Pas le moins du monde, répondit Richard avec un petit sourire.

—Beaucoup disent que cet ouvrage a initié un renouveau des traditions de Noël.

—Dans ce cas, votre Mr Dickens approuverait totalement la partie de *snapdragon* que je veux organiser, puisque c'est une tradition. C'est Dixon qui a souhaité y jouer.

— Puisque vous voulez vous lancer dans des enfantillages avec ce monsieur, demandez-lui de vous raconter des fables. Il est particulièrement doué pour ça.

Richard ravala sa réponse et se retourna pour voir si Dixon avait entendu George. Leur collaboration était encore trop fragile, il n'avait vraiment pas besoin que l'homme se sente insulté. Par chance, ce dernier était complètement captivé par le valet qui venait d'installer le plat et le brandy chaud nécessaires pour le jeu.

— Je vais jouer ! annonça la tante Mildred en quittant majestueusement sa place derrière le pianoforte.

— Vous êtes sûre ? s'enquit Juliet, inquiète. Ça a l'air plutôt dangereux.

— Ne faites pas cette tête : chaque Noël, je battais mes frères à plate couture. Le tout, c'est d'avoir les doigts agiles.

La vieille femme agita prestement pouce et index pour illustrer son propos.

Richard fronça les sourcils de plus belle. Les autres convives se rassemblèrent avec force murmures autour de la table qu'on avait déplacée au centre de la pièce. Un valet y avait placé un large plat rempli de brandy et un petit bol de raisins secs. Richard fit un signe aux domestiques, qui s'empressèrent d'éteindre la plus grande partie des bougies du salon.

— Nous ferez-vous l'honneur ? demanda Richard à Dixon.

Fier comme un paon, l'homme déposa une poignée de raisins dans le brandy, puis embrasa le tout avec une allumette.

— Mon Dieu ! glapit Mrs Dixon quand une flamme bleue se répandit sur le plat.

— Rappelez-vous, celui qui mange le plus de raisins a gagné, dit Richard. Qui commence ?

On lui tira sur la manche : c'était Juliet.

— Vous allez vraiment essayer de tirer ces fruits des flammes pour les mettre dans votre bouche ? chuchota-t-elle.

— Je vais faire plus qu'essayer : je vais en manger la plupart.

— Ne serait-il pas plus avisé de laisser Mr Dixon gagner ?

— Non, il vaut mieux que je le batte. On préfère généralement s'associer avec quelqu'un qui vous est supérieur.

— Est-ce pour ça que vous m'avez épousée ?

Richard rougit. Il savait qu'elle avait voulu le taquiner, mais elle était très près de la vérité. Juliet était mieux née et plus raffinée que lui, et les sommes qu'il amasserait n'y pourraient rien changer.

— Oh, Richard, je ne voulais pas dire que… enfin, je ne pense pas du tout… je n'aurais jamais…

— Nous commençons, oui ou non ? tonna Dixon à l'assistance, coupant court aux excuses maladroites de Juliet.

Richard tâcha de passer outre à sa gêne et se concentra sur la table. La tante Mildred était la première. Elle prit un raisin avec une rapidité surprenante pour son âge et le mit sans hésiter dans sa bouche, des flammes bleutées dégoulinant de ses doigts élégants.

Certains hoquetèrent de surprise et d'autres poussèrent des cris admiratifs. Richard vit Dixon serrer la mâchoire et comprit qu'ils songeaient à la même chose : il serait en effet humiliant de se faire battre par une femme de soixante-dix ans.

Mr Barclay passa ensuite. Le visage concentré, le secrétaire plongea entièrement la main dans l'eau-de-vie enflammée et hurla de douleur. Richard tira calmement le bras du jeune homme du liquide brûlant et lui lança un linge humide.

Quelques-unes de ces dames laissèrent échapper des murmures désolés, les plus sonores provenant de Miss Hardie. Elle enveloppa en un clin d'œil la main de l'infortuné et le réconforta d'une petite tape. L'incident clos, tout le monde revint à la table.

Au bout d'une heure, il ne restait plus que trois joueurs : Richard, Dixon, et la tante Mildred. L'Américain avait perdu toute sensation dans le pouce et l'index de sa main droite, et avait l'impression d'avoir de l'acide dans le ventre. Pire que tout, il luttait en permanence pour ne pas roter.

—Il nous faut d'autres raisins ! s'écria gaiement la tante Mildred, qui manifestement s'amusait beaucoup.

Richard grimaça et détourna le regard quand un domestique apporta les maudits fruits. Du coin de l'œil, il vit que Dixon en faisait autant.

—Êtes-vous prêt à déclarer un vainqueur ? lui demanda Richard, priant pour que l'homme se montre raisonnable.

Dixon, qui s'apprêtait à prendre un nouveau raisin, s'interrompit aussitôt.

—Ce serait en effet se comporter en gentlemen.

—Je n'ai pas besoin de votre courtoisie, petits rusés ! rétorqua la tante Mildred.

—Allons, ma tante, soyez un vainqueur élégant et acceptez avec humilité les félicitations de vos concurrents, intervint Juliet.

Richard réprima une nouvelle éructation. Si Dixon voulait continuer à jouer, il le suivrait… Dieu savait comment.

—Ah, je suppose que c'est le bon moment pour arrêter, soupira la vieille dame. Mes deux adversaires commencent à devenir un peu verdâtres, et je n'ignore pas ce qui arrive si on insiste trop.

—Félicitations, tante Mildred, dit Richard, enjoignant les autres à applaudir.

À défaut de gagner avec grâce, la vieille femme était perspicace : ses concurrents étaient bien sur le point de régurgiter leur dîner, une chose que Richard préférait éviter.

—Bien joué, Mildred, dit Horace. Ces vacances sont meilleures de jour en jour. Nous n'avons plus besoin que d'un peu de neige et de luges pour que ce soit parfait.

— Ne vous bercez pas d'illusions, le prévint la vieille dame. Mon genou me fait horriblement souffrir, ce qui annonce un vent glacial et de la pluie à torrents. Le temps anglais par excellence.

— Allons, Mildred, votre douleur au genou pourrait tout aussi bien signifier qu'il va neiger, protesta oncle Horace.

— Bien sûr que non.

Richard ignora leur querelle et se tourna vers Dixon.

— Je dois vous féliciter pour votre courageuse partie, dit-il, la main tendue, espérant que l'homme prendrait la situation avec humour.

Après quelques secondes d'hésitation, Dixon la serra vigoureusement.

— J'avais oublié à quel point je détestais les raisins.

— Je pourrais très bien vivre sans plus jamais en voir un seul grain, et à plus forte raison en manger, ajouta Richard en souriant. Que diriez-vous d'une partie de billard?

— Ces dames sont-elles conviées?

— Absolument pas!

— Dans ce cas, avec plaisir.

Même si elle aurait préféré qu'il l'accompagne à l'étage, Juliet fut contente de voir Richard s'éloigner avec Mr Dixon et quelques-uns de ses cousins en direction de la salle de billard. Elle avait depuis longtemps renoncé à comprendre ce besoin qu'avaient les hommes de se mesurer en permanence les uns aux autres.

Le débat entre Horace et Mildred faisait rage. Ils lui rappelaient Edward et James, ce qui lui donna aussitôt envie de voir une dernière fois ses enfants avant de se retirer dans sa chambre.

Juliet salua les invités qui n'étaient pas encore partis se coucher et quitta le salon.

Le couloir de la nursery était bien éclairé, et dans la pièce en elle-même brûlait une seule bougie, sur le rebord de la fenêtre. Juliet s'assura que le coffret en verre chargé de prévenir tout risque d'incendie était bien en place, puis pénétra dans la chambre que partageaient James et Edward, en ouvrant lentement la porte pour faire le moins de bruit possible.

Le feu était presque éteint, et il régnait dans la pièce une fraîcheur agréable, parfaite pour dormir pelotonné sous d'épaisses couvertures.

Edward ronflait légèrement, bien enfoui dans son lit, mais James avait comme à son habitude repoussé ses draps, fidèle à sa nature remuante. Même dans son sommeil, son fils ne tenait pas en place.

Juliet le borda délicatement et l'embrassa sur le front. Elle resta bien plus longtemps dans la chambre de Lizzy, le spectacle de la fillette endormie éveillant chez elle un torrent d'émotions. Elle caressa les boucles de la petite, émerveillée par la vitesse à laquelle elle grandissait.

Ce n'est plus un bébé… et il n'y en aura pas d'autre, à moins que je n'arrive à convaincre Richard.

Un besoin irrépressible lui serra le cœur. Elle avait tout fait pour passer outre mais savait que le refus d'avoir un enfant de Richard les diviserait toujours.

En regardant le visage innocent de Lizzy, Juliet comprit qu'elle ne se plierait pas si facilement à la volonté de son mari.

Un enfant de Richard aurait merveilleusement complété leur famille. Son obstination était presque contre nature.

Juliet partit dans sa chambre, et ne s'étonna pas de la trouver vide. Son époux veillerait sûrement très tard, occupé qu'il était à divertir Mr Dixon.

Juliet enfila une chemise de nuit et une robe de chambre de satin assortie puis s'assit à sa coiffeuse pour ôter de ses cheveux épingles et peignes avant de se brosser à grands coups réguliers.

Elle leva la tête, surprise, quand la porte s'ouvrit et que Richard entra en souriant.

— Je ne vous dérange pas ?

Sa voix grave et douce lui donna des frissons, mais elle n'appréciait guère cet excès de cérémonie. Ils auraient dû dormir ensemble, au lieu de se demander la permission d'entrer dans leurs chambres respectives. Soit, encore un nouvel aspect de l'énigme qu'elle avait épousée.

— Mr Dixon est parti se coucher ? interrogea-t-elle, ignorant délibérément sa question.

— Oui, à l'instant. J'ai écouté vos conseils et je l'ai laissé gagner.

Tout en parlant, Richard ôta sa veste de soirée noire, sa cravate et son gilet gris puis posa le tout sur le dossier d'une chaise. La faible lueur des bougies soulignait la beauté classique et virile de son visage.

On frappa à la porte. Puisqu'il était le plus proche, Richard se chargea de l'ouvrir. Une domestique entra, une bassinoire à la main.

— Souhaitez-vous que je réchauffe votre lit, madame ? demanda-t-elle.

Richard, dos à la femme, fit une grimace suggestive.

— Non merci, Mary, pas ce soir, répondit Juliet qui s'efforçait de ne pas éclater de rire.

— Je devrais sans doute vous expliquer comment je compte m'en charger moi-même, dit Richard une fois la servante partie.

— Ce serait déplacé, repartit Juliet en souriant.

— Les Américains, ce peuple inférieur, ne sont-ils pas censés se comporter avec vulgarité ?

Elle faillit plaisanter de nouveau, mais remarqua alors sa mine sérieuse.

— Je ne vous ai jamais considéré comme inférieur. Certains pensent peut-être qu'en vous épousant j'ai fait un sacrifice pour assurer l'avenir de mes enfants, mais ils ne comprennent pas que j'ai accepté votre demande de mon plein gré, avec enthousiasme, même. En vérité, je vous ai épousé parce que je suis égoïste. Parce que je vous voulais, Richard.

— Et maintenant que vous m'avez, vous-êtes vous rendu compte que vous ne vouliez plus de moi ? interrogea-t-il en titubant légèrement sur la gauche.

— Je suis encore bien loin de vous avoir, Richard. D'accord, physiquement, peut-être, mais nous savons tous les deux qu'une relation ne se limite pas au sexe.

— Juliet, je fais de mon mieux.

— Vraiment ? (Poussée par la frustration, elle s'emporta, prête à dire ce qu'elle aurait normalement gardé pour elle.) Nous sommes parfois si proches ! Pourtant, chaque fois, cette intimité semble disparaître comme par magie et je dois me démener pour la retrouver !

— Vous exagérez.

— Vraiment ? Allons, Richard, soyez honnête, vous me repoussez – pas tout le temps, certes, mais assez pour que j'en souffre.

Irritée d'entendre sa voix trembler, Juliet s'efforça de paraître calme et digne.

— Pourquoi refusez-vous si catégoriquement d'avoir des enfants ?

Richard s'assit à côté de la cheminée.

— Je suis trop vieux.

— C'est ridicule ! Selon qui ?

— Moi.

— Richard, je suis sérieuse. Ne m'insultez pas avec vos sarcasmes.

— Juliet, vous n'avez pas idée de ce que vous me demandez.

— Mais pourquoi ? Expliquez-moi, je vous en supplie !

Juliet lut une grande tristesse dans le regard de son mari, mais il resta muet.

— S'il vous plaît, ne vous fermez pas.

Pendant un instant, le seul bruit dans la pièce fut celui de leurs respirations. *Il ne va pas répondre*, pensa Juliet, désemparée. Elle avait pourtant cru qu'il commençait à tenir à elle, qu'il…

—J'ai été marié, il y a des années.

Sa voix était rauque, comme rouillée. Juliet comprit qu'il n'évoquait que très rarement cette partie de son passé – peut-être même jamais.

—Qu'est-il arrivé à votre femme ? demanda-t-elle, même si elle craignait de l'apprendre.

Parler de la mort d'un proche n'était jamais aisé, et Juliet devina aux yeux de Richard que son histoire était tragique.

—Elle est morte en donnant le jour à notre fils.

Juliet sentit ses jambes flageoler. C'était la dernière chose qu'elle s'attendait à entendre. Richard avait un enfant ? Pourquoi ne le lui avait-il jamais dit ?

—Où est-il aujourd'hui ?

—Dans une fosse commune. J'ai supplié pour qu'on l'enterre aux côtés de sa mère, mais on l'avait déjà recouverte, et je n'avais pas assez d'argent pour faire quoi que ce soit. Il ne lui a survécu que de quelques jours.

Un sanglot serra la gorge de Juliet. Comment imaginer l'ampleur de la tristesse de celui qui avait perdu une jeune épouse et un bébé innocent ?

Elle vint s'asseoir par terre, à côté de lui, et posa la tête sur ses genoux, les bras serrés autour de sa taille.

La sensation de vide qui s'emparait de lui chaque fois qu'il songeait à sa femme et à son enfant était de retour, plus impitoyable que jamais mais, progressivement, il se laissa réconforter par l'étreinte de Juliet, par ses murmures.

Juliet était d'une grande bonté, et Richard avait toujours su qu'elle compatirait à sa douleur.

Ce qu'il n'avait en revanche pas prévu, c'est qu'il se sentirait moins seul et moins perdu.

— Ils sont morts par ma faute, dit-il, acceptant enfin une culpabilité qui en était venue à faire partie de lui à force de l'accompagner chaque instant. J'avais juré de la protéger et de la chérir, et j'ai manqué à ma parole.

— Vous n'y êtes pour rien, Richard. C'est horrible, injuste, mais c'était la volonté de Dieu.

— Non ! Je devais pourvoir aux besoins de ma femme ! Elle était si jeune, si douce, je l'aimais à la folie. Elle voulait attendre que notre situation soit moins précaire pour se marier, mais je l'adorais trop et j'ai fini par la convaincre.

» Elle est très vite tombée enceinte, ce qui l'a beaucoup affaiblie. Il y a eu une grève à l'usine où je travaillais, et j'ai été renvoyé. Sans salaire, plus d'argent pour acheter de la nourriture ou payer un médecin. Le bébé est né avec plusieurs semaines d'avance. L'accouchement a duré presque deux jours ; elle a employé ses dernières forces à donner naissance à notre enfant.

— Mon Dieu, Richard…

Il posa la main sur sa tête.

— Ce bébé était si petit… il n'avait aucune chance. La sage-femme m'a dit qu'il aurait été moins chétif et en meilleure santé si mon épouse avait mangé à sa faim pendant sa grossesse. De la bonne nourriture, une maison bien chaude, un peu de paix… des choses essentielles, mais que j'ai été incapable de lui offrir, stupide et irresponsable que j'étais.

— Vous étiez jeune et amoureux, ce qui mène presque toujours à des décisions irréfléchies.

— Deux vies ont été emportées par ma faute !

Juliet leva la tête, et Richard vit à la lueur des rayons de lune que ses yeux étaient baignés de larmes.

— Après la mort de Henry, j'étais comme assommée, tout juste capable de survivre…, commença-t-elle. C'est plus tard que la culpabilité est arrivée, pour ne plus me quitter pendant plusieurs mois. Pourquoi étais-je toujours en vie ? Pourquoi était-il tombé malade, et pas moi ?

La douleur qu'il lisait dans son regard était terriblement familière. Cela faisait des années que Richard la retrouvait chaque fois qu'il se regardait dans un miroir. *Elle comprend*. Il sentit un sanglot parfaitement indigne d'un homme remonter le long de sa poitrine. Il feignit un frisson et contint ses émotions.

De justesse.

— Moi aussi, j'ai souvent le sentiment qu'il aurait mieux valu que ce soit moi qui meure, avoua-t-il.

— Hélas, ce n'est pas à nous qu'il revient de choisir… encore un aspect injuste et frustrant de notre existence. (Elle lui prit la main.) Pourtant nous pouvons encore connaître la joie… et même l'amour, si nous le laissons faire.

Richard hocha lentement la tête. Il voulait la croire, mais avait-il vraiment droit à ce genre de bonheur ?

— J'ai travaillé sans relâche pour devenir riche, et la certitude que ceux qui seraient un jour sous ma responsabilité ne seraient jamais dans le besoin m'a apporté un peu de réconfort, mais ma réussite n'apaisera jamais ma culpabilité.

—Et c'est peut-être mieux ainsi. La douleur, la tristesse et cette culpabilité font partie de vous, de ce qui vous a poussé à devenir celui que vous êtes aujourd'hui. Cependant, je doute que vous fassiez un bon martyr. Demeurer seul et malheureux pour le restant de vos jours ne rattrapera pas vos erreurs, ne vous ramènera pas votre femme et votre fils. Croyez-moi, Richard, c'est la vérité.

Était-ce vraiment ce qu'il avait fait ? En puisant dans la force de son chagrin pour réussir dans les affaires, il avait gagné sécurité financière et indépendance, ce qui lui avait apporté une certaine satisfaction, et même du plaisir… mais du bonheur ? Non, ce bougre lui avait échappé. À moins que Richard n'ait tout simplement refusé de l'accueillir ?

—Parlez-moi de votre femme, demanda Juliet d'une voix douce. Comment s'appelait-elle ?

—Lillian, répondit Richard avec un sanglot. Pour moi, c'était Lily.

Ces souvenirs étaient douloureux, mais les évoquer lui faisait du bien. Richard se mit à parler lentement, et laissa chacun d'entre eux remonter à la surface. Il entendait le son de sa voix rauque, et sentait les émotions se libérer dans sa poitrine.

C'était comme ouvrir un coffre enterré depuis des décennies. Il renfermait poussière, saleté et mauvaises odeurs, mais on y trouvait aussi des trésors, les délices de la jeunesse et du premier amour.

Combien de temps parla-t-il ? Dix minutes ? Une heure ? Une fois son récit fini, il poussa un profond soupir. Ses paupières étaient terriblement lourdes.

J'ai vraiment trop bu ce soir.

Il essaya de lutter contre cette torpeur et sourit faiblement à son épouse. Soudain, Juliet se leva et l'embrassa.

C'était un baiser doux et aimant, plus bienveillant que passionné. Elle ne tentait pas de le séduire ni de l'exciter, mais seulement de le réconforter... de l'aimer. Généreusement, de tout son être. L'effet fut irrésistible, et réveilla un besoin enfoui si profondément en lui qu'il l'avait cru disparu.

Juliet venait de prouver le contraire.

— Richard, venez vous coucher.

Il l'embrassa doucement.

— Je crois que j'ai bu bien trop de brandy pour être un mari digne de ce nom.

Elle chassa une mèche de cheveux qui barrait le front de Richard et laissa la main sur sa joue.

— Vous avez renvoyé Mary et sa bassinoire, or il fait terriblement froid ici ; vous devez donc chauffer mon lit. Je n'attends rien d'autre de vous.

— Si je me rappelle bien, c'est vous, ma chère épouse, qui l'avez congédiée.

— Seulement parce que j'espérais ainsi vous attirer entre mes draps.

Richard sourit et se rapprocha d'elle jusqu'à ce que leurs nez se touchent.

— C'est le stratagème le plus ridicule qu'il m'ait été donné d'entendre.

—Ridicule, mais efficace.

Il s'appuya contre la main de Juliet ; si d'ordinaire les caresses de la jeune femme étaient sensuelles, excitantes, ce soir il avait besoin de ce contact doux et aimant, qui semblait capable de pourfendre la douleur pour le guérir.

Le matelas ploya sous leur poids. Richard sentait son épouse toute proche de lui, et se demanda si sa propre absence de réaction sexuelle était due à la quantité de brandy qu'il avait ingérée ou au torrent d'émotions qui venait de l'emporter.

Il ne parlait jamais de Lily et du bébé, et pourtant, partager ainsi son passé avec Juliet lui avait paru presque naturel. Il était cependant très embarrassant d'être apparu aussi vulnérable devant elle. Richard prenait conscience avec effroi des risques qu'il avait pris quand il sentit Juliet se lover contre lui.

Après une soirée aussi mouvementée, il aurait cru être incapable de s'endormir, mais il se détendit sitôt la jeune femme dans ses bras.

Quelques minutes plus tard, il ronflait doucement.

Chapitre 15

Quand Richard ouvrit l'œil, le lendemain matin, le ciel était couvert et la température glaciale. Il se trouvait seul dans le lit, et la place à côté de lui était froide : Juliet était sans doute levée depuis longtemps. Il était un peu déçu qu'elle ne l'ait pas réveillé, mais cela valait peut-être mieux, à la réflexion. Ses émotions de la veille l'avaient épuisé, et il en sentait encore les effets.

Pourtant, après cette soirée qui lui avait semblé être un mauvais rêve, Richard était décidé à commencer la journée avec optimisme. Il était grand temps de faire son deuil et d'aller de l'avant avec ce qu'il avait à présent : une femme et ses trois enfants.

Richard abandonna la chaleur du lit, et constata en souriant qu'il avait dormi avec son pantalon. Hallet ferait une attaque quand il verrait l'état de ce dernier, et affirmerait qu'il était impossible de le rendre présentable pour le soir. Par bonheur, Richard avait apporté plusieurs tenues.

Il remarqua en quittant la chambre de Juliet le givre sur les vitres. L'oncle Horace aurait peut-être sa neige, en fin de compte. Ce serait l'excuse parfaite pour organiser d'autres réjouissances : des sorties en traîneau, de la luge, du patinage sur le lac gelé, et peut-être même quelques batailles de boules de neige.

Alléluia.

Richard s'éloigna de la fenêtre, sans trop savoir comment il devait accueillir la perspective de toutes ces nouvelles réjouissances. Une fois baigné, rasé et habillé, il prit son petit déjeuner seul dans sa chambre puis se dirigea vers son bureau, où il comptait relire les documents qu'il avait l'intention de soumettre à Dixon le jour même. En chemin, il surprit James et Edward qui longeaient le couloir au pas de course. Ils s'arrêtèrent net quand ils l'aperçurent et échangèrent un regard méfiant.

—Edward, James. Bonjour.

—Bonjour, monsieur, répondirent en chœur les deux garçons.

Ils étaient particulièrement polis, mais Richard remarqua qu'ils reculaient imperceptiblement. Comment les en blâmer ? Il ne s'était pas montré très aimable avec eux, même s'il avait toléré leurs plaisanteries et avait fait comme si de rien n'était. C'était peut-être d'ailleurs le problème.

—Savez-vous où se trouve votre mère ?

—Elle est partie pour le village avec quelques autres dames, expliqua James.

—Très bien, je la verrai au déjeuner.

Richard contempla longuement les gamins, mal à l'aise. Une part de son esprit lui disait de faire un effort avec eux, mais il ignorait totalement par où commencer.

—Que faites-vous aujourd'hui ? s'enquit-il.

James écarquilla les yeux et lança un regard affolé en direction de son frère, qui se raidit un instant, mais se reprit tout aussi vite.

— Nous avons nos leçons avec Mr Johnson ce matin, mais pas cet après-midi car nous allons aider le révérend Abernathy à l'église.

— Il nous a demandé, à nous et à d'autres garçons, de participer à l'installation de la crèche, ajouta James.

— Ça a l'air ennuyeux, observa Richard.

— Oh! non, pas du tout! rétorqua James. Nous allons aussi peindre le décor et réunir les accessoires.

Il s'apprêtait à en dire davantage mais Edward le fit taire d'un regard.

Richard attendit, étonné d'être aussi affecté par les rebuffades des deux garçons. Il décida de créer un lien avec eux. Un problème subsistait : il ignorait comment s'y prendre, ce que James et Edward semblaient avoir compris.

Richard était passé maître dans l'art de résoudre les problèmes, mais il était également assez sage pour savoir que cette fois, il aurait besoin d'aide. Il avait tenté de se rappeler sa vie de petit garçon, mais en vain : ses souvenirs restaient vagues. Peut-être George serait-il de bon conseil : il paraissait n'avoir aucune difficulté à se comporter en enfant.

Le silence s'éternisant, James commença à s'agiter. Edward, quant à lui, demeurait de marbre.

— Je suppose que votre précepteur vous attend? capitula Richard.

— Oui! répondirent-ils.

— Dans ce cas, je suppose que je vous reverrai plus tard dans la journée.

— Venez, James, nous allons être en retard !

Edward fusilla Richard du regard, comme pour lui dire que le problème venait de lui, et pas d'eux, puis entraîna son frère.

Ce fut donc d'une humeur légèrement moins optimiste que l'homme entra dans son bureau. Les papiers qu'il avait demandés l'attendaient sur son sous-main. Il en entama la lecture, et fronça les sourcils devant une erreur. Miss Hardie était si soigneuse d'ordinaire.

Une plume à la main, il s'apprêtait à s'asseoir quand soudain lui revint en mémoire l'étrange attitude de James. Qu'est-ce qui avait pu rendre cet enfant aussi nerveux ? Richard passa la main sur son fauteuil pour s'assurer qu'on n'y avait pas versé de la colle, de la mélasse, ou toute autre substance qui n'avait rien à faire là.

Une fois sûr que le siège était propre, Richard s'y installa – non sans précautions. Il venait d'achever sa lecture quand Miss Hardie entra dans la pièce. Il lui expliqua les changements qu'il souhaitait apporter aux documents et elle prit place à son propre bureau, nettement plus petit, pour s'atteler à la tâche.

Richard contempla sa secrétaire en jouant distraitement avec sa plume. La main élégante de la jeune femme écrivait avec des mouvements rapides, précis, et ses yeux faisaient des allées et venues entre les deux feuilles posées devant elle. Sa robe marron soulignait l'allure somme toute quelconque de ses traits, que venait cependant éclairer un regard extrêmement vif.

Miss Hardie avait le dos tellement droit qu'il ne touchait pas le dossier de sa chaise. Richard avait toujours pensé que c'était le signe d'une pudibonderie exagérée, mais il n'en était plus si certain désormais. Elle était bien élevée, et on lui avait sûrement expliqué que c'était ainsi que les dames devaient s'asseoir, même celles qui travaillaient pour assurer leur subsistance.

Au bout d'une dizaine de minutes, Miss Hardie posa sa plume, arrangea les feuilles et se tourna vers Richard.

— Autre chose, monsieur ?

— Oui, j'ai une question un peu personnelle à vous poser, si vous n'y voyez pas d'inconvénient.

Elle se raidit. Bon sang, il aurait peut-être mieux fait de se taire. Mais il savait que Miss Hardie n'était pas du genre à mentir pour lui faire plaisir. Elle serait sincère, et honnête.

— Voyez-vous, je pensais à vos frères…

— Mes frères, monsieur ?

— Étiez-vous proches, enfants ?

Elle fut tout d'abord interloquée, mais son regard s'adoucit et elle sourit légèrement.

— Raymond, David et Matthew étaient tous les trois plus jeunes que moi. Petits, ils adoraient que leur sœur aînée s'occupe d'eux, mais en vieillissant, ils ont hélas découvert qu'ils préféraient jouer entre eux, ou avec les autres garçons.

» Cela dit, ils se sont toujours montrés très protecteurs avec moi, prêts à me défendre contre tous ceux qui osaient m'importuner. Pourquoi ?

— J'étais fils unique, or James et Edward paraissent partager un lien très spécial, et qui m'intrigue quelque peu.

— On dit souvent des frères qu'ils s'entendent comme larrons en foire, et ça me semble parfaitement s'adapter à vos beaux-fils.

— Ils ne m'aiment pas beaucoup.

Richard grinça des dents. Il avait sûrement l'air d'un imbécile.

— Les garçons aiment ceux qui les traitent d'égal à égal et les écoutent. Mes frères étaient toujours fous de joie quand mon père leur faisait des compliments.

— Même quand ils étaient très jeunes ?

— Surtout ! Ils voulaient qu'il soit fier d'eux, mais pour cela, il fallait bien qu'il les remarque. Je me rappelle par exemple qu'un jour, ils ont construit une cabane dans un arbre avec des planches qu'ils ont trouvées près de la maison, sans savoir qu'elles étaient supposées servir à ériger une clôture tout autour de notre jardin.

» J'ai bien cru que mon père allait exploser quand il l'a découvert. Je ne sais pas comment mes frères ont fait pour ne pas se briser le cou en démontant la cabane à une telle vitesse, chacun essayant de finir sa tâche en premier. Ils étaient véritablement capables de tout pour attirer l'attention de notre père.

— Je ne suis pas sûr que ce soit le cas d'Edward et de James. Honnêtement, j'ai même l'impression qu'ils préféreraient que je disparaisse purement et simplement.

—Vous êtes un élément nouveau dans leurs vies, il est parfaitement normal qu'ils soient hostiles ; de plus, ils en savent très peu à votre sujet. Selon moi, vous n'avez que deux possibilités : les subjuguer, ou les convaincre.

Pour l'instant, les deux garçons semblaient loin d'être fascinés par sa personne, la seconde méthode était donc peut-être plus indiquée.

—Comment ? En achetant leur affection ?

—Ça marcherait peut-être avec le plus jeune, mais son frère est bien trop rusé pour se laisser faire aussi facilement.

Miss Hardie avait raison. Edward paraissait n'avoir aucune envie de lui laisser la moindre chance. Avec son frère, ils avaient été contre lui dès le départ.

Enfin, ce n'était peut-être pas vrai en ce qui concernait James. Le garçon s'était même montré plutôt amical. Edward, en tout cas, n'avait rien fait pour cacher son dédain.

Peut-être pouvait-il lui faire un compliment ? Ce serait certainement une approche très différente. Restait à trouver quelque chose de flatteur – et de vrai – à lui dire, car un mensonge ne ferait qu'empirer la situation.

L'horloge sonna. Dixon arriverait d'une seconde à l'autre. Miss Hardie regagna précipitamment son bureau et réunit le reste des documents nécessaires pour leur entrevue.

— J'espère que vous ne trouvez pas toutes ces distractions de Noël trop néfastes à votre travail, reprit Richard.

— Bien au contraire ! Il est si agréable de se retrouver entourée de gens heureux. À mon grand étonnement, elles me consolent un peu de ne plus avoir mon père et mes frères pour ces fêtes. Votre épouse et vous-même avez été très généreux de m'inviter. (Miss Hardie sourit, et ses yeux scintillèrent d'une façon très séduisante.) J'ai eu beaucoup à faire, mais Mr Barclay s'est montré d'une aide précieuse.

Barclay ? Richard avait presque oublié que son ancien secrétaire était toujours sur place pour assister Juliet, même si cette dernière était bien trop accaparée par les préparatifs de Noël pour s'occuper des rénovations.

— Je suis ravi d'apprendre qu'il se rend utile, dit Richard en masquant son sourire de la main.

Le jeune homme avait visiblement fait forte impression sur Miss Hardie. N'avait-elle pas légèrement rougi en prononçant son nom ? *Intéressant.*

Richard se demanda comment George réagirait quand il apprendrait qu'il avait un rival. *Mal, sans doute.*

Quand Dixon arriva, la jeune femme se retira dans un coin de la pièce, plume à la main, pour prendre des notes que Richard lirait plus tard. Dixon était le genre d'individu persuadé de savoir mieux que vous-même ce que vous pensiez. Parfois, il attribuait à quelqu'un des paroles que celui-ci n'avait jamais prononcées. Richard avait par le passé tiré parti de ce défaut, mais les termes de leur arrangement devaient être extrêmement précis.

Les deux hommes s'installèrent dans des fauteuils en cuir, près de l'âtre, un cadre agréable mais qui ne diminua en rien l'âpreté de leurs négociations. Alors qu'il contestait quelque détail de leur contrat, Dixon s'arrêta soudain au beau milieu d'une phrase.

— Quel est ce bruit ?

Richard n'entendait que le crépitement du feu.

— Miss Hardie ?

— Il y a eu, je crois, un petit grattement, mais il a cessé.

Miss Hardie et les deux hommes tendirent l'oreille, en vain. Dixon reprit :

— Donc, j'insiste pour qu'à la place de ce paragraphe, il soit…

— Bon sang ! s'écria Richard en se levant d'un bond.

Une forme noir et blanc venait de traverser le tapis, lui frôlant le pied.

— Vous avez vu ça ?

— Le contraire aurait été difficile, répondit Dixon. Je l'ai vu partir sous le canapé. Je crois que c'est un chat.

— Un chat ?

Richard avait bien aperçu quelques spécimens dodus dans les écuries, mais à sa connaissance aucun ne vivait dans la maison. Cela dit, il ne savait presque rien de cet endroit.

—Je ne crois pas que les enfants aient d'animaux domestiques, mais si c'est le cas, ils ne sont certainement pas à leur place ici.

—Les chats aiment les feux, et celui-ci doit être très tentant, dit Miss Hardie. Je me demande tout de même comment celui-là a réussi à entrer.

Richard serra les dents. *James et Edward…* Cette bête n'était pas arrivée dans son bureau par accident. Les chats étaient typiquement le genre d'animaux à semer la pagaille, et celui-ci avait d'ailleurs bien commencé. Richard s'agenouilla devant le canapé pour tenter d'apercevoir la créature.

Il l'avait sûrement effrayée, car elle détala à l'autre bout de la pièce pour disparaître derrière les tentures en velours.

Miss Hardie glapit.

—Bonté divine ! Vous avez vu cette bête ? cria Dixon.

—À peine, elle va beaucoup trop vite.

—Croyez-vous que ce soit un rat ? s'enquit la jeune femme, les yeux écarquillés.

—Pas chez moi, répondit Richard en époussetant son pantalon sur lequel s'étaient collés quelques épais poils noirs.

—Non, sûrement pas, renchérit Dixon. Mais je ne suis pas sûr que ce soit un chat non plus. J'ai cru distinguer un museau plutôt allongé. C'est peut-être un très petit chien, un de ces bâtards qu'on trouve partout à la campagne.

Richard haussa les épaules. Chien, chat, ou même rat, peu lui importait. Il tira sèchement sur le cordon de la sonnette, impatient de voir James et Edward faire sortir cette créature de son bureau, car pour lui, pas de doute : c'étaient eux qui l'y avaient introduite.

Voilà qui faisait très mauvais effet, au pire moment possible de ses négociations.

Miss Hardie se figea, le regard rivé au sol. L'animal venait d'apparaître entre les tentures. Il avait un corps allongé, des pattes courtes mais musclées et de longues griffes.

Pendant une seconde, Richard fut incapable de parler, et même de réfléchir.

— Ce n'est pas un chat…, croassa-t-il, stupéfait.

Mais la longue bande blanche qui courait le long du dos de l'animal ne laissait aucun doute possible.

— C'est une mouffette.

— Pardon ? demanda Dixon.

— Une mouffette !

— Impossible, il n'y en a pas en Angleterre.

— Eh bien, on en trouve en Amérique, et je sais reconnaître une de ces bêtes quand j'en vois une.

— Vous l'avez amenée avec vous ? interrogea Dixon.

— Quelle personne saine d'esprit voyagerait avec une mouffette ?

— Exactement. Donc ce n'en est pas une.

— Mais si, je vous assure, insista Richard, qui chercha du regard un soutien auprès de Miss Hardie.

La secrétaire, paralysée, ouvrait et fermait la bouche sans qu'aucun son n'en sorte.

— Richard, je vais vous prouver que vous avez tort, annonça Dixon en tendant la main vers l'animal.

—Non ! cria Richard.

Trop tard.

La mouffette se retourna, leva la queue et projeta une nuée de gouttelettes nauséabondes qui atterrirent en plein sur la poitrine de Dixon.

Pour la première fois depuis que Richard l'avait rencontré, celui-ci semblait avoir perdu l'usage de la parole. Il le dévisageait, incrédule, les sourcils froncés.

—On dirait de l'œuf pourri ! gémit Miss Hardie en reculant… pour se retrouver sur le chemin de la créature affolée.

—Miss Hardie, arrêtez ! Ne restez pas devant elle, elle va recommencer !

—Mon Dieu, que dois-je faire ? murmura la jeune femme en pressant un mouchoir en dentelle contre son visage.

—J'aimerais bien le savoir.

Un valet entra alors, alerté par les coups de sonnette de Richard. Il contempla la mouffette, interdit, et se mit aussitôt à larmoyer, irrité par les émanations de l'animal. Richard avait lui aussi les yeux baignés de larmes, mais il n'avait pas l'intention de quitter la pièce tant que l'intrus n'était pas capturé.

—Munissez-vous de gants épais pour ne pas vous faire griffer et d'un sac robuste, ordonna-t-il au nouveau venu.

—Mais, monsieur, je suis un employé de maison ! protesta nerveusement l'homme.

Richard faillit le secouer comme un prunier. Ce n'était vraiment pas le moment de débattre de la grotesque hiérarchie des domestiques anglais.

— Dans ce cas, allez chercher un valet d'écurie et répétez-lui ce que je viens de vous dire – et veillez à ce que personne d'autre ne sache ce qui se passe ici. Je ne veux pas que ce soit encore plus le cirque.

L'employé partit aussitôt, sans doute pour échapper à la puanteur ; Richard pria pour qu'il suive ses ordres à la lettre. La mouffette était toujours plantée au bord du tapis, et ni Miss Hardie ni Dixon n'avaient bougé d'un pouce.

Faire la conversation dans de telles conditions aurait été parfaitement ridicule, et aurait risqué d'effrayer l'animal. Richard savait qu'une mouffette pouvait projeter ses excrétions nauséabondes plusieurs fois de suite, et ils n'avaient certainement pas besoin d'aggraver la pestilence qui flottait déjà dans la pièce, imprégnant peau et tissus.

Dixon hésitait entre marmonnements indignés et grincements de dents ; quant à Miss Hardie, elle gardait son calme et osa même lancer un regard courroucé à la créature – tout en restant sagement silencieuse et immobile. Pour ne pas s'emporter, Richard passa en revue tous les châtiments qu'il rêvait d'infliger à Edward et à James.

Ils n'eurent que peu de temps à attendre avant qu'un jeune domestique solidement charpenté fasse son entrée dans le bureau, muni d'un long bâton et d'un sac en toile de jute. Richard, qui retenait désespérément sa respiration, exhala profondément.

— Attrapez cette mouffette et emmenez-la hors d'ici. Faites très attention à ne pas l'effrayer si vous ne voulez pas qu'elle projette de nouveau cette horrible substance. Vous m'avez bien compris ?

Le jeune homme hocha la tête, manifestement peu étonné par l'étrange requête.

— Mais c'est Charlie ! s'écria-t-il quand il aperçut la créature. C'est ce que j'ai tout de suite pensé quand Harry m'a appelé.

— Vous connaissez cette chose ?

— Ce genre de spécimen est plutôt rare dans la région. Il appartient à Mr Hollingsworth.

— C'est un animal de compagnie ? demanda Miss Hardie, incrédule.

— J'imagine, Mr Hollingsworth le garde dans la cour. Charlie a un enclos, avec une petite maison en bois et quelques buissons. En revanche, je ne vois vraiment pas comment il est arrivé dans votre bureau. Il ne s'est jamais échappé jusque-là.

— Je crois qu'on l'a un peu aidé, dit Richard.

— Je peux l'attraper, mais vous devez rester immobiles.

Le valet d'écurie tint parole : il contourna la mouffette, puis, vif comme l'éclair, lui jeta le sac sur la tête. La créature ainsi empaquetée poussa quelques couinements indignés, mais fut prestement conduite hors de la pièce.

La tension se dissipa aussitôt. Richard s'autorisa un bref sourire, échangea un regard soulagé avec Miss Hardie et se tourna vers Dixon.

Les yeux de l'homme lançaient des éclairs et une moue cruelle lui déformait les traits. Il semblait sur le point d'exploser. Richard étouffa un juron. Cette affaire était loin d'être réglée.

Il fallut bien un quart d'heure à Richard pour calmer Walter Dixon – ce qui à son tour le mit de fort mauvaise humeur.

Furieux et empestant la mouffette, il entra comme un ouragan dans la salle de classe, ce qui fit bondir les deux garçons et leur précepteur.

— Laissez-nous, ordonna-t-il à ce dernier.

— Mr Harper, j'étais justement en train de dire à ces deux…

— Laissez-nous ! répéta Richard d'une voix grave et menaçante.

Le précepteur s'approcha de lui et fronça le nez. *Bon sang, je dois vraiment sentir horriblement mauvais.* L'expression dégoûtée de l'homme lui était devenue très familière depuis qu'il avait quitté son cabinet de travail : il l'avait vue sur le visage de tous les domestiques qui avaient croisé son chemin.

— J'attends dehors, déclara Mr Johnson.

Richard se retourna vers les deux enfants. James pâlit, mais Edward serra la mâchoire.

— Cette fois, vous êtes allés trop loin, gronda Richard. Votre petite plaisanterie m'a très probablement coûté un associé, et une très grosse somme d'argent. Cet animal a attaqué Mr Dixon et empuanti mon bureau.

— Ce n'était qu'une farce, répondit James. On ne voulait faire de mal à personne.

— Vous avez vraiment besoin d'apprendre une leçon sur les dangers qu'il y a à jouer avec une bête sauvage ; j'ajouterai ça à votre punition. Mais tout d'abord, vous allez nettoyer les stalles des écuries tous les jours jusqu'à ce que vous ayez gagné de quoi rembourser les vêtements de Mr Dixon.

» De plus, vous ne participerez à aucune activité, ni cette semaine ni la suivante, et serez privés de dessert ou de gourmandises.

— Mais la semaine prochaine, c'est Noël ! gémit James.

— Il fallait y penser avant d'enfermer une mouffette dans mon bureau. Vous allez également écrire des lettres d'excuses à Mr Dixon, Miss Hardie et Mr Hollingsworth, le propriétaire de l'animal, si j'ai bien compris. Vous irez les remettre en mains propres cet après-midi, et vous expliquerez de vive voix à ces personnes à quel point vous regrettez vos actions. Me suis-je bien fait comprendre ?

James hocha la tête en se tortillant sur sa chaise, mais son aîné leva le menton d'un air de défi.

— Edward…

Le ton de Richard était sans appel. L'homme et le garçon se dévisagèrent un instant, et ce qui ressemblait à de la résignation se dessina sur les traits d'Edward.

— J'ai compris, dit-il d'une voix lugubre.

Richard fusilla de nouveau ses beaux-fils du regard puis, craignant de se laisser emporter par la colère, ouvrit brutalement la porte. Le précepteur se redressa précipitamment et manqua de perdre l'équilibre. De toute évidence, il avait épié leur conversation.

— Vous avez entendu ce que je leur ai ordonné ? demanda Richard.

— Oui, Mr Harper.

— Alors veillez à ce que ce soit fait.

Richard descendait l'escalier, la main serrée sur la rampe, quand il croisa une Juliet interloquée.

— Richard, que se passe-t-il ? La maison est sens dessus dessous et j'ai entendu les histoires les plus folles ! Mon Dieu, d'où vient cette horrible odeur ?

— Demandez à vos fils, gronda Richard sans s'arrêter.

Chapitre 16

*J*uliet inspira profondément et entra dans la salle de classe. Edward et James étaient assis à leurs pupitres, tête baissée, et écrivaient studieusement. Leur précepteur les surveillait, la mine grave.

— Mr Johnson, j'ai cru comprendre que quelque chose de regrettable s'était produit. Auriez-vous la bonté de m'expliquer de quoi il s'agit, je vous prie ?

— Vos fils le feront sans doute mieux que moi.

James laissa échapper un petit gémissement affolé et continua à écrire. Edward, au contraire, lâcha sa plume et la regarda dans les yeux.

— Edward, que s'est-il passé ?

D'une voix calme, détachée, le garçon raconta la discussion qui venait d'avoir lieu dans l'étude, non sans sous-entendre que tout était la faute de Richard, une prouesse non négligeable quand on savait que l'homme était la victime dans toute cette histoire – enfin, avec Mr Dixon et Miss Hardie.

— Et où est donc ce malheureux animal à l'heure qu'il est ? interrogea Juliet.

James écarquilla les yeux.

— Je ne sais pas, répondit Edward, pensif.

Juliet sentait sa patience l'abandonner.

— Vous n'avez pas pensé à demander ?

— Non. Je suppose qu'on l'a mis dehors.

— Eh bien, vous allez tâcher d'apprendre ce qu'il est advenu de cette bête. Elle est peut-être blessée, et je suis sûre que Mr Hollingsworth sera très peiné s'il est arrivé quelque chose à sa chère mouffette – et particulièrement en colère quand il apprendra qu'elle est à l'origine d'une telle pagaille.

— Charlie est un animal inoffensif, protesta Edward.

— Je ne pense pas que Mr Dixon soit de cet avis.

James grimaça, mais Edward resta impassible. Juliet trouvait l'absence de remords de son fils aîné des plus provocantes, mais elle garda son calme.

— Quant à votre punition…

— Mr Harper y a déjà veillé, se hâta de lui expliquer le précepteur. Edward et James écrivent en ce moment même leurs lettres d'excuses pour Mr Dixon, Miss Hardie et Mr Hollingsworth.

Juliet chercha instantanément de la main les cheveux qui lui frôlaient la nuque, un signe évident de sa nervosité. Certes, Richard avait été la cible de ce mauvais tour, il avait donc le droit de décider lui-même du châtiment que subiraient les garçons.

Cependant ils étaient sous la responsabilité de Juliet, et leur comportement montrait à quel point elle avait échoué. Elle était embarrassée, contrariée, mais s'en voulait surtout beaucoup. Si elle avait été une bonne mère, rien de tout cela ne serait arrivé.

— Vous rédigerez également une lettre d'excuses à Richard, dit-elle.

— Pour la mouffette ? demanda James.

Juliet eut soudain un mauvais pressentiment.

— Pourquoi posez-vous une question pareille ? Avez-vous fait autre chose ?

— Je ne sais pas…

James regarda nerveusement Edward, qui l'ignora. Juliet attendit, les bras croisés.

— Nous avons mis du porridge dans ses chaussures, murmura Edward. Et du sel dans son sucrier.

— Et le jour où nous sommes partis chercher du gui, nous l'avons laissé tout en haut d'un chêne, ajouta James.

— Mais pourquoi avez-vous fait de telles choses ? demanda Juliet, horrifiée.

Les lèvres de James tremblaient, mais son frère ne cillait pas.

— Il ne nous aime pas.

Juliet ouvrit la bouche pour protester, mais ne dit rien. Songer que Richard pourrait détester ses enfants était bien trop douloureux, car cela impliquait qu'ils ne parviendraient jamais à devenir une vraie famille.

Pourtant, elle ne pouvait donner tort à Edward. Richard n'avait rien fait pour montrer qu'il ressentait un tant soit peu d'affection pour ses enfants, et ces derniers étaient assez intelligents pour s'en rendre compte.

— Ce n'est pas en lui jouant des tours pareils que vous allez l'amener à vous apprécier.

— Il s'en moque ! rétorqua Edward. Il n'a jamais rien dit !

— Peut-être qu'il n'a pas compris que c'était nous ? suggéra James avec espoir.

Edward lança un regard excédé à son frère.

— Bien sûr que si, il s'en fiche, c'est tout. Je vous l'ai dit, maman, il ne nous aime pas.

Impossible de ne pas remarquer le regret dans les yeux de James, le ressentiment dans ceux d'Edward. Comment la situation en était-elle arrivée là ?

— Vous me décevez énormément. J'attendais beaucoup plus de vous.

Juliet contempla ses fils en silence, cherchant tout de même un peu d'espoir. *Je peux encore tout arranger*, se persuadait-elle.

— Nous parlerons davantage de votre punition quand vous aurez présenté vos excuses, annonça-t-elle.

James baissa docilement la tête, mais Juliet vit distinctement la rancœur s'accentuer sur les traits de son fils aîné. Le cœur brisé, elle salua un Mr Johnson visiblement soulagé que cette discussion soit arrivée à son terme et quitta la pièce.

Juliet se dirigea directement vers la chambre de Richard. Dans les couloirs, les guirlandes de sapin et les rubans éclatants semblaient se moquer d'elle.

Elle avait cru que partager les joies de Noël ferait miraculeusement d'eux une famille, mais elle s'était de toute évidence trompée.

Juliet entra dans la chambre de son mari et s'arrêta net quand elle n'y trouva qu'un domestique. L'homme au visage en lame de couteau la contempla avec un vif intérêt.

— Mrs Harper, dit-il en s'inclinant profondément. Je suis Hallet, le valet de Mr Harper.

— Bonjour, Hallet, répondit Juliet, qui tentait de surmonter sa gêne.

À ce stade de leur mariage, la jeune femme aurait dû connaître le domestique personnel de son mari, mais comme elle n'était que très rarement venue dans ses appartements, elle voyait cet homme pour la première fois.

— Mr Harper est dans son bain, répondit le valet.

Juliet reconnut les vêtements qu'il avait à la main : c'étaient ceux que Richard portait quand elle l'avait croisé, et qui étaient sûrement bons à jeter.

— Il semblerait qu'un incident se soit produit dans son bureau, ce matin, ajouta-t-il.

— Oui, c'est ce que j'ai appris. C'est d'ailleurs pour évoquer cet… incident avec mon époux que je suis là.

— Je crains que Mr Harper ne soit encore en train de se remettre. Souhaitez-vous que je lui transmette un message ?

Juliet savait que cet homme essayait seulement de protéger son employeur, mais son attitude la froissait. Elle lança un regard en direction de la porte entrouverte de la salle de bains. Pouvait-elle passer devant le valet sans avoir l'air d'une idiote ?

Elle décida que non. La situation ne lui plaisait guère, mais elle n'avait aucune envie de faire une scène.

— Croyez-vous que mon mari sera encore longtemps indisposé ?

— C'est difficile à dire, madame, répondit-il en reniflant prudemment les vêtements de Richard.

— Pouvez-vous les nettoyer ?

— J'essaierai, car ils comptent parmi les favoris de monsieur mais, hélas, je ne peux rien vous promettre.

Juliet s'approcha du valet, la gorge serrée, et l'odeur nauséabonde se fit plus puissante.

— On m'avait dit que c'était une petite mouffette et j'ai donc pensé qu'elle ne pourrait pas faire beaucoup de dégâts, mais je suppose qu'en l'occurrence, la taille ne change rien à l'affaire.

— Il semblerait, en effet. (Le valet soupira.) Je vais annoncer à Mr Harper que vous désirez lui parler.

Le serviteur revint presque aussitôt.

— Mr Harper a annoncé qu'il vous retrouverait dans le salon à 15 heures, une fois que vos fils auront fait leurs excuses à Mr Dixon.

Juliet voulait régler cette affaire immédiatement, entendre la version des faits de Richard, et savoir quel traitement il comptait réserver à ses enfants. Elle pensait elle aussi qu'une punition était nécessaire, mais son instinct de mère la poussait à la patience et à la compassion.

Attendre davantage rendrait cette conversation d'autant plus difficile. Elle lança un nouveau regard implorant en direction de la salle de bains.

— Je suis vraiment navré, madame, reprit le valet avec sympathie, sans pour autant s'écarter. Mr Harper s'est montré catégorique, et si je puis me permettre, je pense qu'il sera de fort meilleure humeur une fois débarrassé de cette puanteur.

Ce n'était pas du tout ce qu'elle avait envie d'entendre, mais elle ne pouvait plus rien faire d'autre que sauver sa dignité. Le menton levé, elle regarda Hallet droit dans les yeux.

— Dites à Mr Harper que je l'attendrai dans le salon.

— Très bien, madame.

Hallet s'inclina, encore plus respectueusement que la première fois – ce fut tout du moins ce que Juliet se dit en sortant de la chambre de son mari.

Une fois débarrassé de l'odeur de la mouffette, Richard décida qu'un bain chaud et des habits propres pouvaient véritablement faire des miracles. Il se sentait très bien, et espérait quelque peu égoïstement qu'il en allait de même pour Dixon. Les négociations se dérouleraient bien mieux si tous deux étaient détendus et sereins.

Richard entra donc dans son bureau de fort meilleure humeur qu'il l'avait quitté. Il remarqua en premier le froid qui régnait dans la pièce, car on avait laissé les fenêtres ouvertes, mais l'air frais avait réussi à chasser la puanteur. Par bonheur, la mouffette n'avait pas projeté ses pestilentielles sécrétions sur le tapis, les meubles ni les rideaux, et aérer l'endroit pendant plusieurs heures avait suffi.

Richard ferma les nombreuses fenêtres, ravi de constater qu'il ne sentait qu'une légère odeur de bougie. Le feu qui brûlait dans l'âtre se chargea de réchauffer la pièce. Richard trouva ses notes bien rangées sur son bureau. Miss Hardie demeurait compétente, même dans les conditions les plus difficiles.

Il eut cependant bien du mal à se concentrer sur sa lecture ; il ne cessait de repasser dans son esprit les événements de la matinée. Dixon avait été la principale victime de la mouffette, ce qui, honnêtement, aurait pu être évité si l'homme avait écouté quand Richard lui avait dit de rester à distance de l'animal.

Il sourit en repensant au visage médusé de Dixon, puis s'esclaffa franchement. Toute la scène avait été du plus haut comique, il fallait bien l'admettre.

Il riait encore quand les deux garçons firent leur entrée et qu'un James étonnamment calme lui tendit solennellement une feuille de papier.

— Je m'excuse pour tout ce qu'a fait la mouffette, monsieur, déclara-t-il.

Richard recouvra instantanément son sérieux et tâcha de prendre un air sévère. Il était capital, à cet instant précis, que les deux enfants le respectent.

Edward lui donna à son tour sa lettre, un petit sourire narquois aux lèvres.

— Je suis désolé que Charlie ait attaqué Mr Dixon.

— Au lieu de m'attaquer moi ? demanda Richard. C'est ce que vous sous-entendiez, n'est-ce pas, Edward ?

Le regard de l'enfant en disait long, mais il était assez avisé pour se taire.

— J'accepte vos excuses, à condition que vous me promettiez que ce genre de comportement ne se reproduira pas. Plus jamais de sel dans mon sucre, de porridge dans mes chaussures et autres plaisanteries de cet acabit. C'est entendu ?

Les garçons échangèrent un regard surpris et Richard comprit que George avait eu raison. S'il n'avait pas fait mine d'ignorer leurs mauvais tours, peut-être aurait-il pu éviter l'incident de la mouffette.

Bien décidé à prendre un nouveau départ avec eux, Richard tendit la main. Edward regarda cette dernière, manifestement partagé. En la serrant, il signerait une trêve avec son beau-père, et le gamin n'était sûrement pas encore prêt à rendre les armes.

— D'accord, répondit James en bousculant son frère pour venir prendre la main de Richard.

Celui-ci fut ravi de constater que le cadet n'était pas entièrement sous l'influence de son aîné et pouvait prendre ses propres décisions.

— Edward ? Plus de plaisanteries ? (Richard attendit.) Vous devez comprendre que je ne peux laisser personne agir ainsi sous mon toit, à plus forte raison un enfant.

— C'est mon toit ! rétorqua Edward, indigné.

— C'est vrai, mais c'est moi qui paie les factures, et tant qu'il en sera ainsi, vous me devrez le respect.

Richard s'attendait à ce que le garçon proteste encore, mais celui-ci lui prit la main et la serra brièvement. Ce n'était pas grand-chose, mais Richard s'en contenterait.

On frappa à la porte, et Dixon entra sans attendre d'y être invité. L'homme portait une chemise au col amidonné, une veste noire bien repassée, ses cheveux étaient mouillés et il s'était rasé. Une légère odeur émanait bien de sa personne, mais elle n'avait plus rien d'envahissant. Richard se surprit à réprimer un sourire.

— Harper, le salua Dixon en hochant sèchement la tête. Je vois que vous avez trouvé les responsables de cette pitrerie.

— Edward et James sont navrés que leur plaisanterie idiote ait pris de telles proportions.

— Et ils ont raison de l'être. J'espère qu'ils seront sévèrement punis.

— Ce sera le cas, en effet.

— Excellent. Étant la principale victime dans l'histoire, j'aurais préféré donner moi-même les coups de canne, mais j'y renoncerai car après tout, je suis chez vous. Je tiens cependant à vous regarder faire, pour être sûr que vous vous acquittiez correctement de la tâche. Commencez par le plus jeune, je vous prie.

James laissa échapper un petit cri terrifié. Dixon plaisantait-il ? Essayait-il seulement d'effrayer les garçons ?

L'homme regarda Richard droit dans les yeux, le visage figé en un masque impitoyable et décidé. L'Américain n'aurait pas dû être surpris que Dixon demande que les enfants soient battus, mais qu'il veuille assister au châtiment ? voilà qui était autrement plus perturbant.

C'était une mauvaise farce, mais qui ne justifiait en rien ce genre de punition. Richard tenta d'imaginer la situation si les rôles avaient été inversés. À la place de Dixon, aurait-il exigé de telles représailles ? Certainement pas.

Personne n'avait été blessé – enfin, à part la fierté de Dixon. De plus Richard savait qu'il était en partie responsable. Il aurait dû mettre un terme à ces mauvais tours dès le début, au lieu de les ignorer.

— James et Edward ont déjà reçu leur punition.

Il adressa un léger signe de tête aux deux garçons, qui tendirent leurs lettres à Dixon et récitèrent leurs excuses à voix basse. Ils vinrent ensuite se réfugier aux côtés de Richard, assez près pour qu'il entende leurs respirations saccadées.

Dixon lut rapidement les lettres et les posa sur le bureau, la mâchoire agitée par un tic nerveux.

— Soulevez votre chemise, mon garçon, ordonna-t-il à James. Je veux voir si vous avez en effet reçu votre correction.

— Monsieur ? s'écria James, abasourdi.

Richard s'interposa entre Dixon et l'enfant.

— Les garçons vont commencer dès aujourd'hui à travailler dans les écuries pour gagner de quoi remplacer vos vêtements endommagés. Ils savent qu'ils ont mal agi, ils ont admis leur erreur, présenté leurs excuses, et vont en subir les conséquences. L'incident est clos.

— Ils ne m'ont pas l'air d'avoir subi quoi que ce soit.

— Je vous assure que si.

James devenait plus pâle chaque seconde. Edward restait stoïque, mais son épaule frémissait, un signe éloquent de nervosité. Richard avança d'un autre pas.

— Harper, une collaboration repose sur une confiance mutuelle, dit Dixon. Tous les partis doivent être d'accord sur la façon dont seront réglés les problèmes importants.

— C'est absolument vrai – en ce qui concerne les affaires. La question qui nous occupe aujourd'hui est d'ordre personnel, et a déjà été réglée.

— D'une façon qui ne me convient guère.

Dixon ne céderait pas.

Les profits potentiels, le temps et les efforts employés pour élaborer ce partenariat... tout menaçait de s'envoler en fumée. Dixon lui donnait purement et simplement un ultimatum : s'il ne battait pas les enfants, leur collaboration s'arrêterait là.

Richard regarda les deux gamins, irrité. La lèvre inférieure de James tremblait ; Edward baissa les épaules et tourna la tête.

Des émotions inattendues l'assaillirent. Les enfants étaient si raides et si immobiles que Richard se demanda s'ils respiraient encore. Leur détresse le frappa en pleine poitrine. Il sentait presque leur peur, leur impuissance. Instinctivement, il posa la main sur l'épaule d'Edward, qui le regarda avec stupéfaction.

De toute évidence, il ne s'attendait pas le moins du monde à de la compassion de sa part. Richard eut vraiment le sentiment de n'être qu'une créature cupide et sans cœur.

— Mr Dixon, nous sommes donc dans une impasse, déclara-t-il avec fermeté.

Cinq minutes auparavant, Richard aurait bondi à l'idée de prononcer ces mots, conscient de ce qu'ils pouvaient lui coûter, mais il sut immédiatement qu'il avait fait le bon choix.

Gagner de l'argent était important, essentiel, même. Il devait subvenir aux besoins de sa famille, la protéger, et il espérait toujours pouvoir sauver ce partenariat. Il était prêt à tout pour cela.

Sauf à satisfaire la requête barbare de Dixon.

Richard comprit alors à quel point il s'était fourvoyé en pensant pouvoir rester imperméable aux sentiments paternels. Un bouleversement s'était produit en lui à la seconde où les deux garçons avaient été menacés. Cette froideur à laquelle il se cramponnait avec obstination s'était fissurée, laissant passer toutes sortes d'émotions.

Il était illusoire de croire que s'isoler de ces gamins atténuerait les souffrances de son passé.

Pour la première fois, Richard y voyait clair. Il aimait Juliet, ses enfants faisaient partie d'elle, et chacun d'eux comptait pour lui.

Edward, qui essayait tant d'être un homme ; James, ouvert, malicieux et plein de vie ; Lizzy, douce, innocente et adorable.

Ces enfants représentaient l'avenir. Son avenir. Richard comprit que Juliet et ces trois êtres incarnaient le véritable bonheur — et que ce dernier était à sa portée.

Il avait bien l'intention de le saisir à deux mains et de ne pas le laisser échapper, même s'il devait pour cela aller à l'encontre de tous ses instincts d'homme d'affaires.

Chapitre 17

écouragée, Juliet se laissa tomber dans un fauteuil, près de la cheminée. Elle arpentait le salon depuis ce qui lui semblait des heures, les nerfs tendus à se rompre.

La jeune femme était à la fois furieuse et embarrassée par l'attitude stupide de ses fils et par les conséquences que cela avait entraînées. Elle avait de plus un très mauvais pressentiment depuis que Richard avait refusé de lui parler quand elle était venue dans sa chambre. Juliet craignait que cela ne creuse encore le fossé qui séparait Richard de ses enfants – et d'elle.

Ce sentiment d'impuissance devenait bien trop familier, et parfaitement insupportable.

Soudain, quand elle pensait ne plus pouvoir attendre davantage, Richard entra dans la pièce, les deux garçons à ses côtés. Elle se leva d'un bond.

— Les Dixon s'en vont, annonça Richard.

Oh, non! Juliet se mordit la lèvre, sidérée que les choses soient allées aussi loin.

— Richard, je suis désolée.

Elle lança un regard sévère à ses deux fils, mais ces derniers, loin de paraître affligés ou furieux contre Richard, contemplaient l'homme avec respect.

—Pas moi, dit-il.

Juliet se prit à espérer.

—Vous avez tout de même réussi à faire affaire avec Mr Dixon? A-t-il accepté les termes de votre collaboration?

—Il n'y aura ni collaboration ni transaction d'aucune sorte avec Mr Dixon à l'avenir.

—À cause des garçons? murmura Juliet.

—Oui.

—Oh, Richard… (Elle détourna le regard.) Je sais à quel point c'était important pour vous, et combien vous avez travaillé dur. Peut-être pourrais-je parler à Mr Dixon, m'excuser, et…

—Non! tonna Richard, un rugissement qui résonna dans la pièce et fit trembler les vitres. Personne dans cette famille ne parlera à cet homme. Plus jamais, est-ce bien clair?

Terrifiée par ce cri, Juliet se tourna vers James et Edward… Les deux garçons souriaient!

—Non, je n'y comprends rien, Richard. Que s'est-il passé?

—Vos fils ont fait leurs excuses et donné leurs lettres. Leur sincérité aurait dû suffire à apaiser Dixon.

Les enfants souriaient de plus belle.

—Et alors?

—Il a dit que nous avions besoin de coups de canne, et qu'il voulait les donner lui-même, intervint James. J'avais peur, maman, mais je n'ai pas pleuré.

— Pardon ? Qui ?

— Dixon pensait qu'un châtiment corporel s'imposait, et pas moi. Il est donc parti.

— Il voulait frapper mes fils ? demanda Juliet, effrayée.

— Il n'arrêtait pas de le répéter ! s'écria Edward. À la fin, il était tout rouge, et ses joues tremblaient, mais Richard n'était pas d'accord.

Le garçon se tourna vers son beau-père, les yeux brillants d'admiration.

— Satanée brute, murmura Richard. Il a essayé de me forcer la main en menaçant de tuer notre collaboration dans l'œuf, et je lui ai répondu d'aller au diable. On ne frappe pas mes enfants.

— Mon Dieu, Richard, vous ne lui avez tout de même pas dit ça ?

— Si, maman ! confirma Edward. Il ne criait pas, mais on voyait qu'il ne plaisantait pas.

— Il a aussi dit plein de gros mots, ajouta James, aux anges.

— Ça suffit, les enfants, fit Richard. Ce sujet contrarie de toute évidence votre mère.

Juliet s'approcha de ses fils. James frissonna, et elle repensa au tremblement de sa voix quand il lui avait avoué à quel point il avait eu peur. Sans un mot, elle l'étreignit de toutes ses forces puis, d'un bras, attira Edward à elle.

— Ne pleurez pas, maman, dit James. On va bien.

Juliet lui caressa les cheveux ; il était si jeune, si gracieux. Elle comprenait la colère de Dixon, et savait que les garçons devaient être punis, mais les frapper ?

C'était tellement cruel ! Dieu merci, Richard avait été là pour les protéger.

Richard se tenait bien droit, les mains sur les hanches. Il avait souffert lui aussi des plaisanteries des deux garçons, mais avait refusé qu'on leur fasse du mal – allant jusqu'à renoncer à une entreprise qu'il avait annoncée comme l'une des plus importantes de sa carrière.

Juliet ne l'avait jamais autant aimé qu'à cet instant.

— Les garçons, la punition que je vous ai donnée dans la salle de classe tient toujours, déclara Richard. Vous irez avant la fin de la journée vous excuser auprès de Miss Hardie et de Mr Hollingsworth, et commencerez votre travail dans les écuries. Sachez que je désapprouve toujours autant ce que vous avez fait, et que vous devez en payer le prix.

James soupira, mais Edward hocha la tête.

— Nous avons eu tort…, dit-il. Enfin, j'ai eu tort, et James a été assez idiot pour m'écouter. Nous sommes désolés.

— Et vous avez raison de l'être, renchérit Juliet. Je veux que vous alliez immédiatement dans la nursery pour réfléchir aux événements de la journée. Vous avez mis un désordre considérable aujourd'hui, et j'exige que ça ne se reproduise plus jamais. Allez. Je viendrai vous voir après votre dîner.

— N'oubliez pas, vous êtes privés de dessert, ajouta Richard.

Edward et James acquiescèrent et se dirigèrent vers le couloir.

— Vous viendrez aussi ? demanda Edward à Richard sur le pas de la porte.

— S'il vous plaît ! renchérit James.

Richard croisa les bras. Juliet retint son souffle, priant pour que les deux garçons ne soient pas trop vexés s'il refusait, mais l'homme hocha sèchement la tête.

Les enfants poussèrent un cri de joie, et James fit même un petit bond. Le bruit ramena Juliet à la réalité ; elle regarda son époux, mais celui-ci était parti vers la fenêtre et lui tournait le dos.

Elle attendit qu'ils soient seuls pour lui parler. Richard, parfaitement immobile, ressemblait à une statue, mais Juliet savait bien qu'il était un homme de chair, de sang... et d'émotions bien cachées.

Juliet, désespérée, avait été certaine que cet incident rendrait infranchissable le mur qui séparait Richard d'elle et de la famille qu'elle espérait fonder. Apparemment, elle s'était grandement trompée.

— Merci d'avoir défendu mes fils.

Richard serra brièvement le poing.

— Je ne comprenais rien, avoua-t-il en se retournant enfin vers elle. Dixon hurlait, fulminait, et j'entendais à peine ses paroles. Je savais seulement que je devais protéger mes garçons de la cruauté de cet homme.

— Vous les aimez, murmura-t-elle, envahie par une joie immense.

— C'est vrai, même si j'ai le plus grand mal à le croire. (Il s'approcha d'elle, le regard intense.) J'aime ces trois enfants, presque autant que j'aime leur mère.

Juliet enlaça les épaules de son mari et se pressa contre lui jusqu'à sentir son torse musclé contre sa poitrine. Elle savoura cet instant, entourée par tant de force – et d'amour.

—J'ai été un bel imbécile, n'est-ce pas ? demanda Richard au bout d'un long moment.

—Oui, fit-elle en souriant, bercée par le grondement de sa voix.

—Je refusais d'avoir une famille, je m'interdisais de vous aimer, vous et vos enfants. C'était ridicule.

—Parfaitement idiot.

Il lui souleva doucement le menton pour la regarder dans les yeux.

—Arrêtez de sourire. Vous êtes censée me consoler et me dire que ce n'était pas ma faute.

Elle éclata de rire.

—Ce n'était pas votre faute ! Je savais que vous consacrer entièrement à vos affaires pour assurer notre subsistance était votre façon de nous montrer que nous comptions pour vous. J'ai donc supposé que cela vous mènerait un jour à comprendre que vous nous aimiez.

—Je vous aime tous, reprit Richard en lui tapotant affectueusement le nez. Je vous suis tellement reconnaissant d'avoir su deviner la vérité et tolérer mon comportement bien souvent sinistre. J'admire la foi que vous avez eue en moi, même si je ne comprendrai jamais vraiment comment vous avez fait pour me tolérer.

—N'oubliez pas de mentionner votre indifférence. Vous y avez mis beaucoup de cœur.

—Vous avez raison, je suis un idiot.

— Je crains qu'en ce qui concerne les sentiments, vous ne soyez ce qu'on appelle un «lambin», mais vous êtes mon lambin à moi. Mon amour.

L'expression humble de Richard lui serra le cœur. Elle tenait tant à lui. Il était plus qu'un amant ou un mari, c'était un compagnon, un homme qui donnerait tout pour la rendre heureuse et la protéger – de même que ses enfants.

— Lent, moi? interrogea-t-il, le regard pétillant. Même si j'en souffre, je dois bien admettre qu'accepter enfin les deuils de ma jeunesse et trouver le courage de prendre ce que vous m'offriez m'a demandé du temps.

— Mais vous y êtes arrivé, intelligent que vous êtes, dit-elle en lui caressant le front du doigt.

— Petite effrontée.

— Je vous aime, Richard.

— Dieu soit loué.

Juliet cligna des yeux pour refouler ses larmes.

— J'ai beaucoup de chance, n'est-ce pas? murmura-t-il.

— Pas plus que moi, mon amour. Vous m'avez tirée des griffes de mon tyrannique beau-frère et, mieux encore, d'une vie de solitude. Je vous serai à jamais reconnaissante.

Richard éclata d'un rire joyeux.

— Juliet, je n'aurais jamais rêvé rencontrer quelqu'un comme vous. Je vous aime.

Il passa une main dans les cheveux de la jeune femme et caressa du doigt la peau délicate juste derrière son oreille.

Elle lui prit fermement les biceps.

311

— Vous savez que quand vous me regardez ainsi, mes jambes tremblent ? murmura-t-elle.

— Seulement vos jambes ?

Juliet sentit son corps réagir instinctivement au contact de Richard. Par bonheur, l'homme ne tarda pas à l'embrasser passionnément.

Elle frissonna aussitôt de tout son être, mais elle avait encore une dernière chose à dire. Malgré sa réticence, elle parvint à détacher ses lèvres de celles de son époux.

— Richard, je veux que notre amour soit sans limites. Je vous donnerai tout ce que je suis, mais en échange, vous devez promettre de m'ouvrir votre cœur.

— Je vous le promets.

Il se pencha pour l'embrasser de nouveau, mais elle posa un doigt sur ses lèvres.

— Vraiment ?

— Je vais jeter mes préservatifs, déclara-t-il, soudain très sérieux. Je comprends à quel point avoir un enfant est important pour vous, et je ne peux laisser mes souffrances passées gâcher notre avenir. J'ai bien sûr peur de la façon dont pourraient se dérouler les choses, mais je suis d'accord pour laisser la nature décider de notre sort.

Un enfant ! Le cœur de Juliet battait à tout rompre – néanmoins immédiatement, des considérations pratiques lui vinrent à l'esprit. Richard était doté d'un appétit sexuel important.

— Il est peut-être un peu tôt pour s'en débarrasser, dit-elle. Vous devriez simplement les ranger dans un tiroir. On ne sait jamais, ils pourraient bien servir un jour.

— Avez-vous changé d'avis ?

— Oh, non ! Je désire ardemment que nous ayons un enfant... mais un seul. Je n'ai aucune envie d'accoucher une fois par an, comme la reine.

— Je devrais pouvoir supporter un autre de ces petits êtres, mais je vous préviens : je serai un véritable tyran qui vous surveillera sans relâche et exigera que vous ne fassiez aucun effort pendant les neuf mois de votre grossesse.

— Voilà qui me semble merveilleux.

L'expression qu'elle lut sur le beau visage de Richard l'emplit d'une envie irrésistible de s'atteler immédiatement à l'ouvrage.

— Je vais fermer la porte, murmura l'homme, comme s'il avait lu dans ses pensées.

Il s'exécuta en un clin d'œil.

— Mais... nos invités ? protesta Juliet tandis qu'il l'embrassait dans le cou et laissait sa main courir le long de son échine.

— Ils peuvent très bien se débrouiller tout seuls.

— Je leur ai promis que nous déciderions cet après-midi du menu de Noël, et chacun brûle d'ajouter son plat préféré.

— Demandez à la cuisinière et à Mrs Perkins de tous les faire, dit Richard en l'entraînant vers le canapé.

Elle s'y écroula assez inélégamment, la tête pressée contre l'accoudoir. Richard s'allongea sur elle, appuyé sur ses avant-bras.

— Mais il est impossible de préparer autant de mets différents, même pour des cuisinières aussi aguerries !

Juliet sentit les lèvres de Richard embrasser son sein à travers l'étoffe de sa robe et ferma les yeux, envahie par le désir.

— Dans ce cas, engagez des aides de cuisine.

— Mais une telle extravagance nous coûterait une fortune !

Elle lui caressa nerveusement les bras, puis descendit vers ses cuisses.

— Je ne peux accueillir de nouveaux employés une semaine avant Noël ! De toute façon, il y aurait beaucoup trop à manger si nous préparions tout ça.

Il la serra avec autorité contre lui.

— Alors invitez plus de gens.

— Vous n'aimez pas quand il y a trop de convives !

— Vous pouvez inviter tout le village, si vous le voulez ! Ça m'est égal, tant que je suis avec vous.

Il lui mordilla le cou et Juliet poussa un petit cri, le menu de Noël oublié. Elle enfouit le nez au creux de son épaule. L'odeur de Richard l'enivra, mais lui apporta également un grand réconfort. Elle inspira profondément et savoura le contact de ce corps viril pressé contre le sien.

Une furieuse passion l'emporta alors. Elle défit fiévreusement la cravate de Richard, et lui enleva gilet et chemise, arrachant quelques boutons dans sa hâte de sentir la chaleur de sa peau.

Richard ne resta pas inactif. Il ôta les épingles qui maintenaient en place les cheveux de Juliet et les jeta par terre. Elle frémit d'excitation quand il défit les agrafes qui descendaient dans le dos de sa robe. Il fit ensuite glisser cette dernière sur ses hanches, puis se chargea tout aussi prestement de son corset et de sa chemise de soie ; Juliet se retrouva nue jusqu'à la taille.

— Savez-vous à quel point vous êtes belle ?

— Est-ce pour cela que vous m'aimez ?

Il lui prit tendrement le visage des deux mains.

— Je vous aime parce que vous me complétez, Juliet. Votre beauté m'excite, comme vous pouvez le voir, mais ce que je ressens pour vous dépasse la simple attirance physique.

— Oh, Richard…

Juliet passa un doigt sur les lèvres de l'homme, descendit le long de son menton et de son cou, puis posa avidement les mains sur son torse pour savourer chacun de ses muscles.

Elle caressa le téton de Richard du bout du doigt, et celui-ci durcit aussitôt. Il tressaillit, mais la laissa faire. Encouragée par sa confiance et son amour, Juliet embrassa délicatement sa poitrine.

Elle décida de ne pas s'arrêter en si bon chemin et lécha son téton, puis le mordilla. Richard émit un son entre gémissement et grognement. Un désir impérieux se propagea en elle, et la poussa à changer de position.

Richard ouvrit grands les yeux quand il comprit ce qu'elle voulait.

— On ne dira pas que j'ai refusé quoi que ce soit à ma femme, fit-il en roulant sur le dos.

Juliet répondit par un rire rauque et glissa les mains entre leurs deux corps pour déboutonner le pantalon de Richard. Elle sentait son érection frémir contre sa main, l'excitant terriblement. Sans jamais cesser de le regarder droit dans les yeux, elle souleva ses jupes, se défit de ses propres sous-vêtements et se mit à cheval sur ses hanches.

Un profond désir brûlait dans les prunelles de Richard, mais c'était l'amour qu'elle y décelait qui lui chavirait le cœur. Elle s'abandonna entièrement à la promesse qu'il lui offrait et se laissa descendre sur son membre, l'accueillant avec un frisson de plaisir.

Juliet le sentait en elle, dans tout son corps, dans chaque recoin de son cœur, et se souleva aussi haut qu'elle le put avant de redescendre. Richard releva ses hanches en grognant et s'enfonça en elle plus profondément que jamais.

Des vagues de plaisir parcoururent Juliet. Elle trouva rapidement le bon rythme – lentement, tout d'abord, puis de plus en plus vite au fur et à mesure qu'elle s'autorisait à accueillir sans réserve sa fougue, son amour.

Pour Richard, pas de doute : il était mort, et venait d'arriver au paradis. Un endroit fascinant, sensuel, où l'amour était exprimé de la façon la plus simple. Il était merveilleux de constater que le lien qui rapprochait leurs corps englobait également leurs cœurs et conférait à leur union une dimension qui dépassait la simple passion.

Il l'aimait ! Cette émotion, au lieu de l'affaiblir, lui prodiguait force et détermination. Un grand bonheur le submergea, intensifiant son désir.

Au prix de douloureux efforts, Richard se retint pour faire durer ce moment parfait aussi longtemps que possible. La tâche était ardue : Juliet était si belle, si généreuse… Les cheveux défaits, le rouge aux joues, les yeux débordants d'amour, elle était tout ce qu'il désirait et plus encore.

Richard donnait de lents coups de reins, les entraînant tous deux dans une danse langoureuse. Les seins de Juliet étaient délicieusement proches, et il les couvrit de ses mains. Juliet se cambra en soupirant et ferma les paupières.

Richard sentait les muscles de Juliet se serrer autour de son membre, absorber son plaisir. Leurs corps bougeaient en harmonie, parfaite expression d'une union charnelle, spirituelle et émotionnelle.

Sa poitrine brûlait du désir et de la tendresse qu'il ressentait pour Juliet, mais alors qu'il était sur le point de jouir, ses vieilles terreurs revinrent : et si sa semence la fécondait.

— Richard, je t'aime.

Mon Dieu, elle le comprenait si bien ; il n'aurait jamais cru se sentir un jour aussi proche d'un autre être humain. Il la regarda dans les yeux, toujours ébahi à l'idée qu'elle était à lui, et cessa de se retenir. Le sang lui bourdonnant aux oreilles, il se libéra en elle avec un cri d'extase.

Juliet fut secouée d'un violent spasme, aux anges. Richard but ses sanglots de bonheur comme un homme qui aurait passé plusieurs semaines dans le désert. Il haletait encore quand elle s'effondra sur lui, le corps luisant de transpiration.

Ils restèrent un long moment ainsi, trop abasourdis pour bouger.

— Ce fut intense, murmura Juliet.

— Et profond.

— L'amour rend tout meilleur, n'est-ce pas ?

— C'est vrai.

Elle le regarda, et il sentit son cœur chavirer.

— Nous aurions pu essayer de faire durer un peu ce moment, dit-elle.

— Et nous déshabiller complètement.

— La prochaine fois, promit-elle avec un sourire sensuel.

Elle caressa doucement du menton les poils qui couvraient la poitrine de Richard et ce dernier s'agita ; de toute évidence, il serait très vite prêt à recommencer. Juliet ricana, et il sut qu'elle avait compris.

— Avec toi, j'ai l'impression d'être un jeune gaillard porté sur la chose.

— Quel joli compliment.

L'amour qu'il lut dans ses yeux eut raison de ses dernières aspirations à la décence, et il l'embrassa fougueusement.

Les deux époux ressortirent du bureau deux heures plus tard, les habits impeccables. Seuls leurs sourires satisfaits et les regards complices qu'ils échangeaient trahissaient la miraculeuse transformation qui s'était accomplie.

Chapitre 18

*D*ebout au milieu de la galerie, George tripotait un nœud de satin rouge, tirant sur son extrémité jusqu'à le défaire complètement. Il avait trouvé le ruban en question par terre, et en avait déduit qu'il s'était détaché d'une branche de sapin fixée au-dessus d'un imposant tableau représentant quelque paysage.

Pour être honnête, George ne l'avait pas vraiment trouvé : il avait marché dessus, parce qu'il ne faisait pas vraiment attention à ce qui l'entourait et parce que, cet après-midi-là comme à vrai dire tous les autres, il avait quelque chose d'autre en tête – ou plus précisément, quelqu'un d'autre.

Miss Olivia Hardie.

George passa la main dans les cheveux, nerveux. Les choses ne se déroulaient pas du tout comme il l'espérait. La tension fiévreuse qu'il sentait chaque fois qu'ils se tenaient dans la même pièce s'estompait progressivement, tout du moins en ce qui concernait la jeune femme. Les sentiments de George, en revanche, devenaient plus puissants à chaque heure.

Contrairement à ce que prétendait Richard, ce n'était pas qu'une simple attirance. Il ne la désirait

319

pas non plus parce qu'elle était inaccessible. Non, c'était bien plus fort que cela.

Comme beaucoup d'autres gentlemen du même milieu que lui, George menait une vie propre à effrayer la plupart des dames ayant une morale et un tant soit peu de bon sens. C'était un séducteur qui aimait boire, jouer aux cartes et passer la nuit dans le lit d'une femme pour peu qu'elle soit jolie et consentante, sans se soucier de savoir si elle était servante ou comtesse.

Il n'avait en revanche rien d'un corrupteur malintentionné ; découvrir que Juliet et Richard le considéraient comme tel l'avait profondément blessé, et l'avait poussé à voir Miss Hardie sous un jour nouveau au cours des deux dernières semaines. C'était une révélation.

Il l'avait écoutée au lieu de contempler son adorable poitrine, et avait appris à apprécier son sens de l'humour, sa nature honnête, sa ténacité à toute épreuve. George, incapable de prédire ce qu'elle dirait ou la façon dont elle réagirait, la trouvait parfaitement fascinante.

Plus il en découvrait à son sujet, et plus il voulait en apprendre. Pour la première fois depuis bien longtemps, quelqu'un comptait plus pour lui que sa petite personne. Malgré ses efforts, il lui avait été impossible de dompter ces sentiments. Jour après jour, il sentait la langueur le gagner, chose qu'il n'aurait jamais crue possible.

George ne pouvait plus dormir, manger, ni même se concentrer plus d'un instant. Il rôdait dans les parties du manoir que fréquentait Miss Hardie dans l'espoir de l'y croiser, et interrompait Richard dans son travail sous n'importe quel prétexte uniquement pour l'apercevoir.

Il avait échangé les cartons posés sur la table de la salle à manger pour s'asseoir à côté d'elle, se joignait à toutes les activités auxquelles il pensait qu'elle participerait, et s'était même mis à lire ses livres préférés pour pouvoir en parler avec elle.

George avait promis à Richard de ne pas harceler Miss Hardie et tâchait donc de se retenir en présence d'autres convives, mais il avait chaque jour plus de difficultés à se montrer poli et à cacher ses émotions.

Il souffrait également beaucoup de voir la jeune femme passer un temps considérable en compagnie de Barclay. Par tous les diables, elle avait même dansé avec ce blanc-bec un soir, après avoir refusé son invitation à lui ! Le jeune secrétaire n'était pas un imbécile, et il avait compris que Miss Hardie était unique.

Se faire devancer par un freluquet aussi inexpérimenté serait certes terriblement humiliant, cependant la fierté de George n'était pas la seule menacée : son cœur aussi tremblait à cette idée.

George avait besoin de passer du temps seul avec Miss Hardie, mais avec tous les invités qu'accueillait le manoir, l'intimité était devenue une denrée rare.

Et voici que nous étions la veille de Noël. Tout le monde se rassemblerait bientôt dans le salon pour décorer l'énorme sapin. Bien entendu,

Miss Hardie serait présente, mais comment, dans ces circonstances, lui adresser plus de deux ou trois mots ?

George entendit un homme et une femme rire à quelque distance de là, puis le bruit caractéristique d'un baiser passionné. Malgré ses tourments, il ne put s'empêcher de sourire.

Il reconnut le rire caractéristique de Richard, ce qui signifiait que la jeune personne si consciencieusement embrassée était Juliet. Il était impossible de ne pas remarquer qu'au cours de la semaine passée, ces deux-là ne s'étaient pas quittés des yeux. Ils oubliaient souvent tout ce qui les entourait, même dans une pièce bondée.

Leur comportement leur avait valu remarques et taquineries de la part des invités – plus particulièrement de l'oncle Horace et de la tante Mildred – mais tous semblaient vraiment heureux pour le couple. Même les enfants de Juliet étaient ravis et, à la connaissance de George, les garçons n'avaient pas fait de nouvelles plaisanteries.

Il était heureux pour son ami. Richard méritait de connaître le bonheur avec une femme qui l'aimait, et des enfants qui l'admiraient et le respectaient.

Cependant, voir Richard aussi comblé rappelait cruellement à George sa triste situation.

Soudain, comme invoquée par ses sombres pensées, Miss Hardie apparut au bout du couloir. Tête baissée, les bras croisés, elle avançait droit sur George, sans manifestement l'avoir remarqué.

Il attendit qu'elle soit tout près avant de s'écrier :

—Miss Hardie! Quelle merveilleuse coïncidence, je pensais justement à vous.

Elle s'arrêta brusquement, l'évitant de justesse.

George tendit les mains pour la retenir, mais elle recouvra son équilibre sans son aide.

—Pourquoi? Avez-vous besoin de quelque chose? demanda-t-elle en lui lançant un regard suspicieux de ses beaux yeux verts.

George eut soudain très chaud. *Misère, serait-ce une question piège?* Il s'efforça de ne rien dire qui pourrait être trop ouvertement suggestif.

—Miss Hardie, j'ai besoin de bien des choses

La jeune femme répondit par un petit grognement et tenta de le contourner, mais George lui bloqua la route, le ruban de satin rouge à la main.

—Mais pour l'instant, je suis surtout préoccupé par ceci, qui a besoin d'être renoué. Auriez-vous la gentillesse de vous en charger, je vous prie? Mes doigts sont bien trop malhabiles.

Impassible, elle contempla le ruban, puis son visage. Avec un soupir résigné, elle lui prit le bout de tissu et le noua prestement avant de le lui rendre.

—Vous aurez besoin d'une échelle pour le raccrocher au-dessus du tableau, dit-elle.

—Sans doute, mais pourquoi se donner autant de peine? Je peux très facilement vous soulever pour que vous l'attachiez à cette branche. (George adressa un sourire charmeur à la jeune femme.) Voilà qui résout notre problème, et m'offre un délicieux à-côté.

—Un à-côté?

— L'excuse rêvée pour vous prendre dans mes bras.

Elle rougit.

— Je suppose que nombreuses sont les femmes qui apprécient vos taquineries, mais franchement, ce n'est pas mon cas. Je les trouve même cruelles.

George secoua vigoureusement la tête, regrettant ses paroles.

— Ma chère Miss Hardie, vous blesser est bien la dernière chose au monde que je souhaite. Je suis désolé si je vous ai offensée.

Elle semblait scandalisée… par ses excuses. *Étrange.*

— Lord George, je ne suis pas votre « chère » quoi que ce soit.

— Mais vous pourriez l'être, si vous le vouliez.

— Je viens de vous demander de ne pas vous moquer de moi.

— Je n'ai jamais été aussi sérieux. J'aimerais avoir l'honneur d'être votre prétendant.

À la grande déception de George, elle ne s'empourpra pas, ne balbutia pas, ne sourit même pas et ne baissa pas les yeux. Non, elle se contenta de froncer les sourcils, agacée.

— J'arrive trop tard, peut-être ? Avez-vous déjà offert votre cœur à Barclay ?

— Mr Barclay ?

George serra les poings.

— Il est si souvent à vos côtés, on ne peut que se poser des questions sur vos relations. De toute évidence, vous êtes devenus très proches.

— Nous sommes de nouveaux amis qui partageons quelques centres d'intérêt, rien de plus.

George fut tellement soulagé qu'il en perdit momentanément l'usage de la parole.

— Je suis heureux… très heureux. Ça signifie qu'il y a encore de l'espoir.

— Pour quoi donc ?

— Ravir votre cœur.

Miss Hardie se tut, choquée.

— Je ne serai pas votre maîtresse, dit-elle enfin. Ce serait insensé, douloureux, et finirait sans doute par me coûter mon amour-propre.

— Je comprends.

— Vraiment ? rétorqua-t-elle, indignée. Car si je ne suis pas votre maîtresse, rien n'est possible entre nous… à moins que je ne devienne votre épouse.

En temps normal, George aurait blêmi à cette simple idée. Dans son monde, le mariage était l'occasion pour un homme et une femme du même niveau social partageant des intérêts et des opinions similaires de former une union aussi avantageuse que socialement acceptable.

Les époux connaissaient les mêmes personnes, assistaient aux mêmes soirées. Généralement, ils restaient ensemble le temps de produire un nombre raisonnable d'héritiers, puis repartaient vivre chacun de leur côté.

Il n'y avait ni passion, ni langueur, ni besoin impérieux d'être réunis. Diable, dans les mariages les plus réussis qu'il connaissait, les deux partis ne semblaient même pas s'apprécier – même s'ils demeuraient parfaitement courtois quand ils se trouvaient en compagnie l'un de l'autre.

C'était exactement le genre de relation auquel George se croyait destiné, raison pour laquelle il n'avait jamais sérieusement songé à se marier.

Jusqu'à ce jour.

—J'ai toujours pensé que je n'envisagerais de me marier que dans les circonstances les plus désespérées, mais je suis prêt à tout pour que vous fassiez partie de ma vie.

Miss Hardie avait l'air abasourdie, sans que George sache si c'était bon signe ou non.

—Vous êtes sérieux?

—Oui.

Il voyait bien qu'elle ne le croyait pas.

—Vous feriez un mari épouvantable. Gâté, immature, avec un faible pour la boisson, et séducteur avec ça. Quelle femme accepterait de prendre un tel risque?

George aurait voulu la contredire, mais il y avait trop de vrai dans ses paroles pour qu'il feigne l'indignation.

—Je pensais que toutes les femmes respectables aspiraient à remettre un dépravé dans le droit chemin.

—Certaines, oui, si elles estiment que le gentleman en question en vaut la peine.

—C'est à votre tour d'être cruelle, Miss Hardie.

La jeune femme parut alors hésitante.

—Vous vous jouez encore de moi.

—En aucun cas. Je veux que vous soyez mon épouse, mais vous méritez d'être courtisée comme il se doit. Je vous le demande donc de nouveau : m'autorisez-vous à devenir votre prétendant ?

Elle le regarda comme s'il venait de lui pousser des ailes et qu'il lui avait annoncé son intention de rentrer à Londres en volant.

— Vous êtes duc, et moi je suis la fille d'un mineur ! C'est impensable !

— Pourquoi ?

Elle rougit adorablement.

— Mais je n'ai ni dot ni talent particulier et je ne suis pas une beauté ! Je ne pourrai jamais devenir votre femme.

— La dot m'importe peu, vous avez bien des talents, et tout en vous, de votre joli visage à votre personnalité, est superbe.

— C'est parfaitement ridic… Attendez, vous me trouvez jolie ?

— Pour moi, vous êtes la beauté incarnée.

George faisait tout son possible pour ne pas se jeter sur elle. C'était une très belle femme, et si brillante ! Elle serait une épouse fabuleuse, une compagne exceptionnelle.

— Ne désirez-vous pas un foyer à vous, une famille à aimer ? demanda-t-il.

— Et un mari à qui je puisse confier mon cœur, murmura-t-elle avec un sourire mélancolique. Mais on ne m'acceptera pas dans votre monde, je ne serai jamais invitée chez vos semblables !

George haussa les épaules.

— Ma chère, on ne me convie guère moi non plus et, croyez-moi, ce n'est pas bien grave. Ces gens sont très ennuyeux, pour la plupart.

Elle tenta de cacher son sourire, mais il n'échappa pas à George.

— Le seul fait d'y songer est déjà ridicule ! Nous sommes si différents, presque opposés ! Regardez-moi, je dois travailler pour vivre !

Elle leva les bras au ciel comme s'il s'agissait d'un terrible péché, du plus insurmontable des obstacles.

— Vous aurez sans doute du mal à le croire, mais je travaille moi aussi, certes de façon moins soutenue que vous. Je gère mes investissements, je m'occupe d'un modeste domaine dans le Devonshire, et je dirige une petite mais très prospère compagnie d'import-export.

George lut du respect dans le regard de Miss Hardie, et eut soudain l'impression d'être un géant. Il se prit à espérer.

— Très bien, j'admets que vous n'êtes pas le propre-à-rien que je pensais, mais ça ne change pas grand-chose à la situation.

Sa poitrine se serra. Il avait fait des progrès, mais pas assez. De toute évidence, il en fallait un peu plus pour convaincre Miss Hardie. Heureusement, George savait exactement comment s'y prendre.

Il étreignit la taille étroite de la jeune femme et, même s'il la sentit se raidir, se baissa jusqu'à obtenir son trophée. Leurs lèvres s'unirent en un baiser d'une surprenante délicatesse.

Surprenante, car il contenait toute la passion d'une étreinte enflammée.

Ce que je ressens pour elle a sans doute décuplé l'intensité de cette expérience, songea George avant d'embrasser Miss Hardie à pleine bouche. Elle soupira doucement et entrouvrit les lèvres pour l'accueillir.

La tension qui habitait George devint souffrance. L'homme sentait sa passion monter, le besoin de conquérir, de posséder, prendre le pas sur tout le reste. À contrecœur, il se retira, et passa une dernière fois la langue sur les lèvres de la jeune femme pour profiter encore un peu de ce premier et probablement unique baiser.

Miss Hardie poussa un petit cri affolé et s'écarta.

— C'était extrêmement déplacé !

— Admettez que vous avez aimé, répondit George.

Elle détourna le regard et l'aristocrate ressentit une vive tendresse pour elle. C'était une femme si fière. Comment aurait-elle pu reconnaître une telle faiblesse alors qu'elle n'avait aucune certitude quant aux intentions de George ?

— Ce n'était qu'un baiser.

— « Qu'un baiser » ? répéta-t-il, hors de lui à force de retenir ses émotions.

— Oui, et pour lequel je n'avais pas donné ma permission !

Et cela vous a-t-il dégoûtée ?

George n'envisageait pas que ce soit possible, tant lui en avait été bouleversé.

— Non, enchantée, convint Miss Hardie, le rose aux joues.

— Oh, Olivia…

George l'étreignit de nouveau, et elle se laissa faire en tremblant dans ses bras.

Rien n'était plus enivrant qu'embrasser la femme qu'on aimait. George laissa son baiser chasser tension et doutes, émerveillé par la perfection de l'instant.

— Je vous avais bien dit qu'ils s'embrassaient! s'écria une voix d'enfant. Et il n'y a même pas de gui, j'ai regardé partout.

Olivia glapit et recula d'un pas. George essaya de lui prendre la main, mais elle la retira, et il comprit alors pourquoi.

À quelques pas de là, Lizzy, Richard et Juliet les regardaient, interdits.

Bon sang!

— Vous avez mangé trop de dessert, Miss Hardie? demanda la fillette.

— À cette heure de la journée? Bien sûr que non, Lizzy.

— Mais vous gémissiez, comme moi quand j'ai mal au ventre.

George sourit.

— Si Miss Hardie gémissait, c'était à cause d'une tout autre sorte de gourmandise.

— Laquelle?

— Hum, une douceur pour adultes. Je sais que ça a l'air compliqué, mais vous comprendrez mieux quand vous serez plus grande.

— Et mariée, ajouta précipitamment Richard, qui n'aimait pas le sourire malicieux de lord Moffat.

Un long silence gêné s'ensuivit. Richard n'eut pas besoin de regarder Juliet pour sentir sa désapprobation.

Elle appréciait George, mais la scène à laquelle elle venait d'assister avait éveillé son instinct protecteur. Après tout, ne leur avait-il promis qu'il laisserait Miss Hardie tranquille?

Magnifique, un nouveau problème à régler. Richard lança un regard furieux à son ami, mais celui-ci se contentait de sourire.

— Richard, murmura Juliet en tirant sur sa manche.

— Oui, je m'en occupe.

Parler à George était une perte de temps, mais il le ferait tout de même car c'était ce que son épouse désirait et, pour Richard, rien n'avait plus d'importance.

— Emmenez Lizzy dans le salon, je vous rejoins vite.

Une fois Juliet et sa fille parties, Richard contempla George et Miss Hardie sans trop savoir comment s'y prendre. Convaincre son compagnon ayant été un échec, peut-être devait-il plutôt discuter avec sa secrétaire?

La jeune femme regardait George en souriant, timide mais passionnée, et manifestement très fière d'elle.

— Vous êtes tous deux des adultes et par conséquent libres d'agir comme bon vous semble… mais si vos actes contrarient mon épouse, il est de mon devoir d'intervenir. George, vous m'aviez promis de refréner vos sentiments pour Miss Hardie. J'insiste pour que vous teniez parole jusqu'à la fin de votre visite.

— Je n'en ai pas la moindre intention.

— Les choses sont très différentes, expliqua calmement Miss Hardie. Lord George m'a demandé la permission de me faire la cour, et après y avoir beaucoup réfléchi, j'ai accepté.

Si Richard ne s'était pas trouvé aussi près de sa secrétaire, il aurait juré avoir mal entendu.

— Je n'aurais jamais cru qu'un homme dans son genre vous aurait intéressée, dit-il.

George le fusilla du regard.

— Merci du compliment, et sachez que je suis d'accord avec vous. Olivia – Miss Hardie – mérite en effet un mari irréprochable, ce que je compte bien devenir.

— Vraiment ?

Miss Hardie soupira et se pressa contre George, qui enfouit le nez dans ses cheveux.

Richard se retrouva réduit à cligner stupidement des yeux. Sa secrétaire, pourtant si terre à terre, se pâmait littéralement. Qu'avait donc fait George à cette malheureuse ?

— Miss Hardie, si vous voulez bien nous excuser, j'ai deux mots à dire à lord Moffat.

Les deux hommes attendirent que la secrétaire soit hors de portée pour parler.

— Bon sang, George, cette fois vous êtes allé trop loin ! Comment pouvez-vous vous montrer aussi cynique avec cette pauvre femme ?

— Je devrais sans doute être terriblement vexé que tout le monde ait une aussi piètre opinion de moi, mais franchement, je suis beaucoup trop heureux pour ça.

— George, faire la cour débouche le plus souvent sur un mariage, et Miss Hardie me semble être le genre de femme qui croit très fermement à la monogamie.

— Je n'en attends pas moins d'elle.

— Et ?

— Moi aussi, je crois à la fidélité au sein d'une union, ce qui est sans doute la raison pour laquelle je ne m'y suis jamais intéressé jusqu'à présent.

— Mais depuis quand songez-vous à vous marier ?

— C'est le prix à payer pour qu'Olivia fasse partie de ma vie. Voir les choses sous cet angle rend cette perspective bien plus acceptable à mes yeux.

Richard contempla longuement son ami, perplexe.

— Les gens ne changent pas du jour au lendemain, George.

— Ah, vraiment ?

— Oui.

— C'est pourtant ce que vous avez fait.

George a raison, admit-il à contrecœur. Il avait lui-même changé d'avis sur l'amour et le mariage de la façon la plus abrupte qui soit   et avec de merveilleux résultats.

— Pourquoi voulez-vous tant me décourager ? demanda George.

— J'ai peur que vous n'ayez pas bien réfléchi à tout ça, que vous ne mesuriez pas les conséquences, pour vous comme pour elle.

George tressaillit imperceptiblement, puis se dressa de toute sa taille.

— Étant donné mon passé, je comprends vos réserves, mais je peux vous assurer que si j'ai la chance de gagner le cœur d'Olivia, je me dévouerai à elle jusqu'à la fin de mes jours. Vous êtes satisfait?

—Je suppose.

Richard reconnut que tout cela lui échappait, mais n'était-ce pas là l'essence même de l'amour? Il ne suivait aucune règle, aucune logique, et se contentait de faire son apparition.

—Je crois que je suis trop abasourdi par cette histoire pour réfléchir clairement. Miss Hardie et vous? C'est impossible!

George sourit de toutes ses dents.

—Ce sont certes ces vacances qui m'ont permis de découvrir la vraie Olivia, mais vous devrez bien l'admettre : à Noël, tous les prodiges deviennent possibles.

—J'imagine, car il n'y aurait pas de plus grand miracle de Noël que de vous voir marié de votre plein gré! répondit Richard en riant de bon cœur.

Chapitre 19

Richard et George découvrirent le salon en plein chaos. Enfants et adultes couraient dans tous les sens autour de l'énorme sapin dressé au milieu de la pièce, près duquel des paniers débordant de décorations diverses étaient disposés.

L'excitation de Noël était palpable. Les adultes échangeaient des instructions à tue-tête et débattaient gaiement de la meilleure façon de décorer l'arbre. Les petits n'hésitaient pas à donner leur avis, même s'ils s'employaient surtout à se trouver dans les pattes des grands.

Malgré toute cette pagaille, George n'eut aucun mal à retrouver Miss Hardie. Il adressa un rapide signe de tête à son ami et se précipita vers la jeune femme. Richard vit le visage de sa secrétaire s'illuminer quand lord Moffat s'assit à côté d'elle et posa nonchalamment le bras sur le dossier du canapé.

Les enfants poussèrent des cris ravis lorsqu'un valet fit son entrée avec un plateau d'où s'échappait une odeur alléchante de gâteaux et de scones tout chauds, et se mirent aussitôt à suivre l'homme en file indienne.

L'oncle Horace et la tante Mildred installaient une crèche sur une table non loin du sapin et se chamaillaient avec bonne humeur pour déterminer la position de chaque figurine de bois sculpté. James leur tenait compagnie, et essayait d'ensevelir le berger et ses moutons sous la paille.

Une telle scène lui était parfaitement étrangère, pourtant Richard avait l'impression d'être à sa place, un sentiment qui s'intensifia quand Juliet le remarqua, appuyé contre le montant de la porte. Elle adressa quelques mots à George et se dirigea vers lui, s'arrêtant tous les quelques pas pour répondre aux questions de tel ou tel convive.

Richard la contempla avec fierté. Son épouse était dans son élément, gaie, souriante, et encourageait chacun à s'amuser.

Dans sa robe écarlate, elle était à couper le souffle.

— Enfin, vous voilà, dit-elle en lui prenant le bras. Nous avons besoin d'aide pour fixer du fil de fer autour des bougies afin de les accrocher dans le sapin. Bien entendu, les enfants se portent tous volontaires pour le faire, mais j'ai peur qu'ils ne se coupent. J'ai demandé à lord George de s'en charger, mais il est bien trop occupé à faire les yeux doux à Miss Hardie. (Elle se pencha vers lui pour chuchoter.) Je croyais que tu devais lui parler.

— Je l'ai fait, répondit Richard en ôtant les épines de sapin qui s'étaient prises dans les cheveux de sa femme. George m'assure que ses intentions sont tout ce qu'il y a de plus honorables.

— Vraiment ?

— Il semblerait bien.

Juliet fit une moue si adorable que Richard eut toutes les peines du monde à ne pas l'entraîner dans leur chambre pour y disparaître pendant une heure, ou deux.

Au lieu de quoi il se laissa attirer auprès du sapin.

— Regardez, Richard, nous avons suivi votre suggestion et invité chacun des domestiques à accrocher une décoration. Notre cuisinière a choisi une petite cuillère en argent, Mrs Perkins une fourchette, et les femmes de chambre ont opté pour des bouquets de plumes blanches entourées d'un ruban de satin. On dirait des flocons.

Richard rit doucement, agréablement surpris que ces modestes contributions n'aient pas l'air déplacées à côté des coûteux ornements en verre soufflé, des délicats sachets de dentelle et des bouquets de fleurs séchées. Il n'était pas complètement sérieux lorsqu'il avait déclaré qu'en tant qu'Américain, il souhaitait voir dans sa demeure un sapin démocratique auquel tous les occupants du manoir participeraient, mais il était ravi que Juliet l'ait écouté.

— J'apprécie cette concession faite à ma mentalité de colon, dit-il.

— Je trouve que c'est une idée charmante, et parfaitement dans l'esprit de Noël.

— Et ça fait moins de travail pour nous, déclara Horace avec un clin d'œil.

Ce dernier fit tomber dans sa main quelques noisettes et fruits secs que contenait un petit cône en papier destiné à se retrouver sur le sapin, les avala, puis tenta sans succès de refermer l'ornement avec un ruban vert.

—Nous n'en finirons jamais si vous continuez à manger les décorations, le gronda Mildred en lui arrachant le cône.

—Inutile de vous énerver, répondit-il. Cette décoration était beaucoup trop pleine, j'ai juste enlevé une partie de son contenu pour qu'on puisse l'accrocher sans problème.

—C'est l'excuse la plus lamentable que j'aie entendue de toute la matinée.

—J'ai vu arriver un plateau rempli de biscuits et de douceurs, intervint Richard.

—Avec du pain d'épice? demanda Horace.

—Je crois. Il y avait aussi du vin chaud et de la bière aux épices.

Le regard de l'homme s'éclaira.

—Il est temps d'aller se désaltérer! J'ai besoin de prendre des forces si je veux convaincre tout le monde qu'il faut mettre du coton tout autour de la crèche.

—Mais pourquoi faire une chose pareille? interrogea Mildred.

—Pour représenter la neige, répondit patiemment Horace, comme si c'était évident.

—Mais ce sera beaucoup trop chargé! protesta la vieille dame.

Horace poussa un soupir exagéré.

—Mildred, nous savons tous les deux qu'à Noël, la neige rend tout plus joyeux, nous en mettrons donc dans cette crèche.

—Ridicule.

—Juliet ? demanda l'oncle Horace.

Richard vit avec compassion la panique gagner le regard de son épouse.

—Faites ce qui vous semblera le mieux à tous les deux, répondit-elle en serrant le bras de l'Américain.

Richard vint à sa rescousse en l'emmenant de l'autre côté du sapin, loin de ces envahissants personnages.

En chemin, ils faillirent percuter Lizzy, qui tremblait littéralement d'excitation, une petite poupée vêtue de dentelle à la main.

—Regardez, maman, j'ai trouvé mon ange ! Il faut le mettre en haut du sapin, là où tout le monde le verra.

—Personne ne peut aller aussi haut, dit Edward en regardant le sommet de l'arbre.

—Et même si on le pouvait, personne ne le verrait, ajouta James.

—Si ! insista Lizzy.

—Non, répondit James.

—Si !

—Non.

Edward se joignit bientôt à leur dispute. La punition de James et Edward pour l'incident de la mouffette s'était terminée le matin même, mais s'ils continuaient ainsi, ils risquaient d'en recevoir une nouvelle. Richard décida d'intervenir avant que leurs cris gâchent le plaisir de leur mère.

—Je vais l'accrocher, dit-il en caressant les cheveux de Lizzy.

—Je peux vous aider ! s'écria Edward.

—Moi aussi ! ajouta James.

Richard sourit aux trois enfants et plaça une chaise robuste près du sapin.

— Richard Harper ! s'écria Juliet, faussement scandalisée. Ne vous avisez pas de poser vos chaussures sur ce siège, il vient d'être retapissé ! Vous allez abîmer le tissu !

— Je pensais que vous vous soucieriez plus de mon bien-être que de celui de notre mobilier, répondit Richard en souriant.

— Les deux comptent pour moi, mais pas dans la même mesure.

— Je n'ose demander lequel l'emporte.

— Si vous avez besoin de poser une telle question, c'est que vous ne méritez pas d'en connaître la réponse.

Juliet lui prit la main et la pressa brièvement, un geste qui lui réchauffa instantanément le cœur.

— Je vais chercher l'échelle ! annonça Edward.

Sans attendre qu'on l'y invite, James le suivit. Il leur fallut au moins dix minutes pour revenir, et quelques autres pour installer le dispositif au bon endroit.

Richard grimpa lentement, l'ange de Lizzy à la main, testant la résistance des barreaux, jusqu'à arriver au niveau du sommet de l'arbre.

Il tendit la main, et découvrit qu'il lui manquait quelques centimètres pour toucher le sapin.

Bon sang ! Il se pencha, en équilibre précaire.

— Mon Dieu, Richard, ne tombez pas ! lança Juliet.

— Ne criez pas comme ça, vous allez effrayer le malheureux, dit Horace. En chutant de cette hauteur, il est sûr de se blesser gravement.

Richard, déconcentré, laissa échapper un grognement amusé et regarda en contrebas. Il vit l'inquiétude de Juliet, la confiance absolue de Lizzy, la tension de James et d'Edward. Les deux garçons s'efforçaient de stabiliser l'échelle, cramponnés à son dernier barreau.

Ma famille.

Richard surmonta ce soudain afflux d'émotions et déplaça légèrement ses pieds. Au bout de trois tentatives, il parvint à attraper le sommet de l'arbre, y accrocha l'ange et lissa la petite robe de dentelle.

— C'est beau ! murmura Lizzy, d'une voix qui valait à elle seule qu'il soit monté sur cette échelle.

— C'est surtout de travers.

Tante Mildred. Richard, que cette remarque acerbe n'étonna guère, recula autant que possible pour mieux observer son œuvre. L'ange était bien droit, sa petite auréole centrée au-dessus de la branche. Avec des gestes exagérés, il tira légèrement sur la robe de l'ange.

— C'est mieux ? demanda-t-il.

— Peut-être un peu, admit Juliet d'un ton contrit.

— Je ne le trouve pas de travers, moi, dit Edward, loyal.

— Je le vois à pcinc, c'cst trop haut ! maugréa James.

Richard descendit de l'échelle et fit le tour de l'arbre pour observer le petit personnage sous divers angles.

— D'accord, il est de travers, convint-il finalement.

Tous les convives éclatèrent de rire.

—À ton tour d'essayer de le redresser, dit-il à Edward en posant une main sur son épaule. Bonne chance.

Le gamin écarquilla les yeux, ravi. Juliet ouvrit la bouche, sans doute pour protester, mais Richard la rassura d'un regard.

Edward se lança dans l'ascension de l'échelle, et Richard attendit qu'il ait atteint le quatrième barreau avant de le suivre. Il restait suffisamment en arrière pour donner au garçon une impression d'indépendance, mais pourrait aisément le rattraper s'il glissait.

Les avis ne manquaient pas, et Richard voyait bien que l'enfant faisait tout son possible pour suivre les consignes contradictoires qu'on lui criait en contrebas. Quand la majorité des invités sembla plus ou moins satisfaite – avec un groupe aussi turbulent, l'unanimité était impossible – Edward redescendit lentement.

—L'an prochain, c'est James qui montera accrocher l'ange au sommet du sapin, déclara-t-il.

Richard hocha la tête avec un sourire complice.

Il laissa les autres terminer la décoration de l'arbre et les regarda faire en buvant un verre de vin chaud. Une fois que les domestiques eurent nettoyé le désordre généré par toute l'opération, les convives s'écartèrent de quelques pas pour observer le résultat.

—On peut allumer les bougies ? demanda Edward.

—D'accord, mais quelques minutes seulement, répondit Juliet. Il faut qu'elles brûlent plusieurs heures ce soir, et la plus grande partie de la journée de demain.

Le sapin, une fois allumé, suscita force cris ravis. Les centaines de petites flammes, en se reflétant dans les décorations, créaient un spectacle enchanteur.

—C'est tellement joli! commenta Mildred.

—Le plus beau sapin que j'aie jamais vu! renchérit Horace.

—Vous dites ça chaque année, répondit Edward.

—C'est parce que c'est toujours vrai.

Richard était bien de leur avis: l'arbre était magnifique, tout droit sorti d'un conte de fées – ce qui lui donna envie de ravir sa propre princesse sur-le-champ. Il attira Juliet à lui et l'enlaça.

Elle mit la tête sur son épaule en soupirant. Richard en profita pour déposer un baiser au creux de son cou et sourit quand elle frémit.

—Je n'aurais jamais cru dire une chose pareille, mais je pense que pour l'année prochaine, j'aimerais avoir deux sapins ici… ou peut-être même trois, déclara-t-il.

—Ils apportent un peu de magie, n'est-ce pas? ajouta Juliet. Bien entendu, je m'attends dorénavant à ce que chaque année, vous sélectionniez l'arbre – ou les arbres, comme vous le suggérez – et que vous supervisiez leur décoration. Pas question d'envoyer les domestiques dans la forêt ni de tout déléguer à votre secrétaire.

L'année prochaine, et la suivante. En effet, il y aurait bien d'autres Noëls à célébrer ensemble, et bien d'autres souvenirs heureux à créer. Richard plongea son regard dans celui de Juliet, et sentit une grande tendresse monter en lui. Il y voyait sa passion, mais plus important encore, son amour.

Incapable de résister davantage, il posa une main sur sa joue, lui caressa les lèvres du pouce, et l'embrassa.

Ah, les mille et une joies de Noël!

Le reste de la journée passa en un éclair, emporté dans un tourbillon d'activités diverses. La maison tout entière bourdonnait d'excitation. Au fur et à mesure que des voisins se mêlaient à eux pour les festivités, Richard avait l'impression de se trouver au beau milieu d'une tornade.

Aux premiers signes du crépuscule, une chorale se rassembla sur la place du village, bientôt rejointe par des familles venues des maisons voisines. Comme le voulait une vieille tradition des environs, chacun avait à la main une bougie, et leurs flammes réunies éclairaient la scène d'une lueur vacillante.

Richard, entouré de Juliet et des enfants, se joignait au chœur quand il connaissait les paroles, et fredonnait le reste du temps. Le froid se fit plus mordant et Lizzy, les joues rouges, se pressa contre lui. Sentir sa petite main dans la sienne lui procurait un incroyable bonheur.

Une fois les chants terminés, Richard tendit sa bougie à Lizzy pour qu'elle la souffle et prit la fillette dans ses bras. Il se dirigea alors d'un pas léger vers l'église, où allait bientôt commencer une saynète organisée par les dames de la congrégation.

Le révérend Abernathy lut quelques passages de la Bible tandis que les acteurs d'un soir jouaient l'histoire de Noël, en commençant par l'arrivée de Marie et de Joseph à Bethléem. Richard trouva cela très apaisant, après la frénésie des préparatifs, de retrouver le vrai sens de cette fête : la célébration de la naissance du Christ.

Il songea au profond désir de Juliet d'avoir un autre enfant… le sien. Si la peur était toujours là, elle était accompagnée de sentiments nouveaux : une envie irrépressible, et une certaine impatience. Ce nouvel être rendrait leurs vies encore plus riches, leur amour plus fort.

Richard constata à la fin de la représentation que Lizzy s'était endormie et que les deux garçons bâillaient à tour de rôle. Il sourit à Juliet, par-dessus leurs têtes, et la jeune femme en fit autant.

Le visage blotti contre le col en fourrure de son manteau, Lizzy se laissa porter jusqu'à la voiture, où elle s'assit confortablement sur les genoux de sa mère.

— Je voulais vraiment prendre le traîneau ce soir, maugréa James.

— Il faut de la neige pour ça, rétorqua Edward avec un sourire méprisant. (Richard lui lança un regard sévère.) Mais il y en aura peut-être demain, à temps pour le jour de Noël !

— Vous croyez vraiment, papa ? demanda Lizzy.

La fillette avait étrenné ce nouveau titre quelques heures auparavant, et il faisait toujours sursauter Richard – même s'il lui faisait également plaisir.

— S'il neige, vous voudrez sans doute aller faire de la luge, j'imagine ? dit-il.

— Oh, oui ! S'il vous plaît ! répondirent en chœur les enfants.

— Mais si vous êtes dehors, qui mangera l'oie de Noël ? interrogea Juliet.

— Nous !

— Sauf si oncle Horace finit tout pendant que nous sommes dehors, grommela James.

— James ! Je suis sûre qu'oncle Horace n'est pas gourmand à ce point, le gronda Juliet.

— Et puis il préférera sûrement faire de la luge, alors il sera dehors avec nous, ajouta Edward en souriant.

— Exactement ! renchérit Richard. C'est sans doute lui qui lancera la première boule de neige.

— Non, ce sera lord George, dit Juliet.

— Non, moi ! cria James.

S'ensuivit une discussion joyeuse sur les mérites respectifs des batailles de boules de neige et des descentes en luge. Richard se surprit, alors que la calèche bifurquait vers le manoir, à espérer l'arrivée du miraculeux manteau blanc presque autant que les enfants.

Il leur dit que si le froid persistait et la couche de glace qui s'était formée sur l'étang devenait plus épaisse, ils pourraient bientôt y patiner, et faire un concours de glissades. Celui qui irait le plus loin remporterait un prix – « une farce », insista James.

De retour dans la demeure, aucun des enfants ne protesta quand Juliet annonça qu'il était temps d'aller se coucher.

— Je vais m'endormir tout de suite pour que Noël arrive plus vite, déclara Lizzy quand Richard la borda.

— C'est une excellente idée, approuva-t-il en l'embrassant sur le front.

Il retrouva bientôt Juliet dans leur lit, où ils discutèrent jusqu'à une heure avancée de l'organisation du jour de Noël, et de ceux qui suivraient. Évoquer ainsi leur avenir procurait à Richard un merveilleux sentiment d'espoir et de paix. Juliet avait accepté de l'accompagner à Londres pendant une partie de l'année, quand ses affaires le retiendraient en ville. Les enfants viendraient eux aussi, avec la nanny et le précepteur.

Richard ne put s'empêcher d'éclater de rire en imaginant son austère majordome face à tous ces bouleversements. La maison serait assurément sens dessus dessous.

Dans la pénombre, Richard sentit Juliet, blottie contre lui, se laisser peu à peu gagner par le sommeil, et l'embrassa amoureusement. Il ne suffit que d'un autre baiser pour réveiller leur passion.

Plus tard, satisfaits, rassasiés, ils s'assoupirent l'un contre l'autre, incapables de se quitter, même endormis. Le matin vint bien trop vite, avec une Lizzy impatiente qui frappait furieusement à leur porte.

— Il faut vous réveiller tout de suite, sinon vous allez manquer Noël!

Richard grogna et serra Juliet, encore somnolente, dans ses bras.

— Elle partira si nous faisons semblant de dormir ? demanda-t-il.

— Lizzy ? Jamais. (Elle bâilla et s'étira.) Si nous attendons trop longtemps, elle risque même d'appeler ses frères à la rescousse, ou oncle Horace.

— Bonté divine, grogna-t-il.

— Joyeux Noël, Richard.

— À toi aussi, mon amour.

Juliet lui sourit, et il décida de capturer ce moment dans sa mémoire. Aussi excité que Lizzy, il chercha dans sa table de nuit l'écrin de velours qu'il y avait caché, pressé d'offrir son cadeau à son épouse ; mais les voix d'Edward et James, les enjoignant à leur tour de quitter la chambre, l'interrompirent avant qu'il en ait eu le temps.

Richard referma à contrecœur le tiroir du meuble, le coffret encore à l'intérieur.

Et ainsi, le grand jour commença.

Les semaines précédentes avaient été bruyantes et chaotiques, mais Richard découvrit que ce n'était rien comparé à cette matinée de Noël. Une fois l'énorme sapin allumé, le salon fut bientôt rempli d'éclats de joie et de remerciements alors que tous ouvraient leurs paquets.

Quand la famille en eut fini avec ses présents, on appela les domestiques. Richard resta aux côtés de Juliet tandis que celle-ci distribuait ses cadeaux aux serviteurs, et sourit à chacun en leur serrant la main.

Richard eut quelques remerciements supplémentaires ainsi qu'une poignée de pièces pour le valet d'écurie qui avait avec tant d'adresse réglé le problème de la mouffette. Il remit également à Hallet un porte-documents rempli de modestes actions pour le récompenser de sa gracieuse efficacité des semaines précédentes, y compris quand il s'était agi d'extraire du porridge d'une chaussure ou de rendre à un costume une odeur acceptable.

Ensuite vint le repas. La cuisinière présenta avec fierté l'oie rôtie farcie de pommes et de prunes sous les applaudissements de la famille, des amis et des voisins. Le plat fut accompagné de crevettes dans une sauce au beurre, de cochon de lait avec de la gelée de groseilles, de sauce à la mie de pain, de petits pois, de carottes, de pommes de terre, de marrons – plus de nourriture qu'aucun d'entre eux n'en avait vu depuis longtemps.

Les enfants rejoignirent les adultes à table et chacun fit de vaillants efforts pour consommer autant de ces délicieux mets que possible, même si Juliet leur rappelait régulièrement de garder de la place pour le dessert.

Ce dernier fut présenté avec tout autant de cérémonie. On éteignit les bougies de la salle à manger et Richard fut désigné pour faire flamber le pudding. Une Miss Hardie rougissante trouva l'anneau, et George déclara aussitôt qu'au nom de cette tradition, il ferait tout son possible pour l'épouser au cours de l'année suivante.

On leur servit également des fruits exotiques, des noisettes, des loukoums, des rubans en sucre à la menthe, et assez de pain d'épice pour satisfaire même l'oncle Horace. Les hommes décidèrent de faire l'impasse sur leur porto et tout le monde se retrouva dans le salon pour poursuivre les festivités.

Les convives jouèrent à des jeux de société, chantèrent et dansèrent. Ils annoncèrent être trop repus pour manger la collation que les domestiques apportèrent, pourtant une bonne partie des plats se vidèrent comme par magie. Certes, personne ne voulait que ce jour joyeux s'achève, mais la nuit n'en arriva pas moins vite. On coucha les enfants endormis, et les adultes les imitèrent bientôt.

Quand le couple se retrouva enfin seul, Richard se tourna vers Juliet, et la surprit en train d'admirer le sapin.

— Il est temps de souffler les bougies et d'aller nous coucher, ma chère.

— Je sais. Attends encore quelques minutes, s'il te plaît. Une fois qu'elles seront éteintes, Noël sera fini.

On aurait cru entendre Lizzy, songea Richard en souriant. Il choisit ce moment pour sortir un étui allongé de sa poche intérieure.

— J'ai tenté de te l'offrir ce matin, mais les enfants sont arrivés avant. J'espère qu'il suffira à prolonger encore un peu l'esprit de Noël

— Mon Dieu, qu'as-tu fait ? demanda Juliet d'une voix tremblante en dénouant le ruban de satin doré pour ouvrir l'écrin.

Richard retint son souffle ; il espérait avoir choisi le bon collier parmi la multitude qu'on lui avait présentée.

— Il te plaît ?

— S'il me plaît ? Je l'adore !

— Tu en es sûre ? Tu peux l'échanger si tu veux.

— Mais pourquoi ferais-je une chose aussi ridicule ?

Elle leva le collier à la lumière et les diamants scintillèrent de mille feux, la chaîne de platine qui les reliait soulignant leur éclat.

— Il y a aussi des boucles d'oreilles assorties, annonça Richard en les libérant de l'écrin.

— Oh, Richard, mais c'est trop !

— Bien sûr que non. Le soir où nous avons dansé, j'ai compris que tu étais faite pour porter des diamants. Attends, je vais t'aider.

Elle le laissa faire puis se retourna vers lui, la main sur la gorge.

— Alors, qu'en penses tu ?

— C'est parfait, répondit Richard, qui regardait bien plus le beau visage de sa femme que la parure.

Il était si merveilleux de voir Juliet heureuse et insouciante, de contempler le reflet des bougies dans ses yeux. Elle sourit, et Richard eut soudain l'impression que son cœur s'était arrêté. Incapable de résister, il l'attira à lui.

— Je t'aime, Richard.

— Et moi, je t'adore.

— Je t'aime et je t'admire.

—Je t'aime, t'adore, te vénère, et je ne peux plus vivre sans toi.

Juliet éclata de rire.

—Très bien, tu as gagné, dit-elle en lui tapotant affectueusement l'épaule.

—Oh! non, mon amour. Nous avons tous les deux gagné.

Richard embrassa alors son épouse avec tant de passion qu'il aurait juré la sentir décoller du sol.

Épilogue

Décembre, deux ans plus tard.

Le dos à la fenêtre, Richard regardait avec inquiétude une Juliet enceinte jusqu'aux yeux faire les cent pas dans le salon de Highgrove Manor.

—Satanés trains ! Pourquoi ne sont-ils jamais à l'heure ? Il est déjà quatre heures et demie ! À cette allure, Edward et George auront de la chance s'ils arrivent avant minuit !

—Juliet, asseyez-vous, dit Richard en s'efforçant de bannir de sa voix toute trace du ton autoritaire que son épouse détestait. Vous savez bien que le docteur vous a conseillé de vous ménager.

—Marcher n'a rien d'épuisant !

—Pendant plus d'une heure, si, rétorqua Richard en se plaçant devant la fenêtre pour que son épouse ne voie pas au-dehors. Vous allez finir par faire un trou dans ce tapis à force de le piétiner.

—Edward est en pension depuis près de quatre mois, je n'ai pas pu lui rendre visite pendant tout ce temps, et vous vous étonnez que je sois impatiente qu'il arrive ?

Elle secoua la tête avec indignation, mais Richard vit ses yeux s'embuer et se sentit aussitôt coupable. Même si le médecin lui avait assuré qu'il était tout à fait normal pour une femme dans son état de se montrer particulièrement émotive, il n'aimait pas voir Juliet aussi désemparée.

Il passa un bras autour de ses épaules ; elle se raidit, puis finit par se laisser faire.

— Du calme, ma chérie, dit-il calmement. Ils seront bientôt là.

Il caressa doucement son ventre rebondi et sentit un vigoureux coup de pied. C'était certes rassurant, mais Richard savait qu'il ne se détendrait vraiment que quand Juliet aurait donné naissance à leur enfant – ce qui n'arriverait pas avant cinq semaines, selon le docteur.

Lady Moffat, anciennement Miss Olivia Hardie, leva le nez de la tapisserie qu'elle brodait.

— Richard se montre certes un peu trop protecteur, comme il le fait toujours avec ceux qu'il aime, mais vous feriez peut-être bien de vous reposer, en effet, Juliet. Voulez-vous que je nous fasse apporter du thé ?

— Je suis trop énervée pour boire du thé, répondit Juliet en s'asseyant lentement sur le canapé, une main sur le ventre. C'était très gentil de la part de George d'accepter de ramener Edward. Je serais dix fois plus inquiète s'il était seul.

— George était heureux de rendre service, et puis il savait que Richard n'était pas prêt à vous laisser.

— Regardez par la fenêtre ! s'écria James en entrant en trombe dans la pièce, Lizzy sur les talons. Il neige !

— Vous allez nous emmener faire de la luge, papa ? demanda Lizzy.

Juliet se raidit.

— Allons, ne vous en faites pas, ce n'est qu'un peu de pluie glacée, s'empressa de lui dire Richard.

Il lança un regard à la cour couverte de neige, un peu honteux de son mensonge. De gros flocons tournoyaient, pris dans le halo des lanternes qui éclairaient l'allée. Il avait remarqué que la neige avait commencé à tomber une heure auparavant, mais avait décidé de le cacher à Juliet.

Richard savait que voyager par ce temps deviendrait de plus en plus périlleux. Le véhicule de George et Edward serait bientôt pris dans un épais brouillard blanc – si leur train était seulement arrivé à destination.

Deux sujets d'inquiétude qu'il décida de garder pour lui.

Juliet lui lança un regard anxieux. Richard détestait se sentir aussi impuissant, mais honnêtement, que pouvait-il faire contre les intempéries ?

— Pourquoi ne pas écouter des chants de Noël pour nous occuper ? suggéra Olivia. Lizzy m'a dit qu'elle en avait appris quelques-uns au pianoforte.

La petite fille, toujours ravie d'être le centre d'attention, prit place devant l'instrument. Son enthousiasme l'emportait de beaucoup sur sa technique, mais ses efforts rudimentaires aidèrent un peu à apaiser la tension ambiante.

Les chants conduisirent immanquablement à une discussion sur les réjouissances de Noël, plus modestes cette année-là en raison de l'état de Juliet. C'était un sujet qui d'ordinaire réjouissait la jeune femme, mais ses réponses vagues montraient qu'elle pensait de nouveau à Edward.

Richard s'apprêtait à capituler quand James glapit :

— La voiture arrive !

Tous se levèrent d'un bond pour se ruer dans le hall. Richard vint se placer tout près de son épouse ; avec un centre de gravité qui se modifiait en permanence, l'équilibre de Juliet n'était pas toujours irréprochable.

James et Lizzy ouvrirent la porte d'entrée, et George et Edward se précipitèrent à l'intérieur, accompagnés d'une nuée de flocons qui flottaient dans les airs tels des confettis.

Edward rabaissa le col qui lui couvrait le menton et chassa la neige accrochée à ses cheveux en riant.

— Nous voilà ! annonça-t-il gaiement.

— Enfin ! s'écria Juliet en se jetant à son cou.

Edward fit une grimace comique mais laissa sa mère l'étreindre, jusqu'à ce que son frère et sa sœur décident de le taquiner.

— Taisez-vous, tous les deux, les gronda Richard en faisant mine de les chasser.

Lizzy et James partirent en riant, et revinrent aussitôt.

— Et personne n'est content de me voir ? demanda George.

— Si, moi, répondit Olivia.

Elle donna un rapide baiser à son mari puis se tourna pour saluer Edward, mais George lui prit la main et l'embrassa passionnément.

Richard sourit. Beaucoup de choses avaient changé au cours des deux années précédentes, mais rien n'avait été plus spectaculaire que la transformation de lord Moffat en parfait époux. Il faisait preuve envers sa femme d'une dévotion exceptionnelle, ce que Richard n'aurait jamais compris s'il n'avait autant tenu à Juliet.

Certes, son propre mariage avait semé le chaos dans sa vie bien ordonnée, mais il lui avait aussi apporté de la joie et des rires. Dire qu'il avait cru ne pas en avoir besoin! Juliet et ses enfants lui avaient prouvé qu'il avait tort.

— Vous m'avez annoncé dans une de vos lettres que nous serions moins nombreux cette année, mais est-ce qu'oncle Horace et tante Mildred seront là? s'enquit Edward tandis que tous se rassemblaient autour de l'âtre, dans le salon.

— Bien entendu, répondit Richard. Nous ne pouvions pas inviter tout le monde, mais certains membres de la famille sont incontournables.

— Et puis sans Horace, qui aiderait notre cuisinière et Mrs Perkins à décorer tous les biscuits en pain d'épice? demanda Juliet.

— À les manger, plutôt, ricana Edward.

— Certes, certes, mais n'est-ce pas une autre de nos traditions de Noël?

Juliet étreignit de nouveau Edward, puis attira James et Lizzy à elle. Elle était en larmes, mais souriait également, et il était impossible de ne pas voir le bonheur sur son visage.

Ce spectacle toucha Richard d'une façon qu'il n'aurait su expliquer. Il était heureux de pouvoir ressentir de telles émotions.

— Maman, vous m'étouffez! protesta James.

— Moi aussi, ajouta Lizzy.

— Et moi aussi, mais ça ne me dérange pas, conclut Edward.

Richard prit la main de sa femme et y déposa un tendre baiser.

— Heureuse?

— Parfaitement.

Elle libéra ses enfants et se réfugia dans ses bras.

— Edward est sain et sauf, nous sommes tous réunis, et nous avons deux semaines pour préparer Noël.

Devant le bonheur de son épouse, Richard sentit son cœur battre à tout rompre, débordant d'un amour presque douloureux.

— Ma chère, je suis une fois de plus sur le point de prononcer des paroles dont je ne me serais jamais cru capable.

— Ah?

Il la serra contre lui et la regarda dans les yeux.

— J'attends Noël avec impatience.

PEMBERLEY

Découvrez aussi dans la même collection :

Chez votre libraire

Amanda Grange   *Le Journal de Mr Darcy*

Julianne MacLean   Le Highlander :
Conquise par le Highlander

---

18 janvier 2013

Jennifer Becton   *Charlotte Collins*

Sally MacKenzie   Noblesse oblige :
Le Roi mis à nu

Julianne MacLean   Le Highlander :
Séduite par le Highlander

Achevé d'imprimer en octobre 2012
Par CPI Brodard & Taupin - La Flèche (France)
N° d'impression : 70385
Dépôt légal : novembre 2012
Imprimé en France
81120878-1